Zwartkonijn

Van Kevin Brooks verschenen eerder bij De Harmonie:
Martyn Big
Lucas
Candy
Het dodenpad
Aanwezig
Bedreigd

KEVIN BROOKS

Zwartkonijn

Vertaling Jenny de Jonge

De Harmonie Amsterdam / Manteau Antwerpen

Voor de zo geweldige Sarah Hughes

Een

De zomer van dit verhaal begon voor mij op een warme donderdagavond, eind juli, precies toen de zon onderging. Ik deed niets op dat moment – lag alleen maar op mijn bed naar het plafond te kijken – dus zag ik de zon niet echt ondergaan, maar ik wist bijna zeker dat hij ergens was. Zoals alles ergens was – de lichte strepen aan de horizon, de vervagende rode lucht, de sterren, de maan, de rest van de wereld – ik wilde er alleen niks mee te maken hebben.

Ik wilde toen nergens iets mee te maken hebben.

Het enige wat ik wilde was op mijn bed liggen en naar het plafond kijken.

Ik had geen idee waar die sloomheid vandaan kwam – en ik geloof dat het me ook niet echt kon schelen – maar in de ongeveer drie weken dat school voorbij was, was ik er blijkbaar aan gewend geraakt om helemaal niks te doen en had ik er moeite mee om dat te doorbreken. Elke morgen laat opstaan, urenlang in huis rondhangen, een tijdje in de zon zitten... misschien een boek lezen, of niet. Wat zou het? Zoals ik het zag zouden de dagen en de nachten toch wel voorbijgaan of ik nou iets uitvoerde of niet. En dat was ook zo. De ochtenden gingen voorbij, de middagen, de avonden gingen over in schemering waarin de zon was ondergegaan... en voor ik het wist, lag ik weer op bed naar het plafond te kijken en me af te vragen waar de dag was gebleven en waarom ik niks had gedaan en waarom ik het nog steeds niet op kon brengen om iets uit te voeren.

Die avond had ik van alles en nog wat kunnen doen. Het was nog maar halftien. Ik had tv kunnen kijken, of naar een dvd, of ergens naartoe kunnen gaan. Ik had naar tv of een dvd kunnen kijken en daarná ergens naartoe kunnen gaan.

Maar ik wist dat ik het niet zou doen.

Niets doen beviel me prima.

Prima?

Ik weet het niet.

Volgens mij voelde ik me prima.

Dus, hoe dan ook, daar was ik mee bezig toen de telefoon ging en de zomer van dit verhaal begon – ik lag op bed, keek naar het plafond, en hield me met mijn eigen waardeloze zaken bezig. Het geluid van de telefoon deed me niet echt iets. Het was gewoon een geluid, het bekende stomme gerinkel van de telefoon beneden in de gang, waarvan ik wist dat het niet voor mij zou zijn. Waarschijnlijk was het gewoon pap, die van zijn werk belde, of een vriendin van mam, die even bij wilde kletsen…

Het was niks om je over op te winden.

Het was niks om er wat dan ook bij te voelen.

Het was gewoon iets om naar te luisteren.

Nu hoorde ik mam beneden – ze kwam uit de huiskamer, liep de gang door, schraapte zachtjes haar keel, nam de telefoon op…

'Hallo,' hoorde ik haar zeggen.

Het was even stil.

En toen: 'O, hallo, Nicole. Hoe gaat het ermee?'

Nicole, dacht ik terwijl mijn hart ietsje sneller begon te kloppen. Nicole?

'Pete!' riep mam. 'Telefoon!'

Even verroerde ik geen vin. Ik lag gewoon op bed naar de deur te kijken en probeerde uit te vogelen waarom Nicole Leigh me op donderdagavond halftien zou bellen. Waarom ze me sowieso zou bellen. Ze had me in tijden niet gebeld.

'Pete!' riep mam weer, maar nu harder. 'Telefoon!'

Ik had op dat moment helemaal geen zin om met iemand te praten en overwoog half om aan mam te vragen tegen Nicole te zeggen dat ik er niet was, dat ik haar later terug zou bellen, maar besefte toen dat ik daarvoor net zo goed zou moeten opstaan en naar beneden zou moeten, en dan zou mam willen weten waarom ik Nicole niet wilde spreken en zou ik iets moeten verzinnen om te zeggen…

En dat was me allemaal te veel moeite.

En al was het dat niet…

Het was toch niet zomaar iemand aan de telefoon?

Het was Nicole Leigh.

Ik stond op, rekte mijn stijve nek en ging op weg naar beneden.

Toen ik daar aankwam, stond mam aan het eind van de gang met haar hand over de hoorn.

'Het is Nicole,' zei ze overdreven fluisterend en articulerend alsof het een soort geheim was.

'Dankjewel,' zei ik terwijl ik de telefoon van haar overnam. Ik wachtte tot ze terug in de huiskamer was en hield toen de hoorn aan mijn oor. 'Hallo?'

'Een goede avond,' zei een valse kakstem. 'Spreek ik met de heer Peter Boland?'

'Hé, Nic.'

'Shit,' zei ze lachend. 'Hoe wist je dat ik het was?'

'Telepathie,' zei ik. 'Ik dacht net aan je toen de telefoon ging…'

'Leugenaar. Je moeder zei zeker dat ik het was?'

'Ja.'

Nic lachte weer. Het was een prettige lach, een beetje aangenaam hees, en hij riep herinneringen op aan andere tijden… tijden waarvan ik dacht dat ik ze vergeten was.

'Ik stoor toch niet?' vroeg ze.

'Hoezo?'

'O, niks… alleen dat je er lang over deed om aan de telefoon te komen. En ik hoorde je moeder fluisteren met haar hand over de hoorn.'

'Dat doet ze altijd,' zei ik. 'Het betekent niks. Ik was gewoon boven op mijn kamer…'

'Alleen?'

Ik kon de lach in haar stem horen.

'Ja,' zei ik. 'Alleen.'

'Zal wel.'

Ik keek naar de muur en luisterde naar de gedempte stilte aan de andere kant van de lijn, verbeeldde me hoe Nic keek: geamuseerd, aandachtig, lekker geheimzinnig.

'Zo, Pete,' ging ze door. 'Hoe gaat het ermee?'

'Z'n gangetje.'

'Wat doe je allemaal?'

'Niet zoveel. En jij?'

'Jezus,' zei ze zuchtend, 'ik ben de laatste drie weken alleen maar aan het inpakken.'

'Inpakken?'

'Ja, je weet wel… voor wanneer we naar Parijs gaan.'

'Ik dacht dat je pas eind september ging?'

'Dat is ook zo, maar mam en pap zijn de komende paar weken weg en proberen het grootste deel ingepakt te hebben voor ze vertrekken. Het ligt hier vol met troep en kartonnen dozen. Alsof je in een pakhuis woont.'

'Klinkt leuk.'

'Ja…'

Ik hield me een tijdje stil en zei niks, met de bedoeling om erachter te komen waarover ze me eigenlijk wilde spreken. Nicole kletste nooit zomaar wat en ik wist dat ze me na al die tijd niet had gebeld om het alleen over kartonnen dozen te hebben. Dus staarde ik naar de muur en wachtte af.

Uiteindelijk zei ze: 'Moet je horen, Pete… ben je er nog?'

'Ja.'

'Wat doe je zaterdag?'

'Zaterdag? Weet ik veel… niks bijzonders. Waarom?'

'Weet je die kermis in het park?'

'Ja.'

'Nou, zaterdag is de laatste dag en ik dacht om met z'n allen af te spreken voor een avondje stappen. Alleen wij vieren: jij, Eric, Pauly en ik. Gewoon, net als vroeger.'

'Vroeger?'

'Ja, je snapt best wat ik bedoel, ons groepje… Wij met zijn vieren. Zo lang is het toch ook weer niet geleden? Ik dacht gewoon, je weet wel…'

'Wat?'

'Ik vond gewoon dat we weer eens moesten afspreken voor het te laat is.'

'Te laat waarvoor?'

'Nou, jij gaat naar het oriëntatiejaar, Eric en ik gaan naar Parijs, Pauly gaat waarschijnlijk werken… dit is misschien onze laatste kans om elkaar te zien.'

'Ja, misschien wel…'

'Toe nou, Pete… Eric en Pauly zijn helemaal voor. We zien elkaar in de oude hut in het achterlaantje.'

'In de oude hut?'

Ze lachte. 'Ja, oké… ik moest er een tijdje geleden gewoon aan denken, weet je wel, hoe we hem hebben gebouwd en zo, en ineens bedacht ik dat het echt een goeie plek zou zijn om voor de laatste keer af te spreken. Het wordt hartstikke leuk, net als de hutfeesten die we vroeger altijd hadden. Een paar flessen mee, beetje dronken worden… en dan kunnen we daarna samen naar de kermis en kotsen in de achtbaan.' Ze lachte weer. 'Je móét komen, Pete. Zonder jou is het niet hetzelfde.'

'En Raymond?'

Nicole aarzelde. 'Raymond Daggett?'

'Ja. Ik bedoel, het groepje was toch niet alleen wij vieren? Raymond was er vaak ook bij.'

'Ja, weet ik wel. Maar Raymond… ik bedoel, dit is toch niks voor hem?'

'Hoezo?'

'Je weet wel… stappen, naar de kermis, afspreken met Eric en Pauly. Ik denk gewoon dat hij dat niet leuk vindt.'

'Waarom niet?'

'Moet je horen, Pete.' Ze zuchtte. 'Ik zeg niet dat ik hem er niet bij wil…'

'Wat zeg je dan wel?'

'Niks. Alleen dat…'

'Wat?'

'Niks. Het geeft niet.' Ze zuchtte weer. 'Als jij wilt dat Raymond ook komt…'

'Ik weet nog niet eens of ík wel kom.'

'Natuurlijk wel,' zei ze, plotseling weer oplevend. 'Je zegt toch geen nee tegen mij?'

'Nee.'

Ze lachte weer, maar nu klonk het een beetje geforceerd en ik had de indruk dat ze zichzelf dwong om erom te lachen, terwijl ze het eigenlijk serieus had bedoeld… en ik wist niet wat ik daarvan vond. De manier waarop ze tegen me praatte had bijna iets intiems en als ik niet beter had geweten, had ik gezworen dat ze met me zat te flirten. Maar ik wist wel beter. Nicole Leigh flirtte niet met mij. Dat was allemaal verleden tijd. We kenden elkaar zelfs nog nauwelijks. We verkeerden in andere kringen. We deden andere dingen. We hadden andere vrienden. Alles wat we samen nog hadden was de gezamenlijke herinnering aan een tijd dat we altijd met Raymond, Pauly en Eric optrokken. Herinneringen aan bendes en hutten, aan lange dagen bij de rivier, of in het bos… herinneringen aan ademloze eerste kussen en onhandig geklungel in de verlaten fabriek achter in het laantje…

Herinneringen… meer waren het niet.

Kinderachtig gedoe.

'Pete?' hoorde ik Nic zeggen. 'Hoorde je wat ik zei?'

'Wat?'

'Ik zei, vergeet niet een fles mee te brengen.'

'Sorry?'

'Een fles… iets te drinken. Zaterdag.'

'O ja… goed.'

'We zien elkaar om halftien in de hut, oké?'

'De hut in het achterlaantje?'

'Ja, die boven aan het talud bij de oude fabriek. Tegenover de gastorens.'

'Oké.'

Ze aarzelde een moment. 'Wil je Raymond nog steeds meenemen?'

'Ik zie niet in waarom niet.'

'Oké. Maar je kunt niet de hele avond op hem zitten passen.'

'Op Raymond hoef je niet te passen.'

'Zo bedoelde ik het niet. Ik wilde alleen maar zeggen…' Haar stem stierf weg en ik hoorde dat ze een sigaret opstak. 'Hoe dan ook, luister,' ging ze door. 'Na de kermis gaan we met zijn allen naar mijn huis. Pap en mam zijn tegen die tijd weg, dus… je weet wel… als je wilt blijven slapen, dan kan dat.' Ze zweeg even en zei toen zachtjes: 'Zonder verplichtingen.'

'Oké…'

'Goed. Nou, zie je zaterdag dan.'

'Ja.'

'Halftien.'

'Halftien.'

'Goed. Tot dan…'
'Ja, dag.'

Je kent dat wel, dat wanneer je met iemand praat, en je er op dat moment niet helemaal zeker van bent wat diegene wil zeggen, maar dat je later, als hij weg is, en je tijd hebt gehad om erover na te denken, beseft dat je eigenlijk gewoon geen flauw idee hebt wat hij wilde zeggen. Nou, zo voelde het nadat ik Nicole gedag had gezegd. Ik stond daar maar in de gang stom naar de vloer te staren en dacht bij mezelf…

Vroeger?

Hutfeesten?

Kermis en achtbanen?

Waar ging dat in vredesnaam allemaal over?

Toen vijf minuten later de huiskamerdeur openging en mam naar buiten kwam, stond ik er nog.

'Alles goed, mop?' vroeg ze.

Ik keek op. 'Ja… ja, prima.'

Ze wierp een blik op de telefoon en keek toen weer naar mij. 'Hoe gaat het met Nicole?'

'Goed… ze gaat binnenkort verhuizen. Haar vader heeft een nieuwe baan in Parijs. Hij gaat daar een of ander theater opzetten of zoiets. In september verhuizen ze daar met zijn allen naartoe.' Ik wist niet waarom ik haar dat allemaal vertelde. Ik denk dat ik nog steeds een beetje verbaasd, een beetje in de war was. Ik deed gewoon mijn mond open en zei maar wat. 'Nicole vroeg of ik zaterdag mee naar de kermis ging met Eric en Pauly.'

'Klinkt leuk,' zei mam.

Ik haalde mijn schouders op.

'Heb je geen zin?' vroeg ze.

'Ik weet niet…'

'Het zou je goed doen.'

Ik keek haar aan.

Ze glimlachte triest naar me. 'Je moet er nodig eens uit, Pete. Een beetje frisse lucht in je longen krijgen. Je kunt niet de hele tijd in huis rondhangen.'

'Ik hang niet de hele tijd in huis rond… soms ga ik buiten in de tuin zitten.'

Ze schudde haar hoofd. 'Ik meen het, Pete. Soms maak ik me zorgen om je.'

'Er is niks om je zorgen over te maken.'

'Maar het lijkt wel of je niks meer doet. Je gaat niet uit, je bent nergens in geïnteresseerd, je ligt de hele dag tv te kijken of te slapen.' Ze keek me bezorgd aan. 'Ik bedoel, wat mankeert er aan de dingen die je vroeger deed?'

'Wat voor dingen?'

'Voetbal… vroeger ging je elke zaterdag voetballen. En had je die leesclub van de bibliotheek waar je altijd naartoe ging. Dat vond je toen leuk.'

Ik haalde weer mijn schouders op. 'Ik lees nog steeds veel… ik zit altijd met mijn neus in de boeken. Ik wil er alleen niet over praten.'

'Oké,' zei mam. 'Je gitaar dan? Die heb je in maanden niet aangeraakt… hij staat daar maar te verstoffen in de hoek van je kamer. Vroeger oefende je elke avond. Je werd er echt goed in…'

'Nee hoor. Ik bakte er niks van.'

Ik kreeg weer een doordringende blik. 'Je zegt het me als er iets mis is, hè?'

'Er is niks mis, mam. Alles is in orde… echt.'

'Je loopt toch niet ergens over te piekeren?'

'Nee.'

'Je examenuitslag?'

'Nee.'

'Het komende jaar?'

'Mam,' zei ik beslist, 'ik heb je al gezegd dat ik nergens mee zit, oké? Ik mankeer niks. Ik ben alleen… ik weet niet. Gewoon een beetje moe…'

'Moe? Hoezo, moe?'

'Weet ik niet…'

Ze tuurde in mijn ogen en bestudeerde mijn pupillen.

'Nee,' zei ik zuchtend, 'ik ben niet aan de drugs.'

Ze deed een stap achteruit en keek weer gewoon. 'Ik probeer alleen maar te helpen, Pete.'

'Ik hoef geen hulp.'

'Je hoort niet de hele tijd moe en somber te zijn,' zei ze, terwijl ze haar hoofd schudde. 'Niet op jouw leeftijd. Dat is niet goed.'

Ik glimlachte naar haar. 'Misschien is het gewoon een fase die ik doormaak. Hormonen of zo.'

Ze probeerde terug te lachen, maar het lukte niet helemaal. En dat vond ik minder leuk. Ik maakte haar niet graag overstuur.

'Alles is in orde, mam,' zei ik zacht. 'Er is echt niks aan de hand. Ik voel me op dit moment alleen een beetje raar, meer niet. Alsof ik tussen twee dingen in zit, je weet wel… alsof ik niet precies weet welke kant ik op moet. Het is niks ergs of zo, ik voel me gewoon een beetje…'

'Raar?' stelde ze voor.

'Ja.'

Ze knikte. 'Nou, goed dan. Maar als het erger wordt…'

'Dan zeg ik het. Echt.'

Ze trok haar wenkbrauwen op. 'Écht echt?'

'Ja,' zei ik lachend. 'Menens echt.'

Die avond kwam ik een hele tijd niet in slaap. Terwijl ik in bed naar het maanverlichte donker lag te staren kwamen er zoveel gedachten in mijn hoofd op dat ik ze uit mijn schedel naar buiten voelde druppelen. Zweterige, kleverige, prikkelende gedachten, die uit mijn oren, ogen, mond en poriën sijpelden.

Gedachten, beelden, herinneringen.

De klank van Nicoles stem: Als je wilt blijven slapen, dan kan dat... zonder verplichtingen.

Beelden die in mijn hoofd opkwamen: Nic en ik op een feestje toen we dertien, misschien veertien, waren, samen opgesloten in een badkamer... te jong om te weten wat we deden maar het evengoed probeerden...

Je zegt toch geen nee tegen mij?

Toen stapte ik, overdekt met zweet, mijn bed uit en ging bij het open raam staan. Het was benauwd en drukkend, de nacht warm en stil. Ik had geen pyjama aan of zo – daar was het te warm voor – en al kwam er geen zuchtje wind door het raam, ik voelde toch het zweet op mijn vel afkoelen.

Ik rilde.

Warm en koud.

Het was nu ergens vroeg in de ochtend. Een uur of twee, drie, zoiets. De straat beneden was leeg en stil, maar van de hoofdweg vlakbij hoorde ik zwakke geluiden overdrijven – af en toe een auto, een stelletje nachtbrakers, een verre kreet, dronken stemmen...

De nachtelijke geluiden.

Ik tuurde naar het eind van de straat, naar Raymond Daggetts huis. Daar was het donker, de gordijnen dicht, de lichten allemaal uit. In het bleke schijnsel van een straatlantaarn zag ik het steegje dat naar de achterkant van zijn huis loopt en alle troep waarmee de voortuin bezaaid lag: fietsframes, dozen, pallets, vuilniszakken. Ik keek naar Raymonds slaapkamerraam en vroeg me af of hij daarbinnen was of niet.

Raymond was 's nachts niet altijd op zijn slaapkamer. Soms wachtte hij tot zijn ouders sliepen en dan sloop hij naar beneden, ging naar buiten, en bracht de nacht in de tuin bij zijn konijn door.

Hij hield het in een hok achter in de tuin bij het schuurtje. Als het koud was nam hij zijn konijn mee het schuurtje in en schurkten ze lekker tegen elkaar aan tussen een stel oude zakken of wat dan ook. Maar als het warm was, zoals vannacht, liet hij het konijn uit zijn hok en zaten ze daar samen stil tevreden onder de zomerse sterrenhemel.

Ik vroeg me af of ze daar nu ook zaten.

Raymond en zijn Zwartkonijn.

Voor Raymond was het allemaal begonnen toen hij elf was en van zijn ouders een konijn kreeg voor zijn verjaardag. Het was een mager klein ding, helemaal zwart, met een beetje starre ogen, een klitterige staart, en grote kale plekken op zijn rug. Ik denk dat Raymonds vader het van iemand in een kroeg had gekocht of zoiets. Of dat hij hem gewoon had gevonden... weet ik veel. Hoe dan ook, waar zijn vader hem ook vandaan had, Raymond was blij verrast dat hij een konijn voor zijn verjaardag kreeg. Ten eerste omdat hij er niet om had gevraagd en dit de eerste keer van zijn leven was dat hij iets van zijn ouders kreeg zonder dat hij erom gevraagd had. Ten tweede omdat zijn ouders zijn verjaardag meestal vergaten. En ten derde, zoals Raymond later aan mij toegaf, omdat hij toen niet eens van konijnen hield.

Maar dat liet hij zijn ouders niet merken. Dat zouden ze niet leuk hebben gevonden. En Raymond was er lang geleden achter gekomen dat het geen goed idee was om zijn ouders tegen de haren in te strijken. Dus had hij ze uitvoerig bedankt, onhandig gelachen, het konijn in zijn armen gehouden en het geaaid.

'Hoe ga je hem noemen?' had zijn moeder gevraagd.

'Raymond,' zei Raymond. 'Ik noem hem Raymond.'

Maar hij loog. Hij ging het konijn geen Raymond noemen. Hij ging hem helemaal geen naam geven. Waarom zou hij? Het was een konijn. Konijnen hebben geen namen. Die hebben ze niet nodig. Het zijn gewoon stomme beestjes.

Het was ongeveer een jaar later toen Raymond me voor het eerst vertelde dat zijn konijn tegen hem was begonnen te praten. Eerst dacht ik dat hij gewoon stond te zwetsen en een van zijn rare verhaaltjes verzon – dat deed hij altijd – maar na een tijdje kreeg ik door dat hij het meende. We waren toen beneden bij de rivier – alleen wij tweetjes, we hingen rond op de oever, zochten naar woelmuizen, keilden steentjes over het water… het gewone werk – en toen Raymond me over zijn konijn begon te vertellen zag ik aan de blik in zijn ogen dat hij elk woord geloofde dat hij zei.

'Ik weet dat het heel stom klinkt,' zei hij, 'en ik weet dat hij niet écht tegen me praat, maar het is alsof ik dingen hoor in mijn hoofd.'

'Wat voor dingen?' vroeg ik.

'Ik weet niet… woorden, denk ik. Maar het zijn niet echt woorden. Het klinkt als… ik weet niet… als gefluister in de wind.'

'Ja maar, hoe weet je dat het van je konijn komt?' vroeg ik. 'Ik bedoel, misschien is het wel iets raars in je hoofd.'

'Hij vertelt me dingen.'

Ik staarde hem aan. 'Wat voor dingen?'

Raymond haalde zijn schouders op en smeet een kiezel in het water. 'Gewoon… soms zegt hij *Hallo. Dankjewel.* Van die dingen.'

'Meer niet? Alleen *hallo* en *dankjewel*?'

Raymond staarde nadenkend over de rivier, zijn ogen stonden een beetje glazig en veraf. Toen hij wat zei, klonk zijn stem vreemd. 'Een mooie lucht vanavond…'

'Wat?' zei ik.

'Dat zei Zwartkonijn gisteravond. Hij zei dat het een mooie lucht was vanavond.'

'Een mooie lucht vanavond?'

'Ja… en groen is fris als water. Dat zei hij ook. *Groen is fris als water.* En een paar dagen terug zei hij: *Dit goede houten huis* en *Strogeur blauwe lucht.* Hij zegt van alles.'

Daarna zweeg Raymond en ik wist niets te bedenken om te zeggen, dus zaten we daar een tijdje niets te doen en alleen in stilte naar het donkere bruine water van de rivier te kijken.

Na een minuut of twee draaide Raymond zich om en keek me aan. 'Ik weet dat het nergens op slaat, Pete, en ik weet dat het een beetje raar klinkt... maar ik vind het echt prettig. Het is alsof wanneer ik elke dag uit school kom en naar het hok toe loop achter in de tuin en Zwartkonijn voer en hem vers water geef en zijn hok schoonmaak... alsof ik een vriend heb die me dingen vertelt die goed zijn. Hij zegt dingen die me geen pijn doen. Het geeft me een goed gevoel.'

Twee jaar later, toen Zwartkonijn stierf aan een schimmelinfectie van zijn mond, huilde Raymond zoals hij nog nooit had gehuild. Hij huilde drie dagen aan een stuk. Toen ik hem hielp om Zwartkonijns lichaam te begraven in een leeg pak Cornflakes in zijn tuin, huilde hij nog.

'Hij zei dat ik niet moest huilen,' snikte Raymond terwijl hij het gat met aarde vulde, 'maar ik kan het niet helpen.'

'Wie zei dat?' vroeg ik, omdat ik dacht dat hij het over zijn vader had. 'Wie zei dat je niet moest huilen?'

'Zwartkonijn...' Raymond haalde flink zijn neus op en veegde het snot weg. 'Ik weet wat ik moet doen... ik bedoel, ik weet dat hij niet weg is.'

'Wat bedoel je?'

'Hij zei dat ik hem mee naar huis moest nemen.'

Op dat moment wist ik niet waar Raymond het over had, maar toen ik de volgende dag bij hem langsging en ontdekte dat hij naar de dierenwinkel was geweest en een ander zwart konijn had gekocht... nou, toen wist ik nog steeds niet waar hij het over had, maar begon ik een beetje door te krijgen wat hij bedoelde. Want voor Raymond was het konijn dat hij bij de dierenwinkel had gehaald niet gewoon een ander zwart konijn, maar hetzelfde Zwart-

konijn. Dezelfde ogen, dezelfde oren, hetzelfde gitzwarte bont…
dezelfde fluisterstem.

Raymond had gedaan wat hem gezegd was: hij had Zwartkonijn
mee naar huis genomen.

Ik rilde weer. Het zweet op mijn vel was nu opgedroogd en ik was
voldoende afgekoeld om weer in bed te stappen. Maar ik bleef nog
een tijdje bij het raam staan, dacht aan Raymond en vroeg me af of
hij daarbuiten was… in het donker zat te luisteren naar het gefluister in zijn hoofd.

Een mooie lucht vanavond.

Dit goede houten huis.

Strogeur blauwe lucht.

Ik dacht aan wat Nicole had gezegd – dat Raymond zaterdag niet
naar de kermis zou willen – en wist dat ze waarschijnlijk gelijk had.
Ik wist bijna zeker dat hij wel zou willen als het alleen om hem en
mij ging, maar niet wat hij ervan zou vinden om met de anderen
af te spreken. Zelf wist ik het ook niet. Nicole en Eric? Pauly Gilpin? Het leek zo… ik weet niet. Alsof je terug in het verleden stapte: terug naar de onderbouw van de basisschool, samen achter in
de klas; terug naar de bovenbouw, naar elkaar uitkijken op het
speelplein, rondhangen na school, samen weekenden en schoolva-
kanties doorbrengen…

Toen waren we bevriend.

We hadden onderlinge banden: Nicole en Eric waren tweelingen, Nic en ik deden alsof we op elkaar waren, Pauly bewonderde
Eric, Eric zorgde voor Nic…

Banden.

Maar dat was toen en toen was alles anders. Wij waren anders.
We waren kinderen. En dat waren we nu niet meer. We waren door-
gegaan naar het voortgezet onderwijs, werden dertien, veertien,
vijftien, zestien… en geleidelijk aan was het anders geworden. Je

weet hoe dat gaat: de wereld wordt groter, dingen raken uit elkaar, de vrienden uit je kindertijd worden mensen die je van vroeger kent. Ik bedoel, je kent ze nog wel, je ziet ze nog elke dag op school, zegt elkaar nog steeds gedag… maar niet meer zoals het was.

De wereld wordt groter.

Maar niet alles verandert.

Raymond en ik waren nooit veranderd. Onze wereld was nooit groter geworden. We waren altijd bevriend geweest. We waren al bevriend voor de anderen, mét de anderen erbij en los van hen, en op heel veel manieren waren we ondanks de anderen met elkaar bevriend geweest.

We waren vrienden.

Toen en nu.

En dus was het idee om op zaterdag allemaal weer bij elkaar te komen… nou, dat voelde gewoon heel raar. Een beetje eng, denk ik. Een beetje zinloos zelfs. Maar tegelijk was het ook best spannend. Spannend op een rare-enge-zinloze manier.

Inmiddels had ik me weggedraaid van het raam en keek naar een zwart porseleinen konijn dat boven op mijn ladekast staat. Het was een cadeau van Raymond voor mijn zestiende verjaardag. Een zwart porseleinen konijn, zowat levensgroot, dat op zijn hurken zat. Het is een mooi ding, blinkend glad, met glanzend zwarte ogen, een bloemenketting om zijn hals, en een snuit die lijkt te fronsen. Alsof het konijn nadenkt over iets wat lang geleden is gebeurd, iets droevigs, iets wat hem altijd bij zal blijven.

Over het algemeen word ik niet gauw emotioneel, maar toen Raymond me het konijn gaf, was ik echt ontroerd. Van de rest had ik het soort cadeaus gekregen die je op je zestiende verjaardag kunt verwachten – mam en pap hadden geld gegeven, een meisje met wie ik een paar keer was wezen stappen had me een onvergetelijke nacht bezorgd, en van vrienden op school had ik een paar kaarten en gekke kleine dingetjes gekregen – maar dit, het konijn van Raymond... nou, dat was gewoon een echt cadeau. Een gemeend cadeau, waar aandacht en gevoel achter zat.

'Je hoeft het niet te houden als je het niet wilt,' had Raymond onhandig gemompeld toen hij keek hoe ik het uitpakte. 'Ik bedoel, ik weet dat het een beetje... nou, je weet wel... als je het niet leuk vindt, bedoel ik...

'Bedankt, Raymond,' had ik, met het porseleinen konijn in mijn handen, gezegd. 'Het is prachtig. Ik vind het super. Dankjewel.'

Toen had hij zijn ogen neergeslagen en geglimlacht, en dat had me een beter gevoel gegeven dan alle kerst- en verjaardagscadeaus bij elkaar.

Ik keek naar het konijn; zijn porseleinen lijf glom in het maanlicht, zijn ogen glansden zwart en droevig.

'Wat vind je, Raymond?' zei ik zachtjes. 'Wil je naar de kermis, herinneringen ophalen? Of moeten we allebei gewoon blijven waar we zijn, verstopt in onze eigen kleine wereld?'

Ik weet niet wat ik had verwacht, maar het porseleinen konijn zei niets terug. Het zat daar gewoon met zijn zwarte, droeve ogen in het niets te staren. En na een poosje begon ik me behoorlijk lullig te voelen dat ik midden in de nacht bij het raam, bloot en in mijn eentje, tegen een porseinen konijn stond te praten...

Mam had gelijk, ik moest er nodig wat meer uit.

Ik schudde mijn hoofd en kroop terug in bed.

Twee

De huizen in onze straat, Hythe Street, zijn bijna allemaal hetzelfde: rijtjeshuizen met strakke gevels, kleine voortuintjes en ommuurde achtertuinen. De tuinen aan onze kant van de straat liggen tegen een heuveltje aan dat begroeid is met struikgewas en afloopt naar de rivier, terwijl de achtertuinen van de huizen aan Raymonds kant, via een gemeenschappelijke steeg en een vervallen kerk, uitkijken op de hoofdweg die parallel loopt aan Hythe Street.

Die weg, St. Leonard's Road, loopt vanaf het centrum naar het zuiden tot helemaal beneden aan de haven onder aan de heuvel, een kleine kilometer van Hythe Street. De steeg die achterom naar Raymonds huis loopt is niet de mooiste plek die ik ken. Om te beginnen is hij heel smal, nogal krap en benauwd, met aan beide kanten hoge, stenen muren die het licht tegenhouden, zodat het er zelfs midden in de zomer altijd behoorlijk somber en vochtig is. De afbrokkelende oude muren hebben prikkeldraad en stukken glas bovenop, en om een of andere vreemde reden hebben de stenen altijd onder een laag vettig, zwart roet gezeten. De steeg is ook de plek waar iedereen zijn afval neerzet, zodat hij altijd vol troep staat: uitpuilende, zwarte vuilniszakken, overvolle vuilniscontainers, lege flessen, bierblikjes, hondenpoep… allerlei rotzooi. Dus, wat ik zei, niet de fraaiste plek op aarde, maar als ik bij Raymond langsging nam ik altijd de steeg, en hij altijd als hij bij mij langskwam.

Het was onze route naar elkaar.

Het moet vrijdag rond de middag zijn geweest toen ik van huis ging en door de straat naar Raymonds huis liep. De zon brandde hoog aan de hemel waardoor er een helder wit waas in de lucht hing, en toen ik de straat overstak en de steeg in liep voelde ik het kleverige gesmolten asfalt aan mijn zolen plakken. Zo'n soort dag was het, zo'n dag waarop de warmte zo drukkend is dat alles langzamer lijkt te gaan en smelt, je verstand incluis. En ik had trouwens al last van een verpletterend gebrek aan slaap. Maar ondanks alles voelde ik me verrassend fris. Ik had mijn vuile kleren van de afgelopen drie dagen verwisseld voor schone, ik had een douche genomen, ik was er zelfs in geslaagd om wat klitten uit mijn haar te krijgen. God mag weten waar ik al die moeite voor had gedaan, ik bedoel, ik ging alleen maar naar Raymond, en die had het nooit kunnen schelen hoe ik eruitzag. Ik geloof dat hem dat bij niemand ooit heeft kunnen schelen.

Maar ik voelde me best goed, en zelfs toen ik door de steeg naar Raymonds achterpoortje liep en het zonlicht plaatsmaakte voor de kille schaduw van de beroete stenen muren, voelde ik me nog steeds beter dan ik me in lange tijd had gevoeld.

Toen ik daar aankwam zat de poort dicht. Het is een grote, oude, houten poort, te hoog om overheen te kunnen kijken, dus zag ik niet of Raymond in zijn tuin was of niet en ik hoorde ook niets. Maar ik wist dat hij er was. Dat wist ik altijd. Ik had door de jaren heen zo vaak voor zijn poort gestaan dat ik op de een of andere manier kon voelen of Raymond in zijn tuin was of niet. Ik heb nooit begrepen hoe dat werkte, maar het was zo. En het kwam altijd uit. Eigenlijk vertrouwde ik er zo volledig op dat als ik ooit voelde dat hij er niet was, ik niet eens de poort hoefde open te doen. Ik kon me gewoon zonder meer omdraaien en naar huis gaan.

Maar vandaag was hij er.

Ik wist het.

Door de poort kwam ik achter in de tuin en toen ik naar rechts keek zag ik Raymond op een gammele, oude houten stoel bij het schuurtje zitten. Maar hij scheen me niet te hebben opgemerkt. Hij zat daar gewoon naar de tuin te staren, zijn ogen nergens op gericht, en zijn hoofd volmaakt stil. De enige beweging die ik bij hem zag was een heel zwak trillen van zijn lippen, alsof hij zichzelf binnensmonds geheimen toe zat te fluisteren. Maar behalve dat, zat hij zo stil als een standbeeld.

Het konijnenhok naast hem was leeg, de deur van kippengaas stond wijd open. Ik wierp een blik door de tuin – een rommelig zootje van een verschroeid gazon en overwoekerde borders – en ontdekte Zwartkonijn in de schaduw van een seringenstruik. Hij voerde niet veel uit, hij zat daar gewoon met een loom trillende neus om zich heen te kijken.

'Hallo, Pete.'

Bij het geluid van Raymonds stem keek ik op en zag hem glimlachen.

'Hé, Raymond,' zei ik. 'Hoe gaat ie?'

Hij knikte, nog steeds glimlachend. 'Ja, alles goed… je weet wel… lekker warm.' Hij keek omhoog en bijna meteen weer terug naar mij. 'Blauwe lucht,' zei hij.

'Ja…'

Terwijl ik naar hem toe liep moest ik onwillekeurig bij mezelf glimlachen. Raymond had altijd dat effect op mij. Zijn gezicht, zijn glimlach, alles aan hem bracht bij mij een glimlach tevoorschijn. Gek eigenlijk, omdat de meeste mensen vonden dat Raymond er echt heel raar uitzag… en op een bepaalde manier was dat misschien ook wel zo. Zijn hoofd was te groot voor zijn lijf, zijn ogen stonden een beetje vreemd en er was iets aan zijn kleren waardoor hij er altijd kinderlijk klein uitzag. Hij kleedde zich niet echt kinderlijk en leek ook helemaal niet op een kind. Alleen leken zijn kleren hem op de een of andere manier te verkleinen. Ik dacht altijd dat het kwam doordat zijn ouders bijna al zijn kleren bij het Leger des Heils kochten en die dan meestal een maat te groot namen zodat hij ruim de tijd had om 'erin te groeien'. Maar door de jaren heen had ik Raymond met allerlei soorten kleren gezien – in gloed-nieuwe goed passende T-shirts… in vormeloze jassen, flodderige shorts, zelfs in een strakke spijkerbroek (die hij een keer van zijn moeder aan moest) – en begon ik uiteindelijk te beseffen dat het niet uitmaakte wat hij aanhad – oude kleren, nieuwe kleren, te groot of te klein – in alles zag hij er klein uit.

Maar ik hield van de manier waarop hij eruitzag, van zijn gekte, van zijn anders zijn, het eigenaardige aan hem. Het paste bij hem. Het maakte hem tot wat hij was.

Het maakte zijn leven soms ook heel zwaar.

Maar nu – terwijl hij opstond, de schuur inging, en terugkwam met nog een gammele stoel voor mij – nu ging het goed met hem. Ik keek hoe hij, nog steeds glimlachend, de stoel naast die van hem neerzette, het stof eraf veegde, en onhandig gebaarde dat ik moest gaan zitten.

Wat ik deed.

En Raymond ook.

We grijnsden naar elkaar.

'Zo,' zei ik, 'het gaat dus goed met jou?'

Hij knikte, lachte, en keek toen naar Zwartkonijn. Die zat nog steeds op dezelfde plek te niksen.

'Hij wordt groot,' zei ik.

'Ja…'

Ik staarde naar het grote zwarte konijn. Eigenlijk was het Zwart-konijn de Derde. Zwartkonijn de Tweede was vorig jaar bezweken aan de beet van een geïnfecteerde rat. Raymond was een tijdje ver-drietig geweest, maar had niet gehuild. Hij had hem gewoon in de tuin begraven, vlak naast het eerste Zwartkonijn, en toen was hij de deur uitgegaan en had een nieuwe gekocht. Hoewel het voor Ray-mond geen nieuwe was, want hij was er inmiddels van overtuigd – of minstens deels overtuigd – dat Zwartkonijn het eeuwige leven had.

Ik keek weer naar Raymond. Hij keek naar zijn konijn, zat er gewoon op zijn gemak naar te kijken, volkomen tevreden. En voor een deel benijdde ik hem daarom. Ten onrechte, wist ik, omdat Raymonds gemoedsrust niet helemaal normaal was – wat dat ook wilde zeggen – en dat er iets mis was met zijn hoofd, maar af en toe kwam toch de gedachte bij me op hoe fijn het moest zijn om met zulke eenvoudige dingen tevreden te kunnen zijn.

In de verte ronkte nu een grasmaaier en ik rook een vleug van vers gemaaid gras in de lucht. *Groen is fris als water,* bedacht ik. *Een mooie lucht vanavond…*

Ik veegde een zweetdruppel van mijn voorhoofd.

'Nicole belde me gisteravond,' zei ik tegen Raymond.

Hij keek me aan. 'Nicole?'

'Ja… ze vroeg of we morgenavond meegingen naar de kermis. Je weet wel, die kermis in het park?'

Raymond zei niets, hij keek me alleen maar vragend aan.

'Ja, oké,' zei ik. 'Ik was zelf ook een beetje verbaasd om van haar te horen. Maar waar het om gaat is dat ze het in haar hoofd heeft gezet dat we weer bij elkaar moeten komen, het groepje van vroeger… als een soort afscheidsfeestje.'

'Wie neemt er afscheid?'

'Nicole en Eric… ze verhuizen in september naar Parijs.'

'Ja, weet ik.'

'En Pauly gaat van school af…'

'Pauly?'

'Ja.'

'Gaat Pauly naar de kermis?'

Raymond kreeg een bezorgde blik in zijn ogen.

'Niks aan de hand,' zei ik. 'We hoeven niet als je niet wilt. Ik weet zelf ook nog niet of ik wel wil.'

'Ze vindt jou leuk,' zei Raymond.

'Wat?'

'Nicole… ze vindt jou leuk.'

'Nou ja,' zei ik. 'Ze vindt jou ook leuk. Heeft ze altijd gevonden.'

'Niet zo.'

'Hoe dan?'

'Zoals ze jou leuk vindt,' zei hij glimlachend.

Ik keek hem verwonderd aan. 'Wat?'

Hij zei even niets, bleef me alleen maar lachend aankijken, maar toen knipperde hij ongemakkelijk met zijn ogen, zijn gezicht betrok plotseling, en zijn glimlach verdween. 'Komt Pauly met Wes Campbell?' vroeg hij.

Het was een goede vraag, eentje die ik mezelf voortdurend had gesteld sinds het telefoontje van Nicole: als Pauly Gilpin erbij zou zijn, wilde dat dan zeggen dat Wes Campell en zijn gabbers er ook zouden zijn?

Wes Campbell was twee jaar ouder dan wij en toen we klein waren, deden we het altijd in onze broek van angst voor hem. Hij en zijn gabbers – een stelletje ruige jongens uit de Greenwell-wijk – waren kinderen voor wie we altijd op de loop gingen. Ik herinner me een keer dat Raymond en ik op de fiets terugkwamen uit het centrum… we moeten toen ongeveer tien of elf zijn geweest, misschien iets ouder. Maar goed, we reden over het weggetje bij de rivier, een kortere weg terug naar huis, toen ik plotseling een gefluit hoorde, alsof er net iets door de lucht was gevlogen, daarna een snelle doffe plof, en vervolgens 'ping'de er iets tegen Raymonds fietsframe. Raymond hoorde het ook en we stapten alle twee af om rond te kijken, en op dat moment zagen we een van Campbells vriendjes. Hij stond in een bosje kreupelhout naast het weggetje en richtte een windbuks op ons. Toen hij grijnsde en de trekker weer overhaalde, sprongen we op de fiets en gingen er als een haas vandoor, en toen kwamen Campbell en nog een stel jongens plotseling iets verderop tevoorschijn, sommige ook met windbuksen,

29

en ze schreeuwden en lachten en joegen ons de stuipen op het lijf...

Jezus, zo bang was ik van mijn leven nog niet geweest. En Raymond... Raymond was zo buiten zichzelf van angst dat hij in zijn broek plaste. Ik zal het nooit vergeten. Ik fietste als een bezetene achter hem aan, met zwoegende benen en longen die op springen stonden, en toen ik een spetterend geluid hoorde besefte ik eerst niet wat het was. Ik was zo bezig om bij die jongens achter ons vandaan te komen dat ik het zelfs nauwelijks merkte. Pas toen Raymond voor me vaart minderde en ik opkeek om te zien wat hij deed... en hem onhandig op zijn trappers zag staan en zo'n beetje zag kronkelen en aan zijn gulp zag friemelen... zelfs toen duurde het even voor ik doorkreeg dat zijn broek zeiknat was en er een straal geel vocht achter hem de lucht in sproeide.

Campbell had ons meer angstige momenten bezorgd. En Raymond en ik waren niet de enigen die daaronder leden. Campbell had het op ons allemaal voorzien, op Eric, Nicole, Pauly... eigenlijk op iedereen die kleiner was dan hij. Kleiner of anders. Zwakker of jonger... maakte niet uit. Ik denk dat je wel weet hoe dat voelt. We hebben allemaal wel een Wes Campbell als we elf zijn, niet dan?

Dat soort gedoe was nu grotendeels verleden tijd. Niemand van ons had de laatste tijd nog last gehad van Campbell, maar toen waren we als de dood voor hem. Daarom was het zo vreemd dat Pauly zich een jaar of wat geleden bij Campbell en de anderen had aangesloten. Ik had ze samen in de het centrum gezien terwijl ze de hoofdstraat op stelten zetten en ik had horen zeggen dat hij het met hen ook op een zuipen zette.

Dus, ja, ik snapte best wat Raymond bedoelde met Pauly en Campbell, en tot op zekere hoogte deelde ik zijn ongerustheid. Maar tegelijkertijd begreep ik ook dat dingen veranderen – mensen worden volwassen, worden bang voor andere dingen, de nachtmerries uit hun kindertijd komen minder bij hen rondspoken.

Maar voor Raymond en mij lag het anders, en dat ik het begreep wilde nog niet zeggen dat ik er minder moeite mee had. Maar wat mezelf betrof, als Pauly zo graag bij de nachtmerrie uit onze kindertijd wilde horen… dan moest hij dat zelf weten. Daar kon ik trouwens niet veel aan doen.

Ik keek naar Raymond. 'We zijn eerst alleen met ons vijven,' zei ik tegen hem. 'Jij en ik, Nicole, Eric en Pauly. Nicole wil dat we met zijn allen bij elkaar komen in het achterlaantje, in de oude hut, je weet wel, die boven aan de rivier bij de oude fabriek. Alleen wij vijven… met niemand anders erbij. Als bij een hutfeest.'

Raymond lachte behoedzaam. 'Een hutfeest?'

'Ja, net als vroeger: een fles meenemen, beetje drinken…'

'En niemand anders erbij?'

'Niemand.'

Raymond begon zich nu wat meer te ontspannen. De bezorgde blik verdween langzaam uit zijn ogen en hij leek voorzichtig geïnteresseerd te raken. Hij had de hutten altijd leuk gevonden; ik denk dat hij er zich veilig en op zijn gemak voelde. Voor ons waren het gewoon plekken, iets om naartoe te gaan, om dingen te doen die je niet mocht. Maar voor Raymond waren het volgens mij een soort toevluchtsoorden, schuilplaatsen voor de grote boze wereld. Soms ging hij er zelfs in zijn eentje naartoe, wat ik altijd wel cool vond: daar in je eentje zitten, verscholen op een geheime plek, terwijl niemand wist waar je was…

Ik wilde dat ik dat had gedurfd.

'Dus,' zei ik, 'wat vind je? Wil je ernaartoe?'

Hij haalde zijn schouder op. 'Ik weet niet…'

'Als je wil, zouden we alleen naar de hut kunnen gaan… voor een uurtje of zo. We hoeven daarna niet door naar de kermis.'

'En Pauly dan?'

'Die gedraagt zich wel… zit daar maar niet over in. Ik bedoel, je kent hem toch, bij ons is hij gewoon dezelfde Pauly van vroeger.'

'Dezelfde Pauly van vroeger,' mompelde Raymond.

'Ja, ik weet het…'

'Vroeger kwam hij wel eens langs.'

'Weet ik.'

'Toen dacht ik dat hij oké was.'

Raymonds gezicht begon weer te betrekken.

'Het geeft niet,' zei ik. 'Het is niet erg als je niet wilt. Zo belangrijk is het ook weer niet, bedoel ik.'

Hij keek me aan. 'Jij wil wel, hè?'

Ik haalde mijn schouders op. 'Het kan me niet echt schelen.'

Hij glimlachte. 'Ik zie het aan je.'

'Wat zie je?'

'Je wilt Nic zien.'

'Helemaal niet…'

'Ik zie het.'

'Nou, dat zie je dan verkeerd…'

Hij haalde nog steeds lachend zijn schouders op.

Ik schudde mijn hoofd. 'Waarom zou ik haar willen zien?'

'Daarom…'

'Daarom wat?'

'Weet niet… gewoon daarom.'

Ik schudde weer mijn hoofd. 'Je weet niet waar je het over hebt, Raymond.'

Hij grijnsde naar me. 'Jawel.'

'Ik bedoel, ik zou het niet erg vinden om haar te zien… gewoon om gedag te zeggen en zo… maar het is geen punt als dat niet gebeurt.' Ik keek hem aan. 'We hebben niets meer met elkaar, als je dat soms denkt.'

'O.'

Ik keek hem boos aan en probeerde geïrriteerd te kijken, maar dat ging niet. Door de manier waarop hij daar alleen maar met

grote ogen naar me zat te kijken en als een idioot zat te grijnzen...
moest ik wel lachen.

'Ik snap niet eens waarom ik naar je luister,' zei ik.

'Pardon?'

Ik grinnikte naar hem. 'Denk je dat je leuk bent?'

Hij lachte. 'Ik weet dat ik leuk ben.'

We bleven daar een tijdje zitten bakken in de zon en een beetje kletsen – over examenuitslagen, oriëntatiejaar... over niks bijzonders
– tot we rond een uur of twee allebei de voordeur hoorden dichtslaan en Raymond zei dat hij beter naar binnen kon gaan.

'Het is mijn vader,' zei hij plotseling heel ernstig. 'Hij zal waarschijnlijk wat willen eten.'

Raymond praatte niet graag over zijn ouders en daarom vroeg
ik niet waar zijn vader vandaan kwam, of waarom hij niet zelf iets
te eten kon pakken, ik knikte alleen maar en stond op.

'Dus wat doen we morgen?' vroeg ik. 'Wil je het erop wagen?'

'Ja, ik denk van wel...'

'Zeker weten?'

Hij knikte vaag, maar hij had zijn hoofd er niet meer bij; hij keek
gespannen naar de achterdeur, op zijn hoede voor zijn vader.

'Ik kom rond negen uur langs,' zei ik. 'Goed?'

Hij gaf geen antwoord.

'Raymond?' vroeg ik.

Hij keek even naar me. 'Wat?'

'Morgenavond... ik kom rond negen uur langs.'

'Oké...'

Zijn hoofd draaide weer met een ruk naar het huis toen hij zijn
vader hoorde roepen: 'Raymond!'

'Ik moet gaan,' zei hij snel, terwijl hij wegholde in de richting van
het huis. 'Ik zie je morgen.'

'Ja, zie je, Raymond,' riep ik hem na. 'En zit er niet over in...'

Maar hij was al halverwege de tuin en ik wist dat hij niet meer luisterde. Ik zag hem de buitendeur opendoen en zich het huis in haasten, en ik vroeg me af, zoals ik al zo vaak had gedaan, wat voor leven hij daarbinnen had.

Het was moeilijk voor te stellen.

Zijn ouders waren nooit veel soeps geweest. Het waren kille, akelige, onverschillige mensen… van het soort dat je je eigen ouders meer laat waarderen.

Ik keek even naar het huis en probeerde me voor te stellen wat er achter die stenen muren omging, maar zag alleen een vormeloze waas saaie grijze mist. Onvriendelijke, akelige stemmen, wrevel, onuitgesproken gevoelens.

Toen werd ik me van iets bewust – een beweging zonder geluid – en toen ik omlaag keek zag ik Zwartkonijn langs me huppen en terug in zijn kooi springen.

Hij keek me niet aan.

Hij rook niet aan me.

Zijn stem fluisterde niet in mijn hoofd…

Wees voorzichtig.

Ga niet.

… en zelfs al was dat wel zo, dan heb ik het niet gehoord.

Toen wist ik het niet, maar op het moment dat ik die dag Raymonds tuin uitliep en richting huis ging, maakte ik de grootste fout van mijn leven.

Drie

De volgende dag, zaterdag, was typisch zo'n dag waarop je 's morgens wakker wordt van de hitte, en je zo zweterig en buiten adem bent dat je alleen maar het dekbed van je af wil gooien en in je nakie wil liggen, in de valse hoop dat er een koel briesje door het open raam naar binnen zal waaien...

Wat niet gebeurt.

Daarbuiten is geen koele lucht, alleen een felle witte zon, een tintelblauwe lucht en zo'n drukkende hitte dat je hem kan zien.

Nadat het me eindelijk was gelukt me van mijn bed los te weken en lusteloos naar de badkamer te sloffen, nam ik een koude douche, trok een T-shirt en short aan, en ging naar beneden. In de keuken draaide een ventilator en stonden alle ramen open, maar het huis was nog steeds onaangenaam warm. Ik liep naar buiten en trof mam aan op een keukenstoel met een kop thee en een sigaret. Ze had ook een T-shirt en een short aan en hoewel haar dat goed stond – beetje slobberig en sjofelachtig cool – zag ze er ook best moe en afgepeigerd uit.

'Ik dacht dat je gestopt was met roken,' zei ik, knikkend naar de sigaret in haar hand.

Ze lachte. 'Ben ik ook.'

'Lijkt er anders niet op.'

'Eentje maar... ik had het nodig.'

'Nou, laat pap het maar niet zien.'

'Die slaapt nog.'

'Hoe laat was hij thuis?'

Ze haalde haar schouders op. 'Weet ik niet… een paar uur geleden. Rond een uur of acht, geloof ik.'

'Wanneer moet hij weer terug?'

'Vanmiddag.'

Ze nam een lange trek van haar sigaret en keek de tuin in. Haar glimlach was verdwenen en ze had een ik-maak-me-zorgen-over-pap blik in haar ogen. Ze maakte zich voortdurend zorgen over hem, vooral als hij nachtdienst had.

Mijn vader is politieagent – brigadier bij de recherche – en daar heeft mam het soms moeilijk mee. Wij alle twee eigenlijk. Ook als hij geen late dienst of nachtdienst heeft, krijgen we hem geen van beiden veel te zien. Er is altijd wel iets wat hem aan het werk houdt – overuren, papierwerk, cursussen, trainingen. Ik vind het niet zo erg dat ik hem niet vaak zie. Ik bedoel, ik vind het niet léúk, maar ik ben eraan gewend. Ik ben ermee opgegroeid, net als met al dat andere gezeik dat je over je heen krijgt als je de zoon van een politieagent bent en waaraan ik gewend ben geraakt: de achterdocht, de behoedzaamheid, de flauwe grappen. Niet dat ik het niet leuk vind dat mijn vader politieagent is, want dat vind ik wel. Wat mij betreft is het best een cool beroep. Ik zou alleen weleens willen dat hij een normalere baan had. Een gewone baan. Van negen tot vijf, maandag tot vrijdag. Geen extra weekends, geen ongeruste moeder, geen vader die doodop is.

Ik keek naar mam en wist dat de lange dagen en het overwerk en het feit dat pap altijd moe was haar niet zoveel konden schelen. Het enige waar ze zich echt zorgen over maakte – het enige waar ze zich ooit zorgen over had gemaakt – was dat elke keer als pap naar zijn werk ging er altijd de kans was dat hij niet thuis zou komen.

Ze drukte haar sigaret uit en glimlachte naar me. 'Alles in orde?'

Ik lachte terug. 'Ja.'

'Goed zo. Hoe gaat het met Raymond? Je was gisteren toch bij hem langs?'

'Ja, prima. Gewoon… de oude Raymond. Hij gaat vanavond mee naar de kermis.'

Mam trok haar wenkbrauwen op.

'Wat?' vroeg ik.

Ze schudde haar hoofd. 'Niks… hoe laat ga je?'

'Rond een uur of negen.' Ik wapperde met mijn T-shirt in een poging om af te koelen. 'Daarna gaan we misschien met een stel naar Nicole. Eric en zij geven een klein afscheidsfeestje. Ze zeiden dat ik kon blijven slapen als ik daar zin in had.'

Mam grinnikte. 'Zeiden zé dat?'

'Ja,' zei ik, met een beetje rooie kop. 'Pauly komt waarschijnlijk ook, en Eric…'

'En Nicole.'

Ik schudde mijn hoofd. 'Ze is gewoon een oude vriendin, mam.'

'Weet ik,' zei mam lachend. 'Ik maak maar een grapje.'

'Vind je het goed dat ik daar blijf slapen?'

Ze knikte. 'Ik zou niet weten waarom niet. Maar neem wel je telefoon mee. En wees voorzichtig, oké?'

'Ja.'

Ze veegde wat zweet van haar voorhoofd en tuurde met half toegeknepen ogen naar de lucht. De lucht glinsterde nu, wazig van de warmte, en in de verte zag ik dingen die er niet waren: zilverkleurige zeeën, vluchtige weerspiegelingen, spiegels aan de horizon. De hitte bracht de wereld uit balans.

'Ik zou vanavond maar een jas meenemen,' zei mam.

Ik keek haar aan. 'Wat?'

'Ik denk dat we storm krijgen.'

De rest van de dag voerde ik niets uit, ik hing gewoon wat rond en wachtte tot het avond werd. Ik wilde het mezelf niet toegeven, maar ik verlangde er echt naar om er voor de verandering eens uit te gaan. Ik was nog steeds een beetje op mijn hoede voor het weerzien met Nicole en de rest, en de hele dag door bleef ik in mijn achterhoofd de echo's van een zwak fluisterstemmetje horen – wees voorzichtig, ga niet... wees voorzichtig, ga niet – maar was vastbesloten om het te negeren. Ik was in een eeuwigheid nergens naartoe geweest. Ik had me lange tijd niet zo opgewonden gevoeld. Ik ging niet een stom fluisterstemmetje mijn dag laten verpesten.

Ik hoorde het trouwens niet.

Het was er niet.

Pap werd rond het middaguur wakker en ik kreeg hem zo'n tien minuten te spreken voor hij weer naar zijn werk ging. Hij had haast – in de keuken zat hij eieren met ham naar binnen te werken – waardoor we niet veel tijd hadden om te praten.

'Alles goed met jou?' vroeg hij.

'Ja.'

'Ga je iets doen vanavond?'

'Raymond en ik gaan naar de kermis.'

Hij knikte, terwijl hij krachtig doorkauwde. 'Nou, wees maar voorzichtig daar.'

Ik lachte bij mezelf en vroeg me af hoeveel mensen nog tegen me zouden zeggen dat ik voorzichtig moest zijn.

'Ik meen het serieus, Pete,' zei pap. 'De laatste paar avonden waren er wat problemen op de kermis, dus hou je ogen open, oké?'

'Wat voor problemen?'

'Het gewone werk: gevechten, drugs, mensen die beroofd worden. Het wordt daar vanavond heel druk en warm, dus zal het waarschijnlijk nog wel erger worden.'

'Ik zal voorzichtig zijn, pap,' beloofde ik.

'Ja,' zei hij glimlachend, 'ik weet dat je dat bent.' Hij nam een grote slok thee, veegde zijn mond af, stond toen van tafel op en wreef over zijn ongeschoren kin. 'Goed,' zei hij, 'nou dan kan ik maar beter gaan, denk ik.'

Later, rond zes uur, toen mam even naar de winkel om de hoek wipte op St. Leonard's Road, ging ik naar het kleine kamertje achter de keuken waar pap zijn wijn bewaart en zocht er de minst chique fles tussenuit die ik kon vinden. Pap houdt van wijn, en er lagen daarbinnen heel wat flessen, dus dacht ik niet dat hij er eentje zou missen.

Daarna ging ik terug naar boven, verstopte de fles en begon me voor te bereiden.

Ik zette wat muziek op: *Nevermind*, van Nirvana.

Ik nam nog een douche.

Gebruikte deodorant.

Zocht een paar kleren uit: combatshort, slobberig T-shirt, gympen, geen sokken.

Kleedde me aan met nog meer muziek: *Elephant*, The White Stripes.

Bestudeerde mezelf in de spiegel. Verwisselde van T-shirt, trok het vorige weer aan... verwisselde van broek, trok de oude weer aan...

En daarna hing ik nog wat rond, lag op mijn bed, probeerde niet te veel te zweten... probeerde mezelf niet af te vragen waar ik al die moeite voor deed, wat het gaf hoe ik eruitzag, waarom ik me zo opgewonden en raar voelde...

Waarom wat ook?

En waarom niet?

Wees voorzichtig...

Hou je kop.

Om vijf voor negen ging ik naar beneden en stak mijn hoofd om de deur van de huiskamer om mam gedag te zeggen. Ze zat op de bank tv te kijken.

'Ik ga nu,' zei ik.

'Oké,' zei ze glimlachend. 'Heb je een jas bij je, voor als het gaat regenen?'

Ik liet haar de rugzak zien en paste ervoor op dat hij nergens tegenaan botste. Ik voelde het gewicht van de wijnfles daarbinnen.

Mam knikte. 'Heb je je telefoon?'

'Opgeladen en wel.'

'Oké,' zei ze. 'Nou, veel plezier.'

'Ja.'

Ze lachte. 'En doe niets wat ik ook niet zou doen.'

Dat zegt ze altijd als ik ga stappen: Doe niets wat ik ook niet zou doen. Nooit begrepen waar dat op slaat.

Toen ik bij Raymond kwam, stond hij me achter in de tuin op te wachten. Zwartkonijn zat in zijn hok en Raymond stond alleen maar naar de tuin te kijken. Hij had een goedkope spijkerbroek aan en een trui met capuchon en rits.

'Heb je het daar niet te warm in?' vroeg ik.

Hij keek me aan. 'Het gaat straks regenen.'

Ik tilde de rugzak op. 'Mag dit in jullie schuur?'

Hij knikte.

Ik liep naar het schuurtje, haalde de fles uit de rugzak, wikkelde hem in een plastic zak en smeet de rugzak naar binnen.

Raymond klopte op zijn zak en glimlachte. 'Ik heb ook.'

'Wat?'

Hij keek heimelijk naar zijn huis, ging er toen met zijn rug naartoe staan en boog zich naar me toe. 'Rum' fluisterde hij.

'Rum?'

Hij grinnikte. 'Zo'n klein flesje, je weet wel… zakformaat. Mam drinkt het met melk.'

40

Ik staarde hem aan. 'Met melk?'

Hij knikte. 'En een doos bonbons. Dat vindt ze lekker.'

Ik vond het nogal raar klinken, maar Raymonds moeder was altijd nogal een rare geweest. Een keer had Raymond op school zijn boterhamtrommel opengemaakt en toen had de hele tupperwaredoos vol sultana's gezeten. Verder niks, alleen sultana's.

'Kom op,' zei ik. 'We gaan.'

We vertrokken door het steegje en liepen de straat op.

Het was echt prettig om weer iets te doen te hebben: de zon brandde nog steeds fel, uit open ramen kwam muziek... er zat echt een beetje zaterdagavondsfeer in de lucht. Er gebeurden dingen. Mensen gingen uit, of waren dat van plan. De avond kwam tot leven.

'Alles oké?' vroeg ik aan Raymond.

Hij lachte. 'Ja.'

Aan het eind van onze straat is een laantje met een hek dat naar de rivier leidt en toen we er bijna waren, kwam er door het laantje een sjofel uitziende jongen met vieze blonde dreadlocks die over het hek naar de straat klom. Het was een lange jongen van rond de twintig. Hij had piercings in zijn wenkbrauwen, een ringetje door zijn lip, en een versleten witte overall aan met opgerolde pijpen. Ik had hem nog nooit gezien, maar toen we linksaf sloegen naar St. Leonard's Road, liep hij ons voorbij naar Hythe Street en knikte naar Raymond. Raymond lachte en knikte terug.

'Wie is dat?' vroeg ik toen de jongen buiten gehoorsafstand was.

'Weet ik niet,' zei hij. 'Ik heb hem een paar keer bij de rivier gezien. Daar heeft hij een caravan.'

'Een caravan?'

'Ja.'

'Sinds wanneer?'

'Sinds een paar weken.'

'Wat doet hij... trekt hij rond of zo?'

Raymond haalde zijn schouders op. 'Ik weet het niet.'

We staken St. Leonard's Road over en liepen rechtdoor over het paadje dat tussen de parkeerplaats van de oude fabriek en een rij garages door loopt. Tenminste, vroeger waren het garages. Nu zijn ze allemaal gesloten, dichtgetimmerd of gewoon leeg. Daarachter zag ik rechts van ons de bovenkant van de oude fabrieksgebouwen dreigend tegen de heldere avondlucht opdoemen.

De fabriek is al zolang ik me kan herinneren leeg en verlaten. Het is een enorm terrein, een uitgestrekt gebied met overal saaie, grijze gebouwen, werkplaatsen, kantoren, opslagtanks en containers, schoorstenen en torens. Met zelfs een eigen klein waterreservoir: een kleine betonnen vijver, omgeven door grote zwarte leidingbuizen en tot aan de rand vol stilstaand groen water. God mag weten waar het voor werd gebruikt. Ik geloof dat de fabriek vroeger locomotieven maakte of vliegtuigmotoren of zoiets... maar ik kan het mis hebben.

Hoe dan ook, terwijl we over het pad naar het achterlaantje liepen, besefte ik dat we allebei met dezelfde verre blik in onze ogen om ons heen naar de oude fabriek keken.

'Je weet toch dat het verkocht is?' vroeg ik aan Raymond.

'Ja... ze gaan het slopen om huizen te bouwen. Het is nu overal afgezet.'

Ik knikte. Ik zag de gloednieuwe hoge afrastering die ze hadden neergezet ter vervanging van de waardeloze oude kippengaasstroep die er eerst stond. Door het kippengaas had je makkelijk heen kunnen kruipen. Ook als je niet wist waar alle gaten zaten – wat wij wel wisten – hoefde je enkel een los stukje te vinden, het op te tillen en eronderdoor te kruipen. Vroeger hingen we uren in de oude fabriek rond.

'Weet je nog die keer dat je vader je daarbinnen betrapte met Nic?' vroeg Raymond.

'Hij heeft ons niet binnen betrapt,' verbeterde ik hem. 'We kwamen net naar buiten.'

'Ja,' grinnikte Raymond, 'maar je vader werd evengoed woest.'

Feitelijk was hij erger dan woest geworden, hij was compleet over de rooie gegaan. Ik had hem nog nooit zo kwaad gezien. Nic en ik waren toen nog maar dertien of zo en het eerste wat pap me had toegeschreeuwd was: 'WAT HEBBEN JULLIE DAAR VOOR DEN DONDER ZITTEN UITSPOKEN?' Wat nogal pijnlijk was. En zelfs nadat ik hem er uiteindelijk van had overtuigd dat we niks hadden gedaan wat niet mocht, kwam hij niet tot bedaren. Uren bleef hij dooremmeren over hoe gevaarlijk het was, hoe stom, hoe roekeloos, hoe onverantwoordelijk...

Later kwam ik erachter dat een paar dagen daarvoor een jongen van twaalf dood in een verlaten pakhuis was aangetroffen. Het arme kind was gewoon in zijn eentje het pakhuis binnen gewandeld en door een paar losse vloerplanken heen gevallen of zoiets. Toen zijn ouders hem als vermist opgaven, zat pap in het onderzoeksteam en toen het lichaam van de jongen uiteindelijk werd gevonden, moest pap het aan de ouders vertellen.

'Alles goed?' vroeg Raymond.

'Ja, ik dacht aan...'

'Aan wat?'

'Niks... niet belangrijk.'

We waren nu bij het eind van het paadje en voor ons lag het smalle modderpad dat we het achterlaantje noemden. Zo heet het niet echt; ik geloof dat het geen officiële naam heeft. Het is gewoon een modderpad – van het soort dat niet op kaarten voorkomt – en de meeste mensen weten niet eens dat het bestaat. De kinderen uit de buurt kennen het allemaal omdat het een doorsteek is naar het park, maar de enige volwassenen die je ooit in het achterlaantje tegenkomt zijn hondenuitlaters en zwervers, en af en toe een of twee lijpo's.

Toen we het laantje insloegen werd het plotseling koeler; de felle zon werd afgeschermd door het steile beboste talud dat rechts van ons oprees naar de fabrieksafrastering. De grond onder de bomen op de helling was bedekt met een dikke laag struikgewas van braambossen en onkruid.

'Ik hoop dat de hut er nog is,' zei ik.

Raymond keek me aan. 'Waarom zou die er niet zijn?'

'Ik weet niet... iemand zou hem kunnen hebben vernield of zo.'

'Hij is er vast nog.'

'Hoe weet jij dat?'

Raymond haalde zijn schouders op. 'Dat weet ik niet... ik zeg maar wat. Ik zeg alleen maar dat hij er vast nog is.'

Ik keek hem aan. Zijn gezicht leek bleek.

'Wil je nog steeds meegaan?' vroeg ik.

'Ja... ik denk van wel.'

'Het is anders nog niet te laat om van mening te veranderen, hoor.'

Hij zei een tijdje niks, we liepen gewoon in stilte door. En dat vond ik best. Ik was lang niet in het achterlaantje geweest, en ik was tevreden met alleen rondkijken en me herinneren hoe het was. Het was raar dat het me allemaal zo vertrouwd voorkwam. Het laantje zelf, nog steeds met diepe fietssporen. Het talud aan onze rechterkant, donker vanwege de bomen. En links van ons nog een steile helling, maar nu naar beneden, naar een braakliggend terrein met beton en onkruid dat zich tot aan de haven uitstrekte. Aan de andere kant van het terrein glommen de enorme verroeste cilinders van twee vervallen gastorens mat in de zon.

'De ster dooft vannacht,' zei Raymond zachtjes.

Ik staarde hem aan. 'Wat?'

Hij keek me aan met bleke glazige ogen. 'Zwartkonijn,' fluisterde hij. 'Dat zei hij vanmiddag, *de ster dooft vannacht*.'

'De sterren doven vannacht? Wat voor sterren?'

'Nee,' zei Raymond. 'De stér dooft vannacht, niet de sterren. Dé ster.'

'Wat voor ster?'

Raymond knipperde met zijn ogen, en plotseling leken die weer helder te worden. Een paar seconden leek hij afwezig, maar toen knipperde hij weer, keek me aan, en grijnsde ineens breed.

'Wat?' vroeg hij. 'Waar kijk je naar?'

Ik fronste mijn wenkbrauwen. 'Gaat het wel goed met je?'

'Ja… hoezo?'

'Niks… wou ik even weten… Raymond?'

Terwijl ik dat zei, waren zijn ogen weer anders geworden, maar deze keer niet bleek of glazig, ze staarden recht vooruit, wezenloos van angst.

'Raymond?' vroeg ik weer.

'Je zei dat hij er niet zou zijn…'

'Wie?'

'Je zei…'

Even dacht ik dat hij het weer over Zwartkonijn had, maar toen ik mijn hoofd omdraaide en zijn blik volgde, besefte ik ineens waar hij op doelde. Ongeveer twintig meter voor ons uit, hingen vier of vijf jongeren rond bij de afslag naar een klein paadje dat vanaf het achterlaantje naar het braakliggend terrein voert. In het begin herkende ik er maar een: Pauly Gilpin. Maar toen ik mijn ogen afschermde tegen de zon en nog eens keek, zag ik dat de jongen naast Pauly Wes Campbell was.

'Niks aan de hand, Raymond,' zei ik. 'Niks om je ongerust over te maken.'

'Je zei dat hij er niet zou zijn.'

'Ja, weet ik… maar hij zal niks doen.' Ik glimlachte naar hem en probeerde hem gerust te stellen. 'Kom op,' zei ik, 'gewoon doorlopen. Het komt allemaal goed.'

Het was niet bepaald een zelfverzekerde glimlach, en ik wist bijna zeker dat Raymond er niet in trapte, maar evengoed liepen we door. Niet dat we dat wilden, maar onze enige andere keus was omdraaien en het op een lopen zetten, en op de een of andere manier voelde dat nog erger dan niet wegrennen.

'Ze hebben ons gezien,' zei Raymond.

'Ik weet het.'

Nu zag ik dat ze met zijn vijven waren: Pauly, Campbell, en drie link uitziende kids uit Greenwell. Pauly was zijn normale hyperactieve zelf – hij sprong in het rond, zwaaide met zijn armen, grijnsde als een idioot – maar aan zijn zenuwachtige blik zag ik dat hij niet helemaal zeker was van de situatie. Alsof hij niet helemaal zeker wist naar wie hij moest kijken. Naar Raymond en mij? Of naar Campell en de anderen? Zijn ogen schoten als flipperballetjes alle kanten op. Maar Campbell en de andere drie hadden nergens last van. Ze stonden daar gewoon, bikkelhard, met hun kille ogen op Raymond en mij gericht.

Mijn hart ging tekeer toen we dichterbij kwamen en ik vroeg me af of ik er net zo bang uitzag als ik me voelde. Of nog erger, of ik me net zo bang voelde als Raymond eruitzag. Hij zag er vreselijk uit: alle kleur was uit zijn gezicht, zijn ogen stonden star, zijn huid helemaal gespannen met zenuwtrekken. Er is niets veranderd, dacht ik bij mezelf, hij is nog steeds dat van angst verlamde jongetje dat het op de fiets in zijn broek deed…

We waren nu bijna bij de afslag. De drie Greenwell-jongens klooiden wat op de achtergrond, allemaal in gangsteroutfit van TK Maxx, uitdagende witte trainingsbroeken, XXL basketbalshirts, kettingen, ringen, spierwitte Nikes. Campbell stond naast Pauly en zag er even angstaanjagend uit als altijd. Het hoekige gezicht, scherp en mager. De donkere, smalle ogen, de licht scheve mond, het hoge voorhoofd met daarboven het zwart opgeschoren haar. Hij was geen spat veranderd. In zijn Rockport-shirt met korte mouwen en smetteloos witte spijkerbroek, leek hij op een geestelijk gestoord fotomodel uit een catalogus van een postorderbedrijf.

Toen we traag voor hen tot stilstand kwamen, hield ik mijn blik op Pauly gericht. Hij had een verfrommelde plastic tas in zijn hand, in de vorm van een fles, dus ik nam aan dat hij onderweg was naar de hut. Maar wat deed hij dan hier met Campbell?

'Alles oké?' tjilpte hij vrolijk, waarbij hij van mij naar Raymond grijnsde. 'Hoe staan de zaken?'

Ik knikte naar hem en zei kalm: 'Hallo, Pauly.'

Hij lachte naar Raymond. 'Alles kits, Konijn?'

Raymond verstijfde licht bij de naam, maar hij zei niets. Hij was lang geleden aan die namen gewend geraakt – Konijn, Bunny Boy, Gekke Ray – maar had het Pauly nooit vergeven dat die ermee begonnen was. En ik ook niet. Raymond had altijd bekend gestaan als een beetje een eigenaardige jongen, maar een paar jaar geleden, toen hij Pauly in vertrouwen over Zwartkonijn had verteld en Pauly het aan iedereen rond had gebazuind… nou, vanaf dat moment had Raymond alleen nog maar als een rare bekend gestaan.

'Ja, heel leuk, Pauly,' mompelde ik.

Hij grinnikte aarzelend naar me. 'Zei je wat?'

'Heb je Eric en Nic al gezien?' vroeg ik.

'Ik ben net op weg,' zei hij, terwijl zijn ogen heimelijk naar Campbell schoten.

'Waar naartoe?' vroeg Campbell aan Pauly.

Pauly grinnikte naar hem. 'Wat?'

Campbell keek hem alleen maar even aan en toen naar mij. 'Waar ga je naartoe, Boland?' vroeg hij.

Ik schudde mijn hoofd. 'Nergens speciaal naartoe…'

'Nergens?'

'Naar de kermis.'

Campbell zei niets, maar bleef me aankijken. Hij had het soort ogen die dwars door je heen kijken en je vanbinnen verkillen. Met een schuldig gevoel van opluchting zag ik dat hij zijn aandacht op Raymond richtte.

'Ja?' zei hij. 'Waar sta jíj naar te kijken?'

Raymond stond daar maar, niet in staat om een woord uit te brengen.

Campbell keek hem aan. 'Wat mankeer je? Iets mis met je hoofd of zo?'

Pauly gnuifde.

Campell richtte zijn blik op hem. 'Wat?'

'Niks,' zei Pauly met een zenuwachtig lachje. 'Ik wou alleen…'

'De klojo is ziek, Gilpin. Dat is niet grappig.'

Pauly aarzelde even, zijn ogen schoten alle kanten op terwijl hij erachter probeerde te komen of het Campbell menens was of niet. Toen hij besefte dat er verder niemand lachte, keek hij weer naar Campbell en grijnsde weer. 'Wat?' zei hij onnozel en hij haalde zijn schouders op. 'Ik bedoelde er niks mee. Ik wou alleen, je weet wel… ik bedoel, Raymond is oké. Ik wou alleen maar…'

Zijn stem stierf weg toen Campbell zich omdraaide en mij aan-keek. 'Wat denk jij, Boland?' vroeg hij, met zijn kin naar Raymond wijzend. 'Denk jij dat hij oké is?'

'Wat gaat jou dat aan?' hoorde ik mezelf zeggen.

Toen glimlachte Campbell, wat me verbaasde. Het was een op-rechte glimlach, zonder een spoor van dreiging, en heel even zag ik een volstrekt andere Wes Campbell: ongevaarlijk, vriendelijk… zelfs met een zekere aantrekkingskracht.

'Je valt op hem, zeker?' vroeg hij.

'Wat?'

'Konijnenjongen… val je op hem?'

Ik wist niet wat ik moest zeggen. Op hem vallen? Viel ik op hem? Hallo, wat was dat voor vraag?

Campbell keek naar Pauly. 'Hij valt op hem.'

Pauly grijnsde ongemakkelijk. Hij wilde wat terugzeggen en trok met zijn mond, maar er kwam niets uit. Hij keek even naar mij en toen gauw weer naar Campbell. Campbells glimlach was nu ver-dwenen. Hij tuurde naar Pauly.

'Vrienden,' zei hij kalm.

Pauly fronste zijn wenkbrauwen. 'Wat?'

'Weet je wat een vriend is, Gilpin?'

Pauly wist niet of hij erom moest lachen of niet. Weer wierp hij bezorgde blikken in het rond, op zoek naar een hint voor de juiste reactie, maar de jongens van Greenwell keken even wezenloos als daarvoor, en van Raymond of mij hoefde hij totaal geen hulp te verwachten. Hij knipperde een paar keer snel met zijn ogen, likte zenuwachtig over zijn lippen en keek toen naar Campbell.

'Ik snap het niet,' zei hij. 'Moet dat een grap voorstellen of zo?'

'Geen grap,' zei Campbell afgemeten. 'Gewoon een simpele vraag: weet je wat een vriend is?'

'Ja, allicht,' snoof Pauly, die deed alsof hij beledigd was, 'natuurlijk weet ik wat een vriend is. Hoezo zou ik dat niet weten?'

Campbell bleef hem een paar seconden aanstaren, toen verloren zijn ogen plotseling hun kilte, zijn gezicht vertoonde weer die glimlach, en hij liep naar Pauly toe en gaf hem een vriendelijk klopje op zijn arm.

'Zie je wel?' zei hij losjes. 'Zo moeilijk was dat toch niet?'

Pauly grijnsde, een stuk minder zenuwachtig, maar nog steeds een beetje aarzelend.

Campbell gaf hem nog een geruststellend klopje. 'Dan zien we je straks, oké?'

'Ja… waar vind ik jullie dan?'

Maar Campbell gaf geen antwoord. Hij had zich al omgedraaid en liep het pad af naar het braakliggend terrein, met de drie jongens van Greenwell achter zich aan. Hij lachte niet meer. Zo gauw hij zich van Pauly had afgewend was zijn vriendelijke uitdrukking op slag verdwenen. Ik had het zien gebeuren – klik – alsof er een licht uitging. En terwijl ik hem nu zag weglopen was het moeilijk voor te stellen dat hij ooit van zijn leven had gelachen.

Ik keek naar Raymond.

Hij keek Campbell ook na.

'Alles in orde?' vroeg ik.

Hij knikte.

'Zeker weten?'

'Ja…' Hij keek me aan met rimpels in zijn voorhoofd. 'Hij is nog gekker dan ik, vind je niet?'

'Wie… Campbell?'

'Ja.'

Ik moest lachen. 'Ja, dat zou best weleens kunnen.'

De hut in het achterlaantje ligt verstopt boven aan het talud, ongeveer op driekwart van het laantje. Vanaf de begane grond is hij niet te zien en tenzij je precies weet hoe je er moet komen, is hij zowat niet te vinden. En ook als je wel weet hoe je er moet komen, is het nog knap lastig.

'Daarboven is het,' zei Raymond en hij wees.

'Waar?'

'Daar… je moet daar door die braambossen…'

'Waar?'

'Daar, bij die boomstronk.'

Ik zag ook geen boomstronk. Het liep nu tegen halftien en de zon begon onder te gaan. Het was nog niet echt donker en nog steeds warm en benauwd, maar het licht in het laantje begon te vervagen tot een schemerig, schimmig waas.

'Hij heeft gelijk,' zei Pauly, die zich tussen Raymond en mij indrong. 'Daar is het, kijk.' Hij wees naar boven op de helling. 'Je gaat achter die boomstronk langs, dan via dat richeltje naar boven door de braamstruiken –'

'Hou je kop, Pauly,' zei ik.

Hij trok een gekwetst gezicht als van een klein jongetje. 'Ik probeer alleen maar te helpen.'

'Ja, zal wel,' zei ik. 'Pauly Gilpin, de behulpzame meneer.'

'Waar slaat dat op?'

'Dat je een slecht mens bent,' zei Raymond.'

We keken hem alle twee aan.

'Slecht?' Pauly grijnsde. '*Bad? Bààd*, net als Michael Jackson?'

Raymond moest onwillekeurig lachen, en meer had Pauly niet nodig. Hij zette zijn plastic tas neer en begon in het rond te dansen en luid te zingen met een lullig Amerikaans accent: '*Your butt is maaan, gonna take you raaaght*... shit!'

Raymond lachte toen Pauly met zijn moonwalk tegen het talud aan kwam en omviel, en ik merkte dat ik ook moest lachen. Ik wilde niet, maar het was wel erg leuk.

Dat had je met Pauly, wat je ook van hem dacht, wat voor hekel je ook aan hem wilde hebben, het lukte hem altijd om er een slinger aan te geven door je aan het lachen te maken. Maar ik wist dat het allemaal onderdeel uitmaakte van zijn act. Maak ze aan het lachen... tover een glimlach op hun gezicht, dan vergeten ze de rest...

Ik keek naar hem terwijl hij op zijn rug kronkelde, met zijn armen en benen wiebelde, en gilletjes slaakte en kreten uitstootte als een Michael Jackson die pijn had.

'Kom op, Raymond,' zei ik met mijn voet op de helling. 'We gaan.'

Vier

Vroeger hadden we overal schuilhutten – beneden bij de rivier, langs het laantje naar de stad, in het bosje achter het parkeerterrein van de oude fabriek. De meeste waren nogal krakkemikkige gevallen: een paar houten planken in de grond gewrikt, een stel oude pallets in een opening tussen een paar bomen ingeklemd. Soms bonden we alles aan elkaar vast met oude stukken touw of iets dergelijks, kan zijn dat we er een plastic zeil overheen gooiden... maar die hutten waren niet voor de eeuwigheid. We verzamelden gewoon alles wat we konden vinden, maakten het aan elkaar vast, en dat was dat. Maar de schuilhut in het achterlaantje was van een andere orde. Ik weet niet meer waarom we besloten om er zo veel energie in te steken – waarschijnlijk verveelden we ons gewoon en hadden we niks anders te doen – maar ik weet nog dat het dagen in beslag nam. Het was echt een hele klus om precies de juist plek te vinden, de oude fabriek af te stropen voor bouwmaterialen (oude deuren, golfplaat, roestige spijkers), het allemaal mee terug het talud op te slepen, de boel in elkaar te zetten, de gaten tussen de muren dicht te stoppen, het vanbuiten met bramen en takken te bedekken... we hadden er zelfs een deurtje ingezet en een raam in het dak gemaakt. En toen het helemaal af was, was het ongelooflijk. Verscholen boven op het talud, maar niet te dicht bij de fabrieksafrastering, was het praktisch onzichtbaar. Zelfs als je er met je neus bovenop stond, zag je het nog nauwelijks. En als je eenmaal binnen was, was het net alsof je in een echt kamertje zat. Het was niet heel groot of zo, maar net hoog genoeg om er in rond te lopen zonder dat je te veel moest bukken, en voor ons vijven was er ruimte zat om op de vloer rond te lummelen, wat we meestal deden. De vloer was niet een echte vloer, maar we hadden de bodem vrijgemaakt en aangestampt en nadat we er een paar weken op hadden rondgehangen, was hij bijna zo hard als beton.

Die zomer zaten we de meeste tijd in de hut in het achterlaantje. Op warme zomerdagen, als het regende, op schemerige avonden en kaarsverlichte nachten. We woonden er zo ongeveer. God mag weten wat we de hele dag uitvoerden, het enige wat ik me herinner is dat we zaten te kletsen, onzinnige plannen maakten, rotzooiden...

Rotzooien.

Ja, dat deden we ook. Er werd op allerlei manieren gerotzooid.

En de feesten natuurlijk. Die zomer hadden we een heleboel hutfeesten. Hete nachten met gestolen sigaretten en flessen drank, met dronken worden, misselijk, te opgewonden raken.

Nicole en ik.

Ademloos in het kaarslicht...

Kinderspel.

'Wat?' vroeg Raymond.

We waren boven op het talud aangekomen en ik was Raymond min of meer vergeten. Ik had me ook niet gerealiseerd dat ik hardop had lopen denken.

'Sorry?' vroeg ik, terwijl ik even op adem kwam.

'Ik dacht dat je iets zei.'

'Wanneer?'

'Zonet.'

Ik schudde mijn hoofd. 'Ik zei niks.'

Raymond keek me even aan, lachte stiekem bij zichzelf, draaide toen zijn hoofd om en keek naar een plotseling vertrouwd stukje grond iets verderop links van ons.

'Daar is het,' zei hij.

In het grijs wordende licht zag ik de verwilderde braamtakken die zich over het dak van de hut hadden verspreid met daaronder nog net zichtbaar de verbleekte blauwe verf van de dakplaten. Het dakraam – een gebarsten oude vensterruit die met kromgebogen spijkers over een gat in het dak was bevestigd – was nog heel.

'Zo te zien is hij nog heel, hè?' zei ik tegen Raymond.

Hij glimlachte. 'Ik zei toch dat hij er nog zou zijn.'

'Ja, dat is zo.'

Ik wierp een blik over mijn schouder de helling af naar Pauly. Hij kwam met veel gepuf achter ons aan naar boven geklauterd, vloekend op de bramen.

Ik keek weer naar Raymond. 'Wil je wachten tot hij er is?'

'Nee.'

We liepen naar de hut en hielden stil voor de deur.

'Na jou,' zei ik tegen Raymond.

'Nee, na jou,' zei die lachend en hij gebaarde dat ik door moest lopen.

Ik bleef even staan en zoog de warme onweerslucht naar binnen, toen bukte ik en deed de deur open.

'Hé, Pete.'

'Wie hebben we daar?'

Nicole lachte. 'Wie denk je?'

'Jezus,' zei ik, terwijl ik me naar binnen wurmde, 'ik zie bijna niks.'

'Laat me er eens door,' zei Raymond achter me.

'Wacht even.'

Ik deed een stap naar voren.

'Shit!' riep Eric. 'Dat is mijn voet!'

'Sorry.'

Toen ik een stap opzij deed knalde ik met mijn hoofd tegen het dak – Shit! – en toen struikelde Raymond tegen me aan en gooide me bijna omver, waardoor ik weer op Erics voet stapte.

'Jezus, Boland! Wat doe je allemaal?'

'Het kwam door Raymond…'

'Ik deed helemaal niks,' zei Raymond.

Toen denderde Pauly achter ons naar binnen – 'Kijk uit! Ik kom eraan!' – struikelde ergens over – 'Fuck!' – knalde tegen Raymond aan, die weer tegen mij op knalde, en viel ik ondersteboven en belandde bijna in Nicoles schoot.

'Kijk uit!' riep ze.

'Sorry.'

'Wat is er aan de hand?' vroeg Pauly. 'Waarom is het hier zo donker?'

'Omdat het nacht is,' zei Eric droog. 'Dan is er geen zon.'

Raymond moest lachen.

Pauly gaf hem een zet.

Raymond botste weer tegen me aan.

'Sta in godsnaam stil!' gilde ik, terwijl ik bijna weer mijn evenwicht verloor.

'Waarom houden jullie niet allemaal gewoon je kop dicht en gaan jullie niet gewoon zitten?' stelde Nicole voor.

Dat was een goed idee.

Toen we allemaal zaten en het ons gemakkelijk hadden gemaakt, kwam alles een beetje tot bedaren. Het was nogal krap daarbinnen en het duurde even voor we ons hadden gerangschikt (zodat we niet te veel op elkaar zaten of tegen elkaars voeten schopten), maar uiteindelijk kregen we het voor elkaar. Ik weet niet zeker of het opzet was van mijn kant, maar ik kwam naast Nicole terecht. Ze zat rechts van me, tegen de verste wand. Raymond zat links van me. Eric en Pauly tegenover me.

Er hing een warme, benauwde sfeer in de hut, een beetje gronderig en penetrant luchtje, een koppig mengsel van bramen, zweet, warme adem, en huid.

'Iemand eraan gedacht om een kaars mee te brengen?' vroeg Eric.

We keken elkaar allemaal aan en schudden van nee, toen stak Raymond zijn hand in zijn zak en haalde twee witte kaarsen tevoorschijn. Terwijl Eric in zijn handen klapte – 'Goed van jou, Ray' – stak Raymond een van de kaarsen aan en zette die op de grond.

'Met vanillegeur,' zei hij tegen niemand in het bijzonder.

Toen de kaars opflakkerde en het donker oplichtte, keek ik de hut rond. De wanden kwamen een beetje naar voren, en een paar verdwaalde braamtakken kwamen door spleten in het dak naar binnen gekropen, maar behalve dat zag het er heel behoorlijk uit.

'Het is veel kleiner dan ik me herinner,' zei ik naar het dak kijkend.

'Misschien is hij gekrompen in de regen,' zei Nicole.

Ik keek haar aan.

Ze lachte. 'Het kan natuurlijk ook zijn dat we allemaal een stukje groter zijn.'

'Een stukje?' zei Pauly, terwijl hij verlekkerd naar Nic keek.

'Rot op, Pauly,' zei ze.

Hij grijnsde.

Pauly zei altijd zulke dingen – van die botte, spottende, hitsige dingen – en ik wist dat het niet de moeite was om je over op te winden. Hij kwam gewoon weer eens stom uit de hoek… Meneer Grapjas. Maar ik wond me er wel over op. Niet omdat ik het verkeerd, ontactisch of seksistisch vond of zo, maar gewoon omdat ik zelf zo'n beetje hetzelfde dacht. Nicole leek inderdaad behoorlijk gegroeid… en dat vatte ik niet helemaal. Ik bedoel, ik had haar nog maar ruim drie weken geleden voor het laatst gezien, en ook al trokken we niet meer met elkaar op, ik zag haar praktisch elke dag op school. Maar op de een of andere manier zag ze er nu heel anders uit – ouder, voller, sexyer. Ik wist dat het waarschijnlijk alleen aan haar make-up of zo lag – zwart omlijnde ogen, rode lippen –

en aan wat ze aan had – een lage spijkerbroek met een dun kort wit hemdje – en aan de manier waarop ze haar korte, blonde haar glad achterover had gekamd, waardoor ze er zowel een beetje koel als hitsig uitzag…

'Alles in orde, Pete?' vroeg ze.

'Wat?'

'Je zit me aan te gapen.'

'O, ja?'

'Ja.'

'Sorry.'

Ze lachte. 'Geeft niet.'

'Wie wil er wat drinken?' kwam Pauly.

Ik keek op en zag hem met een fles tequila zwaaien.

'Het is speciaal spul,' zei hij en hij schroefde de dop eraf en nam een slok. 'Woehoe!' loeide hij met rollende ogen. 'Echt wel speciaal, wow!'

'Wat is er zo speciaal aan?' vroeg Eric.

'Hier,' zei Pauly en hij gaf de fles aan hem door. 'Neem een slok en merk het zelf.'

Terwijl Eric een slok nam, haalden we allemaal onze flessen te-voorschijn. Er was van alles wat: een fles wijn, een paar blikjes cola, een halve fles Bacardi, Pauly's tequila, het flesje rum van Raymond.

'Wat moet dat voorstellen?' vroeg Pauly met een spottend lach-je naar het groezelige flesje, toen Raymond het tevoorschijn haal-de.

'Rum,' zei Raymond.

'Het is halfleeg.'

Raymond haalde verlegen zijn schouders op.

Ik keek dreigend naar Pauly.

'Wat?' zei die.

Nicole stootte me aan en gaf de fles tequila door. Ik bleef Pauly nog een tijdje aankijken met de stilzwijgende boodschap dat hij

Raymond met rust moest laten, zette toen de fles tequila aan mijn mond en nam een slok. Ik had nog nooit tequila gedronken en eerst smaakte het wel lekker, een beetje rokerig, warm en zoet. Maar daarna, toen het door mijn keelgat naar binnen sijpelde, voelde ik de alcohol vanbinnen branden en begon te hoesten en te proesten.

'Jezus!' bracht ik uit.

'*Juicy!*' zei Pauly grijnzend.

'*Juicy?*'

'Ja,' zei hij lachend. 'Dzjoesieeee!'

Het feest was begonnen.

Terwijl de flessen rondgingen en Pauly een joint draaide, begon Nicole over Parijs te vertellen: over het nieuwe huis, haar vaders nieuwe baan, het theater, de scholen, dat ze het zo spannend vond…

'En jij?' vroeg ik aan Eric toen Nic even zweeg om de joint van hem aan te pakken. 'Heb jij zin om te gaan?'

Hij haalde zijn schouders op. 'Ik weet niet of ik wel ga. Misschien blijf ik nog een tijdje hier.'

'Waarom?'

'Nergens om,' zei hij met een blik naar Nic. 'Ik heb nog niet besloten of ik wel wil.'

'Wat ga je doen als je hier blijft?' vroeg ik.

'Ik heb er nog niet echt over nagedacht. Misschien klaarstomen voor de universiteit, hier of in Parijs.'

'Universitéét,' zei Pauly.

'Wat?'

'Frans voor universiteit, universitéét.'

Eric schudde zijn hoofd. 'Misschien ga ik bij pa in het theater werken.'

'Wat voor soort werk?'

Hij haalde zijn schouders op. 'Verlichting, decorontwerp… weet ik veel. Ik zie wel.'

'En jij, Nic?' vroeg ik. 'Wat ga jij doen?'

'Je zou ballonnen kunnen verkopen,' stelde Pauly voor.

Nic keek hem aan. 'Ja, goed idee.'

Hij grijnsde.

Nic gaf me de joint door. Ik voelde me al behoorlijk suffig van de drank, dus nam ik er niet veel van – een paar trekjes – en gaf hem toen door aan Pauly.

'En Raymond?' vroeg die.

'Die rookt niet.'

'Waarom niet?' Pauly bood Raymond de joint aan. 'Kom op, Konijn, doe eens ruig.'

Raymond keek naar mij.

'Wil je?' vroeg ik.

Hij schudde zijn hoofd.

'Hij wil niet,' zei ik tegen Pauly.

Ik zag Pauly denken om een geintje met Raymond uit te halen, hem proberen over te halen om de joint te roken, en ik zag hem even naar mij kijken en zich afvragen wat ik zou doen als hij het zou proberen... en ten slotte haalde hij alleen zijn schouders op – laat maar – en gaf het op.

Eric lachte naar Raymond. 'Zit je goed daar, Ray?'

'Prima, dankje.'

'Is je rum lekker?'

'Niet echt.'

'Wil je wat cola?'

'Ja.'

Eric gaf hem een blikje cola. Kijk je uit naar je oriëntatiejaar?'

'Wie, ik?' vroeg Raymond.

'Ja.'

'Ik geloof van wel...' Hij liet het blikje ploppen, nam een grote slok, boerde, en nam er nog een.

'Beter?' vroeg Eric.

Raymond knikte. 'Het is warm.'

Eric lachte weer en keek toen naar mij. 'Ga jij er zeker heen, Pete?'

'Naar het oriëntatiejaar?'

'Ja.'

'Ik denk het wel… dat wil zeggen, als ik goede cijfers haal.'

'Welke vakken neem je?' vroeg Nicole.

'Engels, Media en Rechten.'

'Rechten?'

'Ja.'

'Waarom?'

Ik haalde mijn schouders op. 'Geen idee… ik kon niks anders bedenken.'

'Ik doe beeldende kunst,' zei Raymond.

Nic keek hem aan. 'Daar ben je waardeloos in.'

Hij glimlachte. 'Weet ik.'

Dat was zo, Raymond was daar waardeloos in. Hij kon voor geen meter tekenen. In alle andere vakken was hij zonder meer een genie – natuurkunde, wiskunde, Engels, scheikunde – maar om een of andere rare reden wilde hij beeldende kunst doen.

Nic stootte me weer aan en hield me de wijnfles voor. 'Wil je hier wat van?'

Ik keek haar aan, en een seconde lang leek haar gezicht op te lossen in series patronen en figuren… driehoeken, rechthoeken, felle rode strepen… en leek haar huid te tintelen van energie. Ik sloot even mijn ogen en schudde van nee.

'Pete?' hoorde ik haar zeggen.

Toen ik mijn ogen weer opendeed, was haar gezicht weer normaal.

'Shit,' zei ik en ik draaide me om naar Pauly. 'Wat zit er in vredesnaam in die joint?'

'Huh?'

'De joint… wat is het voor spul?'

Hij grijnsde sloom en zwaaide lichtjes heen en weer. 'De joint?'

'Ja.'

'Het is de *juice*,' zei hij.

'Wat?'

'De dzjoezzj,' zei hij met dubbele tong; hij sperde zijn ogen wijd open en nam nog een slok tequila.

'Die is al uitgeteld,' zei Nic.

'Ja…' Ik keek haar aan. 'Voel jij je goed?'

'Prima,' zei ze en ze legde haar hand op mijn been en glimlachte naar me. 'En jij?'

Mijn hoofd tolde even en ik voelde kleine speldenprikjes op de plek waar haar hand mijn been raakte. 'Ik voel me best goed, eigenlijk,' zei ik. 'Een beetje… hoe zeg je dat?'

'Warm?'

'Nee.'

'Heet?'

'Fluwelig,' zei ik.

'Fluwelig?'

Ik glimlachte. 'Ja.'

'Hoe voelt dat, fluwelig?'

'Weet ik niet… net als fluweel.'

Toen schoten we in de lach en konden niet ophouden met giechelen, als een stel dolgedraaide kinderen. Nicole moest zo lachen dat ze haar evenwicht verloor en met haar handen op haar buik dubbel klapte, en toen haar hoofd even tegen mijn dij aan rolde, voelde ik de meest rare sensatie door mijn been tintelen. Het voelde als… God mag het weten. Alsof er ragfijne draden langs mijn huid streken.

'Wat doet ze daarbeneden, Boland?' riep Pauly. 'Ik bedoel, kom op nou… ga naar een hotel, Jezus!'

Nicole ging snel overeind zitten en keek hem kwaad aan. 'Waarom moet jij altijd zo lullig doen, Pauly?'

Hij grinnikte. 'Iemand moet het doen.'

'Ja, en jij bent er een expert in.'

Pauly knipoogde naar Eric. 'Je zus vindt me een lul.'

Eric zei niets, maar zat loom trekjes te nemen van een sigaret.

Pauly knipperde dronken naar hem met zijn ogen. 'Heb jij iemand vanavond?'

'Wat?'

'Heb je iemand?'

'Wat voor iemand?'

'Weet ik veel… wie dan ook…'

Eric keek hem alleen maar aan.

Pauly knipperde weer. Hij had een vreemde uitdrukking op zijn gezicht – alsof hij in trance was, stoned – en hij leek niet in de gaten te hebben dat Eric zich aan hem begon te ergeren. Toen Eric zijn hoofd schudde en zich omdraaide, bleef Pauly grijnzend naar hem kijken als een kind dat een geheim heeft.

Na een tijdje zei hij: 'Je weet toch dat Stella er vanavond is?'

Eric bevroor.

Pauly grijnsde.

Eric draaide zich langzaam om en keek hem aan. 'Wat zei je daar?'

'Ja,' zei Pauly weer grijnzend. 'Stella Ross… ze komt naar de kermis…'

'Van wie heb je dat?' vroeg Eric kalm.

Pauly haalde zijn schouders op. 'Weet niet… iemand zei het… weet niet meer wie. Ik heb het gewoon ergens gehoord…'

Hij leek nu echt finaal van de kaart, knipperde de hele tijd met zijn ogen, zwalkte met zijn hoofd heen en weer en keek glazig uit zijn ogen. Ik zag hoe hij naar de grond keek, in het niets staarde, en eventjes leek hij ongelooflijk treurig. Maar toen sloot hij zijn ogen, haalde diep adem, en toen hij weer opkeek was de treurigheid verdwenen en was zijn grijns even manisch als altijd.

'Stella Ross, man!' zei hij vuil grijnzend naar Eric. 'Ik neem aan dat jij er geen behoefte aan had om haar foto's te downloaden?'

Stella Ross was zoiets als een plaatselijke beroemdheid. Haar vader, Justin Ross, was vroeger drummer in een band die Secret Saucer heette. Het was een van die hippiebands die het in het begin van de jaren zeventig echt gemaakt hadden: lang haar, langdradige liedjes, drumsolo's, rookmachines... van die dingen. Tegen de tijd dat ze uit elkaar gingen – ergens in de jaren tachtig, geloof ik – hadden ze ongeveer een triljoen platen verkocht en woonden ze allemaal in grote landhuizen met opnamestudio's in het souterrain en Ferrari's op de oprit. Dat vertelde mijn vader tenminste. Hij vertelde ook dat Justin Ross vroeger een 'relschopper' was: drugs gebruikte, hotelkamers kort en klein sloeg, maar dat hij zo'n vijftien jaar geleden 'het licht had gezien' (tussen twee haakjes, mijn vaders woorden, niet die van mij) en al zijn Ferrari's en landhuizen had verkocht, met een mooi jong fotomodel was getrouwd, en samen met haar een boerderij had betrokken in een dorpje op zo'n zestien kilometer van St. Leonard's.

Zijn vrouw, Sophie Hart, was ook behoorlijk rijk, dus waren ze samen een enorme berg geld waard. Maar Stella had er nooit iets van te zien gekregen. Ze was hun enige dochter en omdat ze beiden de minder leuke kant van het beroemd zijn hadden meegemaakt (Sophie was ook een gewezen relschopper), waren ze vastbesloten om Stella zo normaal mogelijk op te voeden. Wat de reden was dat Stella – ondanks hun miljoenen – bij ons op school terechtkwam.

Ik kende haar niet echt goed, maar ze was heel goed bevriend met Eric en Nic en was net als zij gek op acteren. Ze speelden in alle schooltoneelstukken en zo, waren altijd aan het zingen en dansen, zich aan het opdoffen, en droomden van de tijd dat ze allemaal sterren zouden zijn. De meesten van ons dachten dat als iemand van hen het zou maken, het Nicole zou zijn. Eric was altijd een beetje te gespannen over van alles, vooral over zichzelf. Stella had haar uiterlijk mee, maar had niet veel talent, en ook al kenden haar ouders alle juiste mensen, ze weigerden ook maar iets te doen om haar te helpen, waar Stella echt razend over werd. Maar Nicole... nou, die had geen hulp nodig. Die had alles: talent, uiterlijk, energie en zelfvertrouwen.

Dus was het een grote verrassing toen Stella op een dag naar school kwam en verkondigde dat ze een rol in een reclamespot in de wacht had gesleept. Ze was toen veertien, en later bleek dat ze die rol had gekregen door de zestienjarige zoon van een van haar vaders vrienden op te vrijen die toevallig een bekend filmregisseur was. De tv-reclame was voor een grote supermarktketen. Het was zo'n reclamespot met verschillende afleveringen, het soort dat een paar maanden loopt, en daarna met een nieuwe komt, maar met dezelfde personages, en dan weer een nieuwe... net als bij zo'n stomme tv-serie. Deze ging over een schattig eigengereid gezin: vader, moeder, zoon en dochter. Stella speelde de dochter. Haar rol was eerst die van een snoezige, maar eigenwijze tiener – een en al beminnelijkheid, charme en onschuld – maar naarmate de serie zich ontwikkelde, ontwikkelde Stella's snoezige, kleine tiener zich ook, en binnen ongeveer een jaar begon ze het soort aandacht te trekken dat niet strookte met het beeld van het gezonde gezin dat de supermarkt voor ogen had, dus schrapten ze haar uit de serie. Stella was toen al van school af – ik geloof dat ze thuisonderwijs kreeg – en de enige keer dat iemand van ons haar zag, Eric en Nic inbegrepen, was in de krant en op tv, en dat was zo'n beetje voortdurend. Tegen die tijd deed ze van alles – fotosessies voor *Loaded* en *FHM*, praatprogramma's, optredens in videoclips – maar was ze vooral beroemd als Stella Ross: de losbandige tiener, de vijftienjarige relschopper, het meisje waarvan elke jongen (en elke man) droomde.

Zo'n halfjaar geleden, na een wild avondje stappen op haar zestiende verjaardag bij een of andere kakclub in Londen, belandde
Stella in een hotelkamer met een jongen die Tiff heette. Tiff was
een zanger met een jongensband: Thrill, die kortgeleden derde was
geworden in een tweederangs talentenjacht op de lokale tv. Behalve Stella en Tiff weet niemand precies wat er die nacht is voorgevallen, maar binnen een paar dagen was hun relatie verbroken en
verscheen er een serie intieme foto's van Stella in een roddelblad.
Het waren nogal grofkorrelige foto's, genomen met een mobiel, en
ze lieten niet echt veel zien – het blad had alle ondeugende stukjes
eruit gelaten – maar ineens had iedereen het erover. Het blad dat
de foto's had gepubliceerd was zo'n blad dat altijd over pedofielen
tekeergaat en moest je ze nu zien, even zo vrolijk publiceerden ze
foto's van een bijna naakt meisje van net zestien.

Dus werden alle andere bladen natuurlijk razend, scholden hen
uit voor hypocriet, en voor verspreiders van porno, terwijl ze tegelijkertijd zelf opgeschoonde versies van de foto's publiceerden, alleen om de lezer te laten zien waar ze het over hadden. En toen verscheen er nog een serie foto's, maar nu op internet, en die waren
helemaal niet gekuist, en zo ging het verhaal maar door… en al die
tijd werd Stella steeds maar beroemder…

Eric en Nicole ergerden er zich groen en geel aan. Om te beginnen waren ze jaloers, vooral Nicole. Ze had altijd al de pest gehad
aan dat beroemd-zijn-om-het-beroemd-zijn, en wat het voor haar
nog erger maakte was dat Stella haar vriendin was geweest. Ze hadden samen van de roem gedroomd, ze waren opgegroeid met gedachten over hoe het zou zijn, maar nu Stella het echt had gemaakt,
wilde ze niets meer met Nicole te maken hebben. Ze belde niet. Ze
stuurde geen sms'jes. Ze mailde niet. Ze reageerde niet op Nicoles
berichten. Ze deed alsof ze haar nooit had gekend.

Maar met Eric lag het een beetje anders. Net voor ze van school
afging, rond de tijd dat ze beroemd werd, was Stella een paar keer

met Eric uitgeweest. Toen waren ze alle twee nog maar veertien, dus hadden ze niet echt een relatie of zo, ze ontmoetten elkaar altijd gewoon in de stad, gingen misschien naar de bioscoop... van die dingen. Toen, op een avond, een dansavond van school aan het eind van het schooljaar – wij hingen allemaal rond achter in de aula en wachtten tot een of andere waardeloze plaatselijke band op zou komen – ging er ineens een zijdeur open en kwam Stella in tranen naar binnen stormen. De zijdeur kwam uit op het schoolterrein, dus gingen we er allemaal van uit dat ze met Eric buiten was geweest, om wat dan ook te doen, en dat ze ruzie hadden gehad of zo. Maar een paar minuten daarna kwam Eric ook door de zijdeur naar binnen, en hij leek ongelooflijk kalm. Eigenlijk zag hij er bijna sereen uit. Zonder iets te zeggen liep hij de aula door, klom het toneel op en liep naar de microfoon. Iedereen keek nu naar hem en vroeg zich af waar hij in jezusnaam mee bezig was... iedereen, behalve Stella. Toen Eric was binnengekomen, had ze hem de vuilste blik toegeworpen die ik ooit had gezien, en zo gauw ze zag dat hij het toneel opging, had ze zich omgedraaid en was naar buiten gestormd. En toen Eric in de microfoon begon te praten, begreep ik waarom.

'Ik weet niet of dit de juiste tijd of juiste plaats is,' kondigde hij aan terwijl zijn stem door de luidsprekers galmde, 'en ik probeer er niet een belangrijk punt van te maken of zo, maar ik wil alleen iedereen even laten weten dat ik homo ben.'

En dat was, uitgebreid samengevat, waarop Pauly doelde, die avond in de hut. Eric en Stella, hun verleden, haar foto's op internet, het feit dat Eric homo was... dat allemaal en meer, plus alles waar het voor stond, zat in dat ene stomme zinnetje: 'Stella Ross, man! Ik neem aan dat jij geen behoefte had om haar foto's te downloaden?'

Als Eric al beledigd was door Pauly's opmerking, liet hij het niet merken. Hij keek hem alleen een tijdje met peinzend kalme ogen aan, schudde toen zijn hoofd en wendde zich af.

Pauly keek naar mij. 'Heb jij ze gezien, Pete?'

'Wat gezien?'

'De foto's van Stella... die op het internet.'

'Nee,' loog ik.

Hij grijnsde. 'Ik durf te wedden van wel.'

'Jezus,' mompelde Nicole, terwijl ze me de joint nog eens doorgaf.

Pauly keek haar aan. 'Wat?'

'Jij...'

'Wat is er met mij?'

'Je bent bezeten van haar.'

'Helemaal niet...'

'O, jawel. En altijd geweest. Zelfs nog voor ze met haar tieten begon te zwaaien...'

'Ze zwaait hele...'

'Shit,' zei Nicole, 'je had al natte dromen over Stella Ross toen je twaalf was.'

Pauly's grijns was verdwenen. 'Ik weet niet waar je het over hebt,' zei hij nors.

Nicole keek hem vuil aan. 'Dat weet je best.'

Toen werd het stil. Pauly staarde weer naar de vloer, Nicole stak een sigaret op, ik drukte de opgerookte joint uit, en Raymond zat alleen maar te zitten en keek naar niets. Eric leek zich ergens zorgen over te maken. De sigaret in zijn hand was bijna helemaal opgebrand, maar hij leek er geen erg in te hebben; hij zat daar maar in de ruimte te staren en verwoed op een duimnagel te bijten.

Terwijl ik in het flakkerende kaarslicht naar hem zat te kijken, leken de lijnen van zijn gezicht te verschuiven en leek hij even sprekend op Nicole. Dat had ik al eens eerder met Eric meegemaakt.

Hoewel ze tweelingen waren, waren Eric en Nicole niet precies hetzelfde, en meestal vertoonde Erics gezicht weinig overeenkomst met dat van zijn zus. Uiterlijk leken ze erg op elkaar – dezelfde neus, dezelfde mond, dezelfde ogen – maar op de een of andere manier vormden diezelfde trekken niet hetzelfde geheel. Bij Nic waren ze mooi. Maar bij Eric pasten ze niet goed bij elkaar, en dat maakte zijn gezicht op een vreemde manier bijna mooi, niet mooi en niet lelijk, maar mooi en lelijk tegelijk. Soms, zoals nu, als Erics gezicht even dat van Nic werd, leek het of je een wazig beeld langzaam scherp zag worden en worden zoals het hoorde te zijn. Maar terwijl Erics gezicht deze keer in dat van Nic overging, kreeg het ook de rare patronen en figuren die ik eerder op Nics gezicht had gezien… driehoeken, rechthoeken, kegels en piramides… en toen hij zijn handen bewoog en zijn uitgedoofde sigaret op de grond liet vallen, zag ik sporen in de lucht, een soort nabeeld in slow motion van de beweging daarvoor…

Ik deed mijn ogen dicht.

'Ik ben weg,' hoorde ik iemand zeggen.

De stem klonk raar – traag en laag, onduidelijk en vervormd.

'Kom je ook, Nic?'

Toen ik mijn ogen weer opendeed, was Eric opgestaan en keek hij naar Nicole. Zijn gezicht was weer helemaal dat van Eric.

'Nic?' vroeg hij.

'Ik zie je zo op de kermis,' zei ze. 'Ik wil even met Pete kletsen.'

Ik keek haar aan.

Ze negeerde me en draaide zich naar Pauly. 'Zonder pottenkijkers.'

'Wat?' vroeg hij.

'Ik moet even iets met Pete bespreken.'

'Nou en?' Pauly haalde zijn schouders op. 'Ik hou je niet tegen.'

Eric stootte hem aan met zijn voet. 'Kom op nou, doe niet zo zeikerig.'

Pauly keek naar hem op en grijnsde. 'Krijg ik een suikerspin van je?'

Eric lachte. 'Je krijgt een pak op je donder als je niet gauw meekomt.'

'Oké,' zei Pauly.

Terwijl Eric hem overeind hielp, keek Nic even naar Raymond. 'Vind je het vervelend om...?' vroeg ze glimlachend.

Hij staarde haar een tijdje aan, knipperde met zijn ogen en keek toen naar mij.

Ik wist niet wat ik moest doen. Het voelde niet goed hem te vragen weg te gaan. Ik wist dat hij zich in zijn eentje niet op zijn gemak zou voelen bij Pauly en Eric, en daarom zou hij waarschijnlijk niet met hen door naar de kermis willen, en het idee dat hij in zijn eentje naar huis zou gaan beviel me niet. Het was nu donker. Het was tien uur en zaterdagavond, voor niemand een goede tijd om zich alleen in het achterlaantje op te houden, laat staan voor Raymond. Maar tegelijkertijd wilde ik hem niet in verlegenheid brengen door de anderen het idee te geven dat er op hem gepast moest worden.

Ik weet niet wat hier allemaal van waar is. Iets daarvan wel, denk ik, misschien het meeste. Ik bedoel, ik was echt bezorgd om Raymond en ik voelde me ook echt verantwoordelijk voor hem... maar diep vanbinnen weet ik dat mijn wens om met Nicole alleen te zijn de doorslag gaf.

Ik keek haar aan en wilde vragen – hoe lang gaat het duren? – maar ik kreeg het er gewoon niet uit.

Ze glimlachte naar me. 'Maak je geen zorgen.'

Ik wist niet waar ze op doelde.

Ik keek naar Raymond. Hij zat nog steeds naar me te kijken en wachtte gewoon af. Het zou voor mij makkelijker zijn geweest als hij een beetje kwaad had gekeken, of misschien zelfs een beetje te-

69

leurgesteld of zo, maar niets daarvan. Alleen maar vertrouwen.

'Als je wilt wachten…' begon ik te zeggen.

'Het geeft niet,' zei hij enkel. 'Ik zie je op de kermis.'

Ik keek hem verrast aan. 'Weet je het zeker?'

Hij knikte en kwam overeind.

Ik keek alleen maar, niet in staat iets te zeggen.

'Maak je geen zorgen,' zei hij glimlachend.

'Oké…' mompelde ik.

Ik zat daar zwijgend en zag de anderen weggaan: Eric eerst, snel bukkend de deur door; daarna Pauly, vuil naar ons grijnzend over zijn schouder; daarna Raymond. Ik dacht dat hij naar me om zou kijken toen hij wegging en misschien iets zou zeggen, of gedag zou zwaaien. Maar dat deed hij niet. Hij dook gewoon onder de deuropening door en verdween in de nacht.

Ik luisterde hoe hij achter Eric en Pauly de helling af liep, hoe het geluid van hun struikelende voetstappen wegstierf in het donker en richtte toen mijn aandacht op Nic. Ze was bij de wand vandaan geschoven en zat nu recht tegenover me, met haar benen over elkaar, een gezicht dat bleek glansde in het kaarslicht, en met haar ogen onafgebroken op die van mij gericht.

'Zo,' zei ze zacht, 'daar zitten we dan weer.'

'Ja…'

'Alleen wij samen.'

Ik veegde het zweet van mijn voorhoofd.

Ze deed haar schoenen uit en lachte naar me. 'Warm, hè?'

Vijf

Eerst was het best oké. Nic en ik kletsten gewoon wat – over Parijs, over school, het komende jaar – en het voelde niet eens zo ongemakkelijk of zo. We waren geloof ik allebei een beetje dronken en een beetje suf van de dope. Nic bleef kleine slokjes van de fles tequila nemen die Pauly had achtergelaten, dus ben ik niet helemaal zeker of een van ons echt wist waar we het over hadden. Maar het scheen niet uit te maken. Door de manier waarop Nicole eigenlijk een eind weg zat te wauwelen – ratelend als een machinegeweer – hoefde ik bijna niks te zeggen. Dat deed ik dan ook niet. Ik zat gewoon te kijken hoe ze zat te kletsen en keek naar haar mond, haar bewegende lippen... naar de glinsterende kleuren op haar huid, verlicht door de kaars. Hoe langer ik staarde, hoe levendiger de kleuren werden en terwijl die steeds feller oplichtten, leek de duisternis van de hut ons in te sluiten. Het was een prettig gevoel, alsof we in een lichtbubbel zaten, en het had iets waardoor ik het gevoel kreeg dat ik in iets levends zat. Alsof de hut een soort eigen primitief bewustzijn bezat en, nu de anderen weg waren, zijn formaat aan ons aanpaste om het knusser te maken.

'Alles goed met je?' vroeg Nicole plotseling.

Ik knipperde met mijn ogen. 'Wat?'

'Je ogen... die staan echt stoned.'

'Stoned?'

'Ja,' zei ze lachend. 'Net grote zwarte schotels.'

'Moet van de drank komen,' zei ik.

Nic lachte. 'Je hebt er nooit tegen gekund, hè?'

'Wat bedoel je?'

Ze glimlachte. 'Op hutfeesten werd je altijd zo.'

'Hoe dan?'

'Helemaal vaag en suf... alsof je in een andere wereld bent.'

'Vaag én suf?' vroeg ik.

Ze lachte weer. 'Suf op een leuke manier.'

'Dus eigenlijk zeg je dat ik leuk suf ben, klopt dat?'

'Ja,' zei ze, terwijl ze in mijn ogen keek, 'maar voor het meren-deel gewoon leuk.'

Toen leek alles te veranderen. De sfeer, de hitte, de stilte... ineens was het allemaal anders. Zwaarder, stiller, meer gespannen. Ik ving de donkere zoetige geur van Nics parfum op. Ik voelde het zweet van me afstromen.

'Wat is er met ons gebeurd, Pete?' vroeg Nicole zacht.

'Wat bedoel je?'

'Je weet wel... jij en ik, wat we allemaal deden, met elkaar had-den... ik bedoel, hoe komt het dat we zo ver uit elkaar zijn geraakt?'

'Weet ik niet,' zei ik terwijl ik mijn schouders ophaalde. 'Dingen veranderen, denk ik...'

'Voor mij zijn ze nooit veranderd.'

Ze boog zich nu dicht naar me toe en keek me zo doordringend aan dat ik even de andere kant moest opkijken. Ik geloofde niet echt wat ze zei en ik wist dat ze het zelf ook niet geloofde – ze wist net zo goed als ik dat we allebei wel waren veranderd – maar toen ze een stukje dichterbij schoof en ik haar hand op mijn dij voel-de... kon de waarheid me op dat moment geen bal schelen.

'Weet je nog die keer in de badkamer?' vroeg ze zacht.

Ik keek haar aan. 'Het feest bij je nichtje thuis?'

'Ja.' Ze glimlachte. 'Toen scheelde het niet veel, hè?'

Ik knikte en kreeg ineens een droge mond.

'Denk je dat we het gedaan zouden hebben als haar ouders niet thuis waren gekomen?' vroeg ze.

'Misschien...'

Ze bewoog haar hand over mijn dij. 'Evengoed jammer…'

'Wat?'

'Dat we er nooit aan toe gekomen zijn.'

Ik voelde me nu ongelooflijk raar: mijn hart bonsde, mijn vel tintelde, mijn hele lijf gonsde van warme vloeibare energie.

Nic zei: 'En nu zullen we elkaar waarschijnlijk nooit meer zien.'

We keken elkaar aan en wisten wat de ander dacht.

We hoefden niets te zeggen.

Nic bleef me onafgebroken aankijken terwijl ze een stukje naar achteren schoof en haar hemdje begon uit te trekken. Ik keek gefascineerd toe hoe ze haar armen kruiste, het hemdje over haar hoofd trok en het op de grond liet vallen. Ik probeerde helder te blijven en dwong mezelf naar haar ogen te kijken… maar dat viel niet mee. Haar ogen drongen nu diep in de mijne en letten op mijn reactie toen ze haar armen optilde, haar vingers door haar haar haalde en lichtjes haar lichaam spande.

'Je mag kijken als je wilt,' zei ze.

Ik keek.

Langzaam ging ze met haar handen naar beneden over haar buik, liet ze even op de rand van haar spijkerbroek rusten en liet toen de knopen openspringen. Ik kreeg geen lucht. Zat als verlamd. Het enige waartoe ik in staat was, was helemaal vaag en suf zitten kijken hoe ze een beetje achteroverleunde, uit haar spijkerbroek glipte en toen op handen en knieën naar me toe kwam kruipen.

Ze leek een soort magisch beest – met haar blote vel in het kaarslicht en haar donkere ogen vol vuur – en heel even voelde ik me vreemd benauwd. Maar vergeleken met al het andere dat ik voelde stelde mijn angst niets voor. Ik had nu fysiek pijn. Vanbinnen. Mijn hart ging zo tekeer dat ik dacht dat het door mijn vel naar buiten zou barsten.

Terwijl Nic naar me toe kroop, verschoof ik mijn benen om haar wat ruimte te geven.

'Laat maar,' zei ze. 'Blijf maar gewoon zitten.'

Ze kwam op haar knieën overeind, ging met gespreide benen op mijn schoot zitten en boog zich met haar handen op mijn schouders naar me toe.

'Ik doe je toch geen pijn?' vroeg ze.

Ik schudde mijn hoofd.

'Goed zo.' Ze glimlachte. 'Ik zou je geen pijn willen doen.'

'Nee…' mompelde ik.

Ze keek me even diep in de ogen, met haar hoofd een beetje opzij, en streek toen zachtjes met haar vinger over mijn gezicht.

'Waar denk je aan?' vroeg ze.

Wat denk je, wilde ik zeggen, maar ik zei het niet. Ik keek haar alleen maar aan.

Ze lachte weer. 'Weet je nog wat je daarnet over Stella zei?'

'Stella?'

'Ja, je weet wel… toen je tegen Pauly zei dat je niet die foto's van haar op internet had gezien.' Nic trok haar wenkbrauwen op. 'Is dat waar? Heb je ze echt niet gezien?'

Ik wist niet wat ik moest zeggen. Ik wilde niet aan Stella denken… ik wilde helemaal nergens aan denken. Ik legde mijn handen op haar heupen,

'Ik ben niet in Stella geïnteresseerd,' zei ik, omdat ik van onderwerp wilde veranderen.

Nic greep mijn handen vast en hield ze stil. 'Nee,' zei ze, 'ik ook niet. Ik wilde het alleen maar weten.'

Toen voelde ik de eerste kriebel van iets wat ik niet wilde.

'Je vindt het toch niet vervelend als ik dat vraag?' vroeg Nic.

'Nee,' zei ik met een zucht, 'natuurlijk niet. Ik snap alleen niet…'

'Ik wil alleen maar weten of je ze gezien hebt.'

Ze praatte nu een beetje met dubbele tong en er was iets in haar ogen wat me onzeker maakte, een vreemd soort onbedwingbare obsessie.

Ze bleef glimlachen. 'Kun jij je voorstellen hoe Stella zich moet voelen? Ik bedoel, ze moet toch weten wat iedereen doet als ze naar die plaatjes kijken… wat voor gevoel moet haar dat geven, denk je?'

Ik schudde mijn hoofd. 'Ik weet niet of ik het er wel over wil hebben…'

'Ik bedoel, mijn god… als ik dat was…' Ze keek even weg, staarde in het niets, en draaide zich toen plotseling weer naar mij. 'Zou je naar blote foto's van mij kijken op internet?'

'Moet je horen, Nic…'

'Nee, toe nou, Pete,' zei ze met een pruillip terwijl ze met haar vingers door haar haar streek. 'Wat vind je?' Ze nam een pose aan – handen achter haar hoofd, borsten vooruit – en al wist ik dat ze maar een grapje maakte en de spot dreef met het kunstmatige van pornofoto's, kreeg ik ook een beetje de indruk dat het niet alleen maar spel was. Maar terwijl een deel van mij nog steeds onder invloed was van het wonder van haar halfnaakte lichaam, kwam ze niet meer zo sexy over. Alleen nog maar dronken.

'Je hoeft dit niet te doen, Nic,' zei ik zacht.

'Wat doen?'

'Je weet wel…'

Ze wierp een blik omlaag naar zichzelf, en keek toen op met een verleidelijke glimlach. 'Wat is er? Niet naar je zin?'

'Nee, dat is het niet… Ik vind alleen…'

'Wat? Wat vind je?'

Alles voelde nu verkeerd. Nic, ik, de hele situatie.

'Sorry,' zei ik. 'Ik vind dat we dit niet moeten doen.'

Haar gezicht bevroor. 'Wat?'

'Ik kan gewoon niet…'

Ze glimlachte ongemakkelijk en wierp een blik omlaag. 'Komt het door… je weet wel… is er iets niet goed?'

'Nee… nee, er is niks. Ik vind dit alleen niet het juiste moment.'

Ze fronste haar voorhoofd. 'Wat bedoel je?'

'Dit,' zei ik. 'Jij en ik, het voelt gewoon niet goed…'

Ze grijnsde en schoof heen en weer op mijn schoot. 'Volgens mij voelt het anders prima.'

Ik schoof van haar weg.

Haar grijns verdween en haar ogen werden kil. 'Wat is er verdomme mis met jou? Ik bedoel, jezus…'

'Toe nou, Nic,' zei ik en ik stak een hand uit om haar te kalmeren. 'Word nou niet kwaad…'

Ze sloeg mijn hand weg.

'Sorry,' zei ik, 'ik wilde alleen maar…'

'*Fuck you*, Pete,' siste ze.

Daar kon ik moeilijk iets op zeggen, dus bleef ik maar stom zitten en haar woest naar me laten kijken. Haar gezicht was compleet veranderd. Het stond dodelijk, gemeen, bikkelhard. Haar eerst glanzende huid was mat en bleek, en haar ogen zagen zwart van woede.'

'Dit vind je zeker leuk?' vroeg ze vals.

'Natuurlijk niet…'

'Me vernederen.'

'Ik wilde niet…'

'Me een hoer laten voelen.'

Ik schudde mijn hoofd. 'Luister, Nic. Het spijt me, oké? Het spijt me echt. Ik weet hoe je je moet voelen…'

'Je weet helemaal niet hoe ik me voel.'

Toen duwde ze me met een harde zet tegen mijn borst van zich af en kon ik verder alleen maar zitten toekijken hoe ze haar kleren opraapte en zich begon aan te kleden. Ze hinkte, huppend op een been, de hele hut door in een poging haar spijkerbroek aan te trekken en viel bijna om…

'Als je het niet erg vindt?' zei ze met een dreigende blik naar mij over haar schouder.

Ik sloeg mijn ogen neer.

'Jezus,' hoorde ik haar mompelen.

Verbijsterd en in de war keek ik naar de grond en wist niet wat ik moest denken of doen. Mijn hoofd tolde, mijn schedel zat te strak... Ik was volslagen de kluts kwijt. En ik begreep niet waarom. Ik keek maar naar de grond, begreep nergens iets van en was nergens toe in staat.

Ik sloeg mijn ogen pas weer op toen ik Nicole hoorde vloeken en op weg naar de deur een lege fles hoorde wegschoppen. Toen ik opkeek, bleef ze even staan, wurmde iets uit de zak van haar spijkerbroek en smeet het naar me toe. Het kwam op de grond voor mijn voeten terecht: een pakje condooms.

'Geniet ervan,' zei ze koel.

Ik keek naar haar omhoog.

Ze draaide zich om en bukte voor de deur.

'Red je het wel?' vroeg ik.

'Wat kan jou dat schelen?'

'Ik kan met je meelopen over het laantje, als je wilt...'

Ze lachte, een smalend gesnuif, en toen was ze weg. Ik luisterde naar haar boze voetstappen die de helling af stampten en hoorde haar een of twee keer struikelen en toen, na een tijdje stierven haar voetstappen weg en viel er niets anders te horen dan de stilte van de nacht en het gezucht van mijn eigen dwaze hart.

Zes

Daarna had ik geen zin meer in de kermis – ik had nergens meer zin in – maar naar huis wilde ik ook niet en ik wist dat als ik in mijn eentje in die ranzige stilte bleef zitten, terwijl ik me probeerde te verplaatsen naar een tijd en plaats toen er nog niets was gebeurd en alles nog in orde was… dat dat hopeloos was. Er was wél iets gebeurd. Alles was níét in orde. En als ik bleef proberen om het te negeren, zou het waarschijnlijk alleen maar op een huilbui uitdraaien.

Huilen om wat, wist ik niet.

Omdat ik een idioot was?

Omdat ik het verkeerd had begrepen?

Omdat ik het weer goed had willen maken?

Ik had geen idee.

Het enige wat ik wist was dat ik daar niet een potje kon gaan zitten grienen, ik moest iets dóén. En het enige wat ik kon bedenken – het enige wat nog een beetje zin had – was naar de kermis gaan om Raymond te zoeken.

Ik nam een laatste slok tequila, rilde en hoestte, kwam overeind en ging op weg.

In het laantje was het niet zo donker als ik had gedacht. De nachtelijke hemel was zwart, zonder sterren, en de maan was nergens te bekennen, maar er kwam net genoeg licht van de overkant van het braakliggende terrein om te zien waar ik liep. Het was een raar soort licht – een wazig mengsel van verre straatlantaarns, passerende autolichten op de wegen bij de haven, en een gedempte gloed van Greenwell aan de andere kant van de rivier – en terwijl ik over het smalle pad liep leek alles om me heen te trillen met een onnatuurlijke dof schijnsel. Mijn gympen waren spierwit. De gashouders glommen zwart. De muur van een fabrieksgebouw boven aan het talud lichtte vlak grijsgroen op met de doodse glans van een leeg tv-scherm.

Ik vroeg me af of het echt was, of dat ik het gewoon zelf was. Ik en de drank. Ik en de dope. Ik en de smoorhete duistere hitte. Ik voelde me niet meer echt dronken of stoned, maar nog wel absoluut heel raar. Een beetje gonzend en vloeibaar, helemaal warm en tintelend vanbinnen. Mijn zintuigen stonden op scherp en ik was me intens bewust van alles in en rondom me: de grond onder mijn voeten, de duisternis, het licht, het verre geluid van het kermisterrein, het zweet op mijn vel... ik kon zelfs het bloed in mijn aderen voelen stromen. Het klopte op het ritme van een zwak metalig geronk dat door mijn hoofd raasde – woesj, woesj, woesj – als het geluid van een oude wasmachine in een leeg souterrain.

Ik voelde me misselijk.

Een vaag gevoel alsof ik moest overgeven.

Ik had pijn op plaatsen waarvan ik niet eens wist dat ze bestonden.

Maar om een of andere onbegrijpelijke reden kon het me allemaal niet schelen. Eigenlijk voelde het op een vreemd soort manier best prettig. En terwijl ik verder liep door de onwezenlijke grijze duisternis, begon ik me zowaar ietsje beter te voelen. Ik voelde me nog steeds niet geweldig of zo, en mijn hoofd was nog steeds één grote warboel van allerlei troep, maar ik begon te accepteren dat wat er ook met Nicole was voorgevallen, en wie zijn schuld het ook was geweest, het niet het eind van de wereld was.

Die dingen gebeuren nou eenmaal.

Er was toch zeker niemand dood, of wel?

Niemand was gewond.

Het was gewoon een van die verwarrende, lullige dingetjes...

Tenminste, dat bleef ik tegen mezelf zeggen – die dingen gebeuren nou eenmaal... het heeft geen zin om daarover te piekeren, om te proberen het te begrijpen... het stelde niets voor, het was nou eenmaal gebeurd – en tegen de tijd dat ik aan het eind van het laantje was, had ik mezelf er praktisch van overtuigd dat ik gelijk had. Het had geen zin om er nog langer over na te denken. Het enige wat nu van belang was, was naar de kermis gaan, Raymond zoeken en zorgen dat we samen veilig thuiskwamen.

Het spreekt vanzelf dat als hij een mobiel had gehad, ik hem dan gewoon had kunnen bellen. Maar die had hij niet. Hij had er nooit een gemogen van zijn ouders. En het was zo lang geleden dat ik Eric of Pauly had gebeld dat, al had ik hun nummers gehad, die nu hoogstwaarschijnlijk wel niet meer zouden kloppen.

Niet dat ik een van hen echt had willen spreken trouwens.

En daar kwam bij dat ik nu bijna bij het park was.

De geluiden van de kermis klonken steeds harder – een meeslepende kakofonie van muziek en attracties, gegil en gelach, het gedreun van krakende stemmen door luidsprekers – en toen ik van het laantje een straatje inliep, kon ik de opwinding door de lucht voelen golven.

Het recreatiepark wordt normaal gesproken 's avonds afgesloten – niet dat dat iemand tegenhoudt – maar vanavond stonden de hekken wijd open, en stond het gewoonlijk lege, donkere park nu in lichterlaaie door de lichten van de kermis. De kermis zelf besloeg maar een klein deel van het park – een slordige kring van attracties en kermiswagens rechts aan het eind van een pad – maar de flitslichten en het rondslingerende lawaai kwamen tot voorbij de sportvelden en toen ik het pad naar de kermis opliep, leek alles raar in de war en daar niet te horen. De lichten in het donker, het lawaai in de leegte, de opgewonden geluiden in de stilte daaromheen...

De nacht was nog warm en de lucht werd steeds benauwder en drukkender. Het rook naar dreigend onweer. Ik rook ook andere dingen: de vlezige stank van te lang gebakken hamburgers, de weeë geur van parfum en suikerspinnen, de hitte van uitlaatgassen en lampen. Het was me allemaal te veel en even dacht ik dat ik moest overgeven. Maar nadat ik een tijdje stil had gestaan en een paar keer diep had ademgehaald, trok de misselijkheid snel weg en stroomde er plotseling een golf tintelende energie door me heen.

Toen ik doorliep was het net alsof ik op lucht liep.

Ondanks dat ik al aan de lichten en het lawaai van de kermis gewend was geraakt, hapte ik letterlijk naar adem bij de plotselinge losbarsting van geluid en beweging toen ik het terrein opliep. Het was overdonderend. De schetterende muziek, het oorverdovende slagwerk, de ronddraaiende discolichten, de flitsende laserstralen… mensen die gilden, sirenes die loeiden, alles draaide in het rond… rondtollende reuzenwielen, sterren en ruimteschepen, duizenden gezichten, ontelbaar dreunende stemmen die door de lucht wervelden: EN DAAR GAAN WE WEER! DAAR GAAN WE WEER! ALTIJD PRIJS!… HET IS C-C-C-C-CRAZYYY!

Ik voelde het lawaai in mijn hart bonken.

B-BOEM BOEM BOEM…

De lichten in mijn ogen brandden.

KOMT U MAAR! KOMT U MAAR! KIES UW PRIJS!

Het kabaal van de attracties raasde en deinde overal om me heen – TERMINATOR! METEOR! TWISTER! FUN HOUSE! – en slingerde waanzin de lucht in.

Het viel niet mee om bij mijn volle verstand te blijven, terwijl ik tussen de kramen, de stalletjes en de reusachtige ronddraaiende attracties door liep. Er waren zo veel duwende, dringende, lachende en schreeuwende mensen en zo veel verschillende geluiden die uit hoge op palen gemonteerde luidsprekers schetterden… van alles door elkaar heen: rock-'n-roll, plonkende gitaren, Wham!, Madonna, Duran Duran...

Jezus christus.

Alsof je naar de lievelingsmuziek van een heleboel gestoorde oudere mensen luisterde, maar dan alles tegelijk: WAKE ME UP BEFORE... MY NAME IS... YOU GO-GO... HER NAME IS RIO AND...WE WILL WE WILL...WHO LET THE... JUST LIKE A CHILD... DOGS OUT... ROCK YOU...

Door het gewoel van de menigte kon ik niet zien waar ik liep, maar het maakte niet echt uit, omdat ik toch niet wist waar ik naartoe ging. Ik liep maar, liet me met de stroom meevoeren, hoopte Raymond te vinden. Ik hoopte dat ik ook een wc zou vinden. Mijn blaas begon op te spelen, ik voelde zorgwekkende krampen in mijn buik, en ik begon ook weer misselijk te worden. Ik bleef even bij een stalletje staan en liet een klein boertje. Het smaakte zuur.

'Gokje wagen, maat?' hoorde ik iemand zeggen.

Ik keek om naar de kraam en zag een man met een paardenstaart die me drie goedkoop uitziende darts voorhield. Hij knikte naar een dartboard achter in de tent.

'Vijfenveertig of meer,' zei hij, 'en je mag je prijs kiezen.'

Ik staarde in het rond naar de prijzen: speelgoedbeesten, scoubidous, Garfields en Tweetys. Aan de wand zat een rij teddyberen bevestigd, ze hingen aan hun nek, als kleine dode bontmannetjes aan de galg.

'Een pond per worp,' zei de paardenstaart. 'Kies je prijs.'

Maar ik luisterde niet meer naar hem. Ik had ergens rechts van me iets gehoord, een nauwelijks merkbare verandering in het geluid van de menigte, en terwijl ik bij de stal vandaan stapte en opzij boog om te zien wat er aan de hand was, wist iets binnen in me al wat ik te zien zou krijgen. Dus was ik niet al te verbaasd toen ik verderop Raymonds gezicht ontdekte en één seconde lang voelde ik een warm gevoel van opluchting door me heen gaan... maar dat duurde niet lang. Toen ik zag met wie hij was en wat hij aan het doen was werd ik plotseling helemaal koud vanbinnen.

Hij was met Stella Ross.

Ik kon het niet geloven.

Raymond en Stella?

Wat moest hij in godsnaam met haar? En, beter gezegd, wat moest zij in godsnaam met hem? Godallemachtig, ze was Stella Ross! Die ging niet om met mensen als Raymond. Zelfs toen ze nog op school zat, voor ze beroemd werd, wilde ze voor geen goud met jongens als Raymond gezien worden. Maar moest je haar nu zien, ze wandelde met hem over de kermis... haar arm om zijn schouder, drukte hem tegen zich aan, praatte tegen hem, en lachte stralend naar hem.

Toen ik me door de menigte heen dichterbij drong, merkte ik dat ze niet alleen waren. Stella had haar aanhang bij zich: een stel grote lijfwachten, een zootje goed geklede fans, een kerel met een filmcamera op zijn schouder, en nog een met een grote bontmicrofoon aan een hengel. Ze liepen allemaal achter haar aan, de kerel met de camera filmde haar, en iedereen rondom hen – alle gewone mensen – gingen terwijl ze voorbijliepen opzij in de rij staan om Stella Ross beter in levenden lijve te kunnen zien. En van dat lijf viel heel wat te zien. Ze had zich helemaal opgedoft in een soort chique kermisoutfit: strakke korte spijkerbroek, lieslaarzen, en een afgeknipt cowboyhemd waarvan de meeste knopen openstonden.

Nu kuste ze Raymond, ze drukte hem tegen zich aan en plantte haar felrode lippen op zijn wang... maar ze keek hem niet aan. Haar ogen grijnsden naar de camera. En toen ze hem weer kuste en zijn gezicht onder de lippenstift smeerde, zag ik alle mensen om haar heen naar elkaar grinniken en lol hebben in het spelletje van de *beauty* met de *beast*.

Ik wist niet waarom, maar daar was ze mee bezig. Ze speelde met hem, amuseerde zich met hem. Deed alsof hij haar vriendje was, of zoiets. Voor haar was het één grote grap – de stralende beroemdheid die flirt met de raar uitziende loser – en ik werd er misselijk van. Alsof je iemand een hond zag plagen. En net als een hond, leek het Raymond niet te kunnen schelen. Hij deed er gewoon aan mee – lachte opgewonden met grote ogen naar Stella, en grinnikte, terwijl iedereen hem uitlachte...

Ik snapte er niets van.

Raymond was niet dom.

Hij moet hebben geweten wat er gebeurde.

Maar hij leek er totaal niet mee te zitten.

Dat wil zeggen, hij zag er niet uit alsof hij ergens last van had. Nu wist je dat bij Raymond nooit. Maar ik was er vrij zeker van dat hij niets deed wat hij niet wilde. En dat was het enige waarom ik een seconde aarzelde toen ik me door de menigte naar Stella toe drong. Hij heeft het best naar zijn zin, zei een stem in mijn hoofd. Waarom laat je hem niet gewoon met rust? Maar ik vond het geen overtuigend argument en liet me er volstrekt niet door tegenhouden.

Ik was nu bijna bij Stella en Raymond. De menigte vlak voor hen was minder dicht geworden en terwijl ik op de langzaam voortschrijdende aanhang afliep, zag ik dat de camera zich op mij richtte en dat de twee lijfwachten voor Stella gingen lopen om me de pas af te snijden.

'Raymond!' riep ik. 'Hé, Raymond!'

Plotseling keek hij met wijd open ogen om zich heen en toen hij zag dat ik het was, grijnsde hij als een idioot en stak zijn duim omhoog. Toen Stella een blik in mijn richting wierp om te zien naar wie hij keek, gingen de twee lijfwachten recht voor me staan en versperden me de weg.

'Het is goed,' begon ik te zeggen, 'ik ben een vriend...'

'Achteruit,' zei een van hen.

'Ik wil alleen maar...'

'Achteruit!'

Toen ik geen aanstalten maakte, legde de kerel die me had aangesproken een hand op mijn schouder en begon me achteruit te dwingen. Of ik door een bulldozer werd geduwd. Maar nadat hij me een paar stappen naar achteren had geduwd, hoorde ik Stella naar hem roepen.

'Het is goed, Tony!' riep ze. 'Het is een vriend. Laat hem maar door.'

Grote Tony haalde zijn hand weg en deed een stap opzij.

'Hé, Pete!' riep Stella. 'Jij bent toch Pete? Pete Boland?'

Ik liep naar de plek waar ze met Raymond stond. Ze had nog steeds haar arm om zijn schouder en samen stonden ze glimlachend naar me te kijken. De kerel met de camera richtte die nog steeds op mij.

'Sorry hoor, Pete,' zei Stella en ze knikte naar de lijfwacht. 'Ik wist niet dat jij het was.' Ze schudde haar perfect zittende blonde haar naar achteren en glimlachte weer. 'Hoe is het trouwens met jou? Je ziet er gewéldig uit... Mijn god, ik heb jou ik weet niet hoe...'

'Raymond?' vroeg ik terwijl ik hem in de ogen keek. 'Alles goed met je?'

Hij knikte.

'Kom op,' zei ik tegen hem. 'Wegwezen hier.'

'Ho, even,' zei Stella, 'waar denk jij dat je mee bezig bent?'

Ik keek haar alleen maar aan.

Ze keek even naar Raymond, gaf hem een kneepje en keek toen weer naar mij. 'Raymond is vanavond met mij,' zei ze glimlachend. 'Ik laat hem zien hoe je lol kunt hebben. Je mag ook mee als je wilt.'

'Nee, dankjewel.' Ik keek weer naar Raymond. Hij begon er nu wat ongemakkelijk uit te zien. Ik zag de groeiende angst, ongerustheid en verwarring in zijn ogen. Het was bijna alsof hij zich net had gerealiseerd waar hij was en waar hij mee bezig was. 'Kom op, Raymond,' zei ik kalm. 'Ik trakteer je op een hotdog.'

Hij wierp een snelle blik op Stella en begon toen bij haar vandaan te schuiven. Ze verstevigde haar greep om zijn schouder en trok hem terug.

'Wat is er?' vroeg ze pruilend. 'Vind je me niet meer leuk?'

Hij grijnsde ongemakkelijk naar haar.

Ze glimlachte naar me.

Ik keek even naar de kerels met de camera en de microfoon en heel even flitste er een onbekend en verwarrend beeld door mijn hoofd – iets wits, iets verdrietigs, iets vaag vertrouwds – maar het was weg voor ik tijd had om erover na te denken. Ik schudde het uit mijn hoofd, liep naar Stella en hield vlak voor haar stil. Ik keek haar een of twee seconden aan, boog me toen naar voren en zei zachtjes iets in haar oor, zodat niemand anders het kon horen. 'Ophouden met hem belazeren,' fluisterde ik, 'oké?'

Haar glimlach week geen millimeter. 'En anders?'

Daar had ik geen antwoord op, dus bleef ik haar alleen maar aankijken. En hoewel ze bleef lachen, zat er geen greintje humor in haar gezicht. Geen pret in haar ogen. Het enige wat ik zag was een kille minachtende leegte. Het was de blik van een meisje dat werkelijk dacht dat zij als enige de moeite waard was.

'Hier krijg je spijt van,' zei ze terloops.

'O, ja?'

Ze lachte. 'Je hebt geen idee…'

Toen werd alles vreemd stil. De waanzinnige geluiden van de kermis waren een moment lang gedempt en ver weg, alsof ze onder water waren, en het kwebbelende gesnater van de menigte om ons heen stierf weg tot een nauwelijks hoorbaar geroezemoes. De lichten vervaagden ook. Ze schenen minder fel, gesmoord door de nachtelijke duisternis en het enige wat ik echt min of meer duidelijk kon zien waren Stella's donkere ogen die zich in de mijne boorden. Toen knetterde er plotseling iets – een scherp elektrisch geluid, als het versterkte geluid van een zweepslag – en alles kwam weer tot leven. De muziek, de lichten, de menigte, de kermisattracties...

Stella lachte en haalde haar arm van Raymonds schouder. 'Ik heb alleen maar op hem gepast voor je,' zei ze tegen mij. 'Je mag hem nu weer hebben.' Ze keek even naar Raymond. 'Goed?'

Hij knikte.

'Vooruit,' zei ze. 'Ga maar een hotdog halen.' Raymond keek naar mij.

Plotseling voelde ik me heel erg moe. Ik had het te warm en voelde me zweterig. Mijn lichaam deed overal pijn en mijn hoofd gonsde van het teveel van alles. Ik wilde iets tegen Raymond zeggen, iets behulpzaams en geruststellends, maar mijn stem deed het niet. Dus stapte ik gewoon op hem af, pakte hem bij de arm en voerde hem zachtjes mee.

Een tijdje zeiden we geen van tweeën iets en liepen gewoon verder door de drukke menigte, vaag in de richting van de andere kant van de kermis. Ik weet niet waarom, maar ik dacht dat het daar stiller zou zijn, een beetje minder hectisch, en ik hoopte daar ook een wc te vinden. Ik hield het bijna niet meer. Door de drommen mensen kwamen we langzaam vooruit, en toen we bij het andere eind van de kermis arriveerden, leek het of alles in plaats van stiller alleen maar luider en drukker werd. Meer mensen, meer lawaai, meer gekte. Eerst begreep ik het niet, maar na een tijdje kreeg ik door dat het gewoon zo'n soort plek was, het soort kermisplek die alle bendes en jongeren aantrekt die uit zijn op rottigheid. Ze waren met heel veel – de meesten hingen rond bij de botsautootjes, sommigen dronken bier uit blik, anderen sjokten alleen maar rond en hingen de stoere jongen uit. De tent met de botsautootjes was enorm, één reusachtige houten arena van tegen elkaar op knallende autootjes en felle blauwe vonken, gegil en gebonk en dreunende rapmuziek. Terwijl we er voorbijliepen en oppasten dat we tegen nie-

mand aanliepen, ging het kabaal van de botsautootjes en de op-
zwepende rapmuziek langzaam over in het gerammel en ronddraaien van een rupsattractie daarnaast. Flitslichten met EVOLU-
TION! en Madonna's kindstemmetje galmde: Like a child, you
whisper softly to me...

'Nicole,' schreeuwde Raymond in mijn oor.

'Wat?' schreeuwde ik terug.

Hij stond stil en wees naar de rups. De kuipjes suisden in het
rond, draaiden, buitelden om hun as, gingen op en neer en het was
moeilijk om iets te onderscheiden in de waas van lichten en
schreeuwende gezichten... maar toen zag ik haar. Ze zat met twee
andere meisjes in een kuipje. Een van hen herkende ik – een
schoolvriendin van Nic – maar de ander niet. Ze zagen er behoorlijk aangeschoten uit – wilde blikken en door het dolle heen – en
terwijl ze steeds maar ronddraaiden, zag ik dat een van de rups-
jongens hen al gespot had. Hij zag er zo'n beetje precies hetzelfde
uit als elke andere rupsjongen die ik ooit had gezien: cool, slank,
ruig en ontspannen, zo'n jongen die nergens mee zat. Hij stond
achter Nicole met zijn armen losjes over de rand terwijl hij naar
voren boog en op de versiertoer ging. Met de lichten die aan en uit
flitsten en de rups die ronddraaide, was het alsof je naar iets keek
wat zich in slow motion in zo'n ritsboekje afspeelde: de rupsjongen buigt voorover, Nicole negeert hem, de andere twee zitten te
flirten... rits rits... Nicole kijkt naar mij, onze ogen ontmoeten elkaar een seconde... rits, rits... Nicole leunt achterover, lacht naar
de rupsjongen... rits, rits... haar hand om zijn nek terwijl hij zich
naar haar toe buigt en in haar oor fluistert... rits, rits... rits, rits...

Rits, rits.

Heer sta me bij...

Madonna zong nog steeds toen ik wegliep en Nicole aan haar lot
overliet.

'Gaat het goed met je?' vroeg Raymond.

'Ja hoor. Weet jij waar de wc's zijn?'

Hij keek even rond en schudde toen zijn hoofd. 'Daar staan een paar bomen.'

We zaten op een bankje in de betrekkelijke rust en stilte van een paar kermisattracties voor kinderen, aan de buitenrand van het terrein. Voor kinderen was het te laat en de op en neer stuiterende kastelen en minidraaimolens waren te tam voor de rest, dus lag alles er donker en verlaten bij.

Ik keek Raymond aan.

'Wat?' vroeg hij.

'Dat weet je best.'

Hij grijnsde.

Ik zuchtte. 'Je weet toch waar ze mee bezig was, hè?'

'Nicole?'

'Nee, Stella.'

Hij haalde zijn schouders op en keek de andere kant op.

'Toe nou, Raymond,' zei ik. 'Je weet wat ik bedoel… waarom liet je haar haar gang gaan?'

'Waarmee?'

'Ze lachte je uit… ze lachten je allemaal uit. Ze hielden je voor de gek…'

'Dat weet ik.'

'Waarom vond je dat goed dan?'

'Weet ik niet…'

'Kon het je niet schelen?'

Hij gaf geen antwoord, haalde alleen nog een keer zijn schouders op, en ik wist niet wat ik verder moest zeggen. Het was gewoon zo moeilijk met Raymond. Zijn normale gemoedstoestand was 'niet helemaal precies', dus als hij normaal leek, zoals nu, betekende dat meestal dat hij niet helemaal precies was. En dan kwam je er moeilijk achter. Dus deed ik wat ik meestal deed als ik niet weet wat ik moet doen: niets. Ik zat daar maar, keek om me heen en probeerde niet aan Nicole en de jongen van de rups te denken.

Na een tijdje zei Raymond: 'Stella betekent ster.'

Ik keek hem aan. 'Wat?'

'De ster dooft vannacht,' zei hij. 'Stella dooft uit…'

Hij draaide zich om en keek me aan. 'Ze kuste me.'

'Ja, weet ik. Kom eens hier…' Ik haalde een papieren zakdoekje uit mijn zak en veegde een vlek lippenstift van zijn gezicht.

'Ik voel me raar, Pete,' zei hij zacht.

Ik lachte. 'Je bént ook een rare.'

'Nee,' mompelde hij, 'ik bedoel echt raar. Ik voel me net… ik weet niet. Alsof ik iemand anders ben.'

'Iemand anders?'

'Ik zie steeds maar dingen…'

'Wat voor dingen?'

'Dingen die er niet zijn. Vreemde vormen en kleuren… ik weet niet.' Hij tuurde in de verte. 'Het lijkt een beetje alsof de lucht beweegt…'

'Je hebt toch niet een trekje van Pauly's joint genomen?'

'Nee.'

'Tintelt je vel?'

'Zo'n beetje…'

'Heb je pijn in je buik?'

'Ja…'

'Ben je misselijk?'

'Een beetje.'

'Ik ook. Ga mee een wc zoeken.'

Toen we via de andere kant van de kermis terugliepen zag ik Nicole weer. Ze zat met de rupsjongen op een houten krat achter de tent. Hij zat met zijn voeten op een generator en zij had haar hand op zijn dij, en allebei dronken ze iets uit plastic bekertjes.

'Wat doet ze met hem?' vroeg Raymond.

'Zich amuseren,' zei ik.

We hadden nog steeds de wc's niet gevonden, toen Raymond plotseling stilhield bij een kleurloze canvastent. De flap van de tent was open en op een bord daarboven stond: MADAME BAPTISTE WAARZEGSTER.

'Kom op nou, Raymond,' zei ik. 'Ik doe het in mijn broek als we niet gauw... Raymond?'

Maar hij liep al naar binnen.

'Shit,' mompelde ik.

Ik kon de wc's nu zien. Ze stonden even verderop, zo'n twintig meter verder: twee of drie rijen matblauwe mobiele wc-cabines. Ik keek er even verlangend naar, ik moest vreselijk nodig, en ik wist dat het waarschijnlijk wel oké zou zijn als ik ging. Ik bedoel, het zou maar een minuut of twee kosten... Raymond zou waarschijnlijk nog steeds hier zijn als ik terugkwam. Maar waarschijnlijk was niet goed genoeg. Ik had liever dat mijn blaas sprong dan dat ik weer naar Raymond op zoek moest. Dus haalde ik diep adem, klemde mijn tanden op elkaar en volgde hem de tent in.

Zeven

De enige waarzegsters die ik ooit had gezien waren het soort dat je in waardeloze films en tv-programma's tegenkomt, dus denk ik dat ik zoiets verwachtte aan te treffen: een gerimpelde oude zigeuner-vrouw met lang zwart haar en lange zwarte vingernagels, kromge-bogen over een kristallen bol... met ringen aan haar vingers, zil-veren armbanden om haar polsen, en een omslagdoek rond haar schouders. Maar de vrouw die met Raymond aan tafel zat, zag er heel anders uit. Ze zat niet kromgebogen over een kristallen bol, ze had geen lang zwart haar en ze was ook niet oud en gerimpeld. Ik schatte haar rond de veertig, misschien iets jonger. Misschien iets ouder. Het viel moeilijk te zeggen. Ze had donkere ogen, een heel bleke huid, en donkerbruin haar, strak gevlochten in een knot boven op haar hoofd. Ondanks de warmte droeg ze een ouderwet-se bruine wollen jurk die tot bovenaan was dichtgeknoopt. En dat was het wel zo'n beetje: geen ringen aan haar vingers, geen zilveren armbanden, geen zigeuneromslagdoek om haar schouders gedra-peerd. Ze zag er totaal niet geheimzinnig uit. Maar terwijl ik in de tentopening stond en zij me kalm opnam, vond ik het moeilijk om mijn ogen af te wenden.

'Kom binnen,' zei ze en ze wenkte me dichterbij.

Binnen voelde het verrassend koel en stil en terwijl ik van de in-gang naar de tafel liep, leken de geluiden van de kermis buiten zachter te worden en weg te sterven in de stilte. Op de tafel, waar een eenvoudig zwart kleed overheen lag, stond een brandende kaars en lag een spel kaarten. Raymond zat met zijn rug naar me toe en toen ik achter hem bleef staan en mijn hand op zijn arm legde, keek hij me lachend over zijn schouder aan.

'Ga zitten,' zei de vrouw en ze knikte naar een lege stoel naast Raymond.

'Nee, dank u,' zei ik een beetje achteruitdeinzend. 'Ik sta liever hier, als u dat niet erg vindt.'

Ze glimlachte sereen. 'Heb je misschien haast?'

Ik haalde mijn schouders op.

Ze keek me aan. 'Je gelooft er niet in.'

'Sorry?'

Ze zweeg een paar seconden, maar bleef me aankijken. Ik werd er een beetje zenuwachtig van, alsof ze me zat te bestuderen, me door had, naar mijn geheimen speurde. Natuurlijk wist ik dat ze geen verborgen krachten of zo bezat en dat al dat waarzeggersgedoe pure afzetterij was... ik bedoel, als ze echt in de toekomst kon kijken zou ze hier toch niet op zaterdagavond in een tent midden op de kermis zitten? Als ze echt in de toekomst kon kijken zou ze rijk en beroemd zijn, miljardair... dan zou ze de machtigste vrouw van de wereld zijn.

Dus, nee, ik geloofde er niet in.

Het enige waar ik op dat moment in geloofde was de pijn in mijn blaas waar het water van in mijn ogen liep.

'Je mag ook gaan als je wilt,' zei de vrouw.

Ik keek haar aan, niet zeker wat ze bedoelde.

Ze glimlachte. 'We zijn er nog wel als je terugkomt.'

'Nee, het gaat prima zo, dankuwel.'

Ze bleef me nog iets langer aankijken, nog steeds met die kalme glimlach, en richtte toen, met een licht hoofdknikje, haar aandacht op Raymond.

'Zo,' zei ze bedaard, terwijl ze in zijn ogen keek, 'eens kijken wat we weten.' Ze pakte het spel kaarten op. 'Zit je goed?'

Raymond knikte.

Ze glimlachte. 'Niet te warm?'

Hij schudde zijn hoofd.

Ze zei: 'Je hebt een lange avond achter de rug… jullie allebei. Er is het een en ander gebeurd.'

Raymond zei niets.

Ik keek naar de handen van de vrouw terwijl ze het spel kaarten op tafel legde en ze op een rij uitspreidde met de afbeelding naar beneden. Op de achterkant van de kaarten zat geen afbeelding of patroon – ze waren effen donkerrood van kleur – en toen de vrouw de kaarten omdraaide, was ik verbaasd dat het gewoon speelkaarten waren: harten, klaveren, ruiten en schoppen… de gebruikelijke tweeënvijftig kaarten. Niks ingewikkelds, niks bijzonders.

'Je houdt van dieren,' zei de vrouw tegen Raymond.

'Ja… ja, dat klopt.'

Ze pakte de kaarten weer op en legde het pak op tafel. 'Dieren,' zei ze zacht. 'Je voelt je ermee verwant.'

'Ja.'

'Ze geven je een goed gevoel.'

Ik kon Raymonds gezicht niet zien, maar ik wist dat hij glimlachte.

De vrouw plaatste haar rechterhand op het tafelkleed, met de palm naar beneden en de vingers gespreid. Ze keek er een tijdje peinzend naar, haalde hem van tafel en begon toen – met de wijsvinger van haar linkerhand – de omtrek van iets te schetsen rond de plek waar haar hand had gelegen. Haar vinger liet geen spoor na in de matte zwarte stof, dus ik heb geen idee hoe ik wist wat ze tekende… maar ik wist gewoon zeker dat het een konijn was.

Ze keek naar Raymond. 'Hij is niet zwart genoeg, hè?'

Raymond keek naar de onzichtbare afbeelding. 'Niet helemaal…'

'Mijn hand is niet wit genoeg.'

Ik begreep wat ze bedoelde. Haar bleke huid had het zwart van de stof nog zwarter doen lijken, maar nog niet zo zwart als Zwart-konijn.

'Hij is ook zachter,' zei Raymond.

'Natuurlijk.'

De vrouw glimlachte weer. Ze streek langzaam met haar hand over de stof, veegde de onzichtbare afbeelding uit, en pakte toen het spel kaarten weer op. Ik lette goed op haar toen ze die begon te schudden en ik probeerde de beweging van haar handen te volgen, maar het enige wat ik meekreeg was een vlek bewegende kaarten. Alsof haar handen totaal niet bewogen. Toen ze klaar was met schudden, tikte ze het stapeltje terug in vorm en legde het voor Raymond op tafel.

'Neem er maar een stapel af,' zei ze.

'Maakt niet uit hoeveel?'

'Het is jouw lot, Raymond.'

Hij stak een hand uit naar de kaarten, liet hem even besluiteloos erboven zweven, en pakte er toen zorgvuldig een stapeltje af. De vrouw zei dat hij ze op tafel moest leggen. Hij legde ze neer en zij schoof de twee stapeltjes naar het midden van de tafel.

'Zou je er een willen kiezen?' vroeg ze.

Raymond strekte een vinger uit, aarzelde weer en raakte toen de stapel links van hem aan. De vrouw haalde de andere stapel weg, legde die uit het zicht onder de tafel, en pakte de overgebleven stapel op. Ze sloot haar ogen, haalde een paar keer diep adem en begon de kaarten te delen. Ze draaide ze ongelooflijk langzaam om en legde elke kaart heel zorgvuldig open naast de ander op tafel.

Tegen de tijd dat ze bij de derde kaart was, begon ik al te denken – god, dit gaat eeuwen duren – maar toen stopte ze plotseling. Haar ogen gingen open, ze schoof de rest van de stapel opzij en keek aandachtig naar de drie kaarten op tafel.

Toen gebeurde er iets met haar. Ik wist niet wat en het duurde niet langer dan een seconde, maar in die seconde keek ze alsof ze iets vreselijks had gezien. Haar ogen verkilden, haar lichaam verstijfde, en geschrokken leek ze haar adem even in te houden. Ik dacht eerst dat ze een hartaanval of zoiets kreeg, maar besefte toen dat het door de kaarten kwam. Iets aan die kaarten deed haar schrikken, iets wat alleen zij kon zien. Ik had geen idee wat het was. Het enige wat ik kon zien waren drie doodgewone speelkaarten: schoppennegen, schoppentien en schoppenaas. Maar wat de vrouw er ook in had gezien, en wat het ook voor haar had betekend, ze wist het heel snel te verbergen. Nog voor ik de kans kreeg erover na te denken, had ze zichzelf weer onder controle en was ze bijna weer de oude. Als haar stem niet had getrild toen ze Raymond de kaarten begon uit te leggen, had ik misschien gedacht dat ik weer spoken zag.

'Dit is je verleden, Raymond,' zei ze zacht en ze wees naar de kaart links van haar, de schoppennegen. 'Je hebt het niet altijd even fijn gehad, is het wel?' Ze keek hem aan. 'Je hebt het moeilijk gehad… gezocht naar dingen die niet altijd voorhanden waren.' Ze zweeg even, keek weer naar de kaarten, en ik zag hoe erg ze het vond. 'Er is geloof ik ooit een tijd geweest dat je kreeg waar je om vroeg. Toen je klein was… heb je, geloof ik wat vriendschap gekend. Je hebt je min of meer geborgen gevoeld. Maar sinds die tijd zijn er te veel problemen geweest. Te veel misverstanden… verkeerd begrepen verlangens.' Ze keek weer op en het was alsof haar ogen hem over de tafel heen naar zich toe wilden trekken. 'Het gaat niet om schúld, Raymond,' fluisterde ze dringend. 'Deze dingen… jouw wereld… de manier waarop jij naar dingen kijkt, de manier waarop de wereld naar jou kijkt… dat zijn jóúw dingen, jouw leven… dat weet je toch wel?'

'Ja,' fluisterde Raymond.

'Er zijn ook lichtpuntjes.'

Hij knikte.

Ze keek weer omlaag naar de kaarten. 'Je kaarten,' mompelde ze, en ze bewoog haar hand over alle drie, 'drie schoppen… hun duisternis spreekt van zware tijden. Van verwarring. Van angst. Misschien zelfs van…' ze aarzelde even, legde haar vinger op de middelste kaart, de schoppentien. 'Je lichtpunten… die moet je vasthouden. Zelfs nu…' Ze tikte op de kaart. 'Dit is nu… de tegenwoordige tijd. Een tijd van grote verandering. De dingen om je heen zijn in beweging: je vrienden, je omgeving, je…' Ze fronste licht haar voorhoofd. 'Je zorgen.' Ze keek weer naar Raymond. 'Je bezit een grote goedheid.'

Hij schudde zijn hoofd. 'Nee…'

'Onzelfzuchtigheid dan. Je geeft om anderen zonder aan jezelf te denken.'

Raymond zei niets.

De vrouw lachte. 'Je lichtpunten stellen de duisternis in de schaduw.'

Raymond wist nooit hoe hij op complimenten moest reageren en terwijl ik op hem neerkeek en zijn verlegenheid voelde, kon ik een glimlach niet onderdrukken bij de blos van verlegenheid die langs zijn nek omhoog kroop. Ik had geen idee wat er gebeurde, maar wat het ook was, het bezorgde me op de een of andere manier een ongelooflijk gevoel van trots.

Het was een mooi moment – een moment dat in de lucht leek te zweven – en terwijl ik daar in de koele stilte van de tent stond, wilde ik dat er geen eind aan zou komen. Dat dit het einde was – geen woorden meer, geen geluid, geen niets meer. Had ik maar met een toverstokje kunnen zwaaien om ons beiden daar weg te toveren toen er alleen nog dat moment bestond…

Maar ik had geen toverstokje.

Dat is er nooit.

Het ogenblik gaat altijd voorbij.

Ik keek omlaag toen Raymond zenuwachtig over zijn nek wreef. Ik zag zijn hand, zijn afgebeten vingernagels, de matte glans van zijn wilde zwarte haardos… en zag hem naar voren leunen en naar de laatste kaart op de tafel wijzen, de schoppenaas, met zijn ogen bezorgd op de vrouw gericht.

'Is dat mijn toekomst?' vroeg hij.

Ik zag een vreemd conflict in haar ogen toen ze zijn blik beantwoordde en toen ze haar mond opendeed, klonk haar stem verrassend aarzelend. 'Dat is soms moeilijk te zeggen…' zei ze. 'Elke kaart moet gelezen worden in relatie tot de andere… en dat maakt het soms onduidelijk…'

'Het is een slechte kaart,' zei Raymond. 'De schoppenaas.'

'Niet per se…'

'De kaart van de dood.'

De vrouw schudde haar hoofd. 'Zo eenvoudig ligt het niet, Raymond. Het kan inderdaad een heel negatieve kaart zijn, maar het kan ook het einde van een slechte tijd en het begin van iets nieuws betekenen.' Ze keek hem aan. 'Het leven bestaat bij gratie van de dood.'

Raymond staarde haar aan. 'Gaat er iemand dood?'

Ze gaf even geen antwoord en ik wilde haar toeschreeuwen: niet aarzelen in godsnaam, gewoon nee zeggen! Maar ze leek opvallend afkerig van een definitieve uitspraak. Nu besef ik dat het een moeilijke vraag was. Gaat er iemand dood? Ja, natuurlijk gaat er iemand dood. Er gaat altijd wel ergens iemand dood. Maar zo had Raymond het niet bedoeld, en dat wist de vrouw heel goed.

'Onze toekomst is onbegrensd,' zei ze uiteindelijk. 'Elke seconde van elke dag nemen we beslissingen, en elke keer dat we die keuze maken, maakt een ander deel van onszelf – een andere ik – een andere keuze. Op die manier blijft alles altijd mogelijk, en gebeurt alles ook altijd. Maar omdat we maar een van onze ontelbare ikken zijn, is de kans dat ons iets op een bepaalde tijd of bepaalde plaats overkomt, bijna niet aanwezig.'

'Maar er gebeurt wel iets,' zei Raymond.

'Ja.'

'Iets slechts?'

Ze knikte. 'Soms…'

'Vannacht?'

Ze keek Raymond een tijdje zwijgend met donker glanzende ogen aan, daarna leunde ze langzaam achterover in haar stoel en glimlachte. 'Vannacht,' zei ze, 'moet je naar huis gaan. Het is al laat. Je hebt een lange dag achter de rug.' Ze keek naar mij. 'En ik geloof dat je vriend hier heel graag ergens anders naartoe wil.'

Ondanks alles merkte ik dat ik naar haar glimlachte.

Ze glimlachte terug, stond toen op en keek op Raymond neer. Hij bleef een tijdje volmaakt roerloos zitten en staarde gespannen naar de kaarten op tafel.

'Raymond?' vroeg de vrouw.

Hij keek op.

'Ga naar huis,' zei ze vriendelijk.

Hij leek wat onvast op zijn benen terwijl hij overeind kwam, en toen hij zich naar mij omdraaide, zag hij erg bleek.

'Voel je je wel goed?' vroeg ik.

'Ja,' zei hij glimlachend. 'Ja, ik voel me prima.' Licht fronsend keek hij even de tent rond, alsof hij niet zeker wist waar hij was, toen keek hij de vrouw aan en boog zijn hoofd voor haar.

'Dankuwel,' zei hij.

Ze boog terug. 'Jij ook bedankt.'

Ze bleven elkaar een poos aankijken en ik dacht dat een van hen nog iets zou zeggen, maar na een paar seconden draaide Raymond zich gewoon om en liep naar de uitgang. Toen ik me omdraaide om hem te volgen, hoorde ik de vrouw zacht roepen.

'Momentje.'

Ik dacht dat ze het tegen Raymond had, maar toen ik over mijn schouder keek, zag ik dat ze haastig naar me toe liep, en mij aan-keek.

Ik draaide me snel naar haar om. 'Ik kan beter gaan…'

Ze legde haar hand op mijn arm en keek me in de ogen. 'Let goed op hem,' fluisterde ze dringend. 'Ik weet dat je niet in dit soort dingen gelooft, maar… wees alsjeblieft voorzichtig.' Ze kneep zachtjes in mijn arm en gaf me toen een duwtje. 'Ga maar… blijf bij je vriend. Neem hem mee naar huis.'

Raymond stond me buiten de tent op te wachten. Hij stond daar alleen maar, zich blijkbaar niet bewust van alles om hem heen – de menigte, het lawaai, de lichten, de gekte – en terwijl ik op hem toeliep zag ik die bekende trieste en verloren uitdrukking op zijn gezicht. Het roerloze, het verstilde, het lichte heimelijk trillen van de lippen.

'Hé,' zei ik.

Hij keek me aan.

Ik lachte. 'De wc's zijn hier tegenover.'

'Wc's…' mompelde hij en hij keek traag in de richting van de cabines.

'Ik weet niet hoe het met jou is,' zei ik. 'Maar ik moet vreselijk nodig.'

Hij zei niets, maar bleef gewoon in de verte staren.

Ik nam hem bij de arm. 'Kom op, we gaan.'

'Je gelooft toch niet echt in die onzin?' vroeg ik terwijl we naar de wc's liepen.

'Ik denk dat het niet uitmaakt…'

'Wat niet?'

'Om het even wat.'

'Ja,' zei ik, 'maar de toekomst… al die rare kletspraat over oneindigheid en keuzes maken… ik bedoel, dat moet een waarzegster voorstellen, maar voor mij leek het erop alsof ze probeerde te zeggen dat je onmogelijk kunt weten wat er gaat gebeuren.'

'Het maakt niet uit,' zei Raymond weer.

Ik wist verder niks te zeggen. Wat kún je zeggen als iemand blijft zeggen dat het allemaal niet uitmaakt?

'Het is goed,' zei Raymond plotseling. 'Ik weet dat er niets is om me zorgen over te maken. Het zijn maar kaarten. Kaarten stellen niets voor.' Hij keek me aan met verontrustend heldere ogen. 'Wat ik alleen niet begrijp is waar we zijn.'

Ik schudde mijn hoofd. 'Ik weet niet wat je bedoelt.'

'Waar zijn we in de tijd?' zei hij. 'Je weet wel... waar zijn we? Wanneer zijn we? In het verleden, het heden, de toekomst? Ik bedoel, we leven toch niet het verleden? En ook niet in de toekomst. Dus blijft alleen het nu over.'

Hij grijnsde mij nu een beetje al te waanzinnig. 'Maar wanneer is dat?' vroeg hij. 'Wanneer ís nu? Hoe lang duurt het? Een seconde, een halve seconde... een miljoenste van een seconde? Je kunt toch niet maar een miljoenste van een seconde leven? Ik begrijp het niet.'

Ik begreep er helemaal niets van.

Raymonds gezicht vertrok plotseling en hij greep naar zijn buik.

'Wat is er?' vroeg ik.

'Ik geloof dat ik moet overgeven.'

Ik voerde hem snel mee naar een lege wc. 'Geeft niet,' zei ik terwijl ik de deur voor hem openhield. 'Straks zul je je wel beter voelen...'

Hij kreunde en de inhoud van zijn maag kwam naar boven.

'Toe maar,' zei ik terwijl ik hem naar binnen hielp. 'Ik wacht...' Ik wierp een blik op de cabine ernaast en zag dat die leeg was. 'Als ik niet hier ben, ben ik daar, oké?'

Hij struikelde naar binnen en trok de deur dicht.

Ik hoorde hem kokhalzen en overgeven en van het geluid begon ik te kokhalzen. Krampachtig slikkend liep ik haastig naar de cabine ernaast, rukte die open en was net op tijd bij de pot.

Acht

Ik bleef niet langer in de cabine dan de tijd die ik nodig had om te doen wat ik moest doen, maar helaas was dat heel wat, en in zo'n situatie kun je er nou eenmaal niet echt vaart achter zetten, wel? Ik bedoel, ik ga geen details geven of zo, maar als je ooit in zo'n wc van het formaat schoenendoos hebt gezeten en je wanhopig probeert om uit meerdere openingen tegelijk van alles kwijt te raken... nou, je snapt me wel.

Maar ik deed mijn best – ik probeerde het snel te doen – en ik weet eigenlijk wel zeker dat ik ook weer niet zó lang daarbinnen zat. Misschien drie of vier minuten...

Vijf op zijn hoogst.

En trouwens, ik had Raymond toch gezegd dat hij op me moest wachten? Als ik niet hier ben, had ik gezegd, ben ik daarbinnen.

Dat had ik gezegd.

Maar ik denk dat ik beter had moeten weten.

Ik had kunnen weten dat hij er niet zou zijn toen ik naar buiten kwam.

In het begin maakte ik me geen zorgen, ik nam gewoon aan dat hij nog op de wc zat, en zelfs toen ik iemand anders de wc naast mij zag binnengaan, die waarvan ik wist dat Raymond er had gezeten, wilde ik mezelf nog steeds niet toegeven dat er iets mis was. Ik haalde de wc's door elkaar, dat was het... Ik had me vergist. Raymond had zeker in een andere gezeten...

Maar ik wist dat ik mezelf voor de gek zat te houden.

Waarom zou ik anders om me heen kijken om erachter te proberen te komen waar hij was… waarom zou mijn hart anders zo tekeergaan?

Hij was weg. Hij was er niet.

'Shit,' mompelde ik.

Ik bleef daar een tijdje om me heen staan kijken, maar het was zo moeilijk om door al die mensen iets te zien, en alles draaide en wervelde nog steeds in het rond en flitste en knalde, en die idiote muziek galmde nog steeds… het was hopeloos.

Raymond kon wel overal zijn.

Ik keek naar de tent van de waarzegster aan de overkant en vroeg me af of hij terug was gegaan, maar het enige wat ik zag was de waarzegster zelf die rustig in de opening van haar tent stond te kijken naar alle mensen die voorbijkwamen. Zij had hem niet gezien, dat wist ik zeker. Wat ik ook van haar mocht denken – en dat wist ik nog steeds niet – ik wist dat ze daar niet zo rustig zou staan als ze Raymond in zijn eentje had zien rondwandelen. Ik hoorde nog de aandrang in haar stem: Let op hem… blijf bij je vriend… neem hem mee naar huis, en ik twijfelde er niet aan of ze had gemeend wat ze zei.

Daar was ik zeker van…

Ik liep naar haar toe.

Ik geloof echt niet dat ik aan haar woorden twijfelde, maar ik liep gewoon terug naar de tent van de waarzegster omdat ik niet wist waar ik anders naar toe moest. Ze was er gewoon, een vertrouwd gezicht in de menigte, en zelfs al zou ze niets weten – en ik wist bijna zeker van niet – dan kon ik in elk geval met haar praten. En op dat moment was er iets bij mij vanbinnen dat nodig met iemand moest praten.

Onder het lopen bleef ik om me heen kijken of ik Raymond zag, en toen ik voorbij een hamburgerkraam kwam, zo'n tien meter bij de tent vandaan, dacht ik even dat ik hem gevonden had. Een stel kids voor me maakte een hoop kabaal en was elkaar aan het duwen, en toen een van hen opzij dook en een ander in een passerend groepje meisjes duwde – waardoor er een opening in de menigte kwam – ving ik iets verder een glimp op van een droevig gezicht… een bekend gezicht. Ik besefte bijna meteen dat het Raymond níét was, en zelfs terwijl ik opzij stapte om beter te kunnen kijken, wist ik al wie ik te zien zou krijgen.

Het was Pauly.

Hij zat op een bank links van mij, op maar een paar meter afstand. De bank stond een stukje terug in een kleine opening tussen de hamburgertent en een rij olietonnen met afval, en Pauly zat daar gewoon in z'n uppie recht voor zich uit te staren.

Ik weet niet waarom, maar in plaats van gewoon op hem af te lopen, sloop ik voorzichtig om de hamburgertent heen om hem vanuit het donker te observeren. Uiterlijk leek hij totaal niet op Raymond en ondanks mijn wanhopig verlangen, aangewakkerd door schuldgevoel, om Raymonds gezicht te zien, kon ik bijna niet geloven dat ik, al was het maar voor even, Pauly voor hem had aangezien. Maar terwijl ik nu naar Pauly stond te kijken, zag ik dingen in hem die ik daarvoor nooit echt had gezien – iets verlorens, iets treurigs, iets sombers – en ik realiseerde me dat hij eigenlijk misschien toch niet zo van Raymond verschilde.

Vanaf het moment dat ik naar hem stond te kijken, had hij zich niet verroerd; hij zat nog precies hetzelfde, staarde een beetje voorovergebogen recht voor zich uit en tuurde aandachtig door de voorbijtrekkende menigte naar iets aan de overkant van het pad. Ik boog opzij, volgde zijn blik en probeerde te zien waar hij naar keek. Eerst viel het niet mee om ergens op te focussen – de stroom mensen zat steeds in de weg – maar na een tijdje raakten mijn ogen eraan gewend om tussen de mensen door te kijken, en kreeg ik heel goed zicht op het een en ander.

Rechts aan het eind van de rij wc's en links van drie kermisvrachtwagens die daar geparkeerd stonden, lag in de schaduw een kaal lapje grond. Een andere vrachtwagen blokkeerde de achterkant en daarachter kon ik net de omheining van het park en de schemerig verlichte straat verderop onderscheiden. Achter in de vrachtwagens ronkten generatoren, hun dikke zwarte kabels kronkelden alle kanten op, en de platgetrapte grond lag vol lege bierblikjes en hamburgerdozen. Het was er nogal donker – de hoge vrachtwagens hielden het licht van de dichtstbijzijnde kermisattracties tegen – maar er bleef nog genoeg licht over om de gezichten te kunnen zien van de figuren die daar in de schaduw rondhingen. De meeste gezichten waren nietszeggend, het soort gezichten dat je op zo'n onbestemde plek kunt verwachten: hard en leeg, met een capuchon over het hoofd, dronken. Ze voerden niet veel uit, sjokten sloom hun gebruikelijke rondjes, keken en wachtten, in de hoop dat er iets zou gebeuren. Maar iets opzij daarvan, met hun rug tegen een van de vrachtwagens, stonden twee figuren die ik niet verwacht had te zien.

Eric Leigh en Wes Campbell.

Daar zat Pauly naar te gluren: naar Eric Leigh en Wes Campbell.

Even keek ik weer naar Pauly, omdat ik me afvroeg wat er in vredesnaam aan de hand was en richtte toen mijn aandacht weer op Eric en Campbell. Hoewel ze erg op hun gemak leken met elkaar – ze stonden rustig zij aan zij te kletsen, af en toe met de schouders tegen elkaar, knikten af en toe – waren ze alle twee ook bezorgd over iets. Hun ogen schoten heen en weer, vooral die van Eric, en het was vrij duidelijk dat hij liever ergens anders zou zijn. Terwijl ik naar hen bleef kijken, besefte ik dat hun aandacht gericht was op iets, of iemand, in het donker achter de wc's en even dacht ik dat het misschien Raymond was. Misschien had hij zich bezeerd of zo… misschien was hij uit de cabine gekomen en was hem iets overkomen, was hij in elkaar geslagen of zo, en lag hij nu in het donker achter de cabines…?

Maar dat zette ik snel van me af. Zelfs al had Eric zich nooit veel van Raymond aangetrokken, dan nog was ik er zo goed als zeker van dat hij daar niet zou staan niksen als hij wist dat Raymond gewond was.

Nee, zei ik bij mezelf, zoiets doet Eric niet.

Maar ik bleef kijken en speurde de omgeving van de cabines af, voor het geval er wél iets was gebeurd, maar er was niets wat in die richting wees, geen aanwijzing dat wie dan ook in elkaar werd geslagen... en zeker geen Raymond. Ik zag een stel mensen die ik eerder bij Stella had gezien – wat van haar aanhang, de kerel met de camera, een van haar lijfwachten – en ik hield ze een tijdje in de gaten, maar ze schenen nergens mee bezig te zijn. Ze hingen alleen maar rond, probeerden stoer over te komen, wat niet zo makkelijk was voor een rij wc's. Stella zag ik nergens, dus nam ik aan dat ze niet meer bij hen was... en zelfs als ze dat wel was geweest, wist ik bijna zeker dat Raymond het niet weer met haar zou hebben aangelegd.

Of wel...?

Jezus, ik wist niet wat ik moest denken.

Ik schudde mijn hoofd – ziek van mezelf dat ik niet wist waar ik mee bezig was – liep toen naar Pauly toe en ging naast hem zitten.

Hij moest even schakelen voor hij besefte wie ik was en zo gauw hij dat doorhad, veranderde zijn gezicht plotseling. De treurigheid verdween, het troosteloze trok weg, en hij was weer zijn oude grijnzende zelf.

'Hé, Pete... alles goed?'

Zijn ogen keken even wazig en één seconde vroeg ik me af of ze de rest van zijn gezicht probeerden bij te houden en zich aan het masker probeerden aan te passen...

'Wat is er?' vroeg hij terwijl hij in zijn ogen wreef en me verwonderd aankeek. 'Wat zie je?'

'Niks…' Ik keek de andere kant op, schudde mijn hoofd nog een keer, en dwong mezelf om mijn aandacht erbij te houden. 'Hoor eens, Pauly,' zei ik. 'Heb jij Raymond gezien?'

'Zeker,' zei hij grijnzend, 'een rare jongen met een groot hoofd…'

'Heb je hem gezien?' vroeg ik nog een keer.

'Waarom? Ben je hem kwijt?'

Ik keek hem doordringend aan, probeerde hem te laten merken dat ik wist wie hij was achter dat masker, dat hij niet de hele tijd die Pauly hoefde te zijn. Ik weet niet of het wat uitmaakte, maar in elk geval hield hij op met grijnzen.

'De laatste keer dat ik Raymond zag,' zei hij zuchtend, 'was hij met Stella Ross.' Hij glimlachte flauwtjes. 'Ze liep met hem te paraderen alsof hij haar troetelaap was, of zoiets.'

'En daarna heb je hem niet meer gezien?'

'Nee.'

'Zeker weten?'

'Ja, absoluut…'

Hij haalde een flesje wodka-orange uit zijn zak. Het was al aangebroken maar de dop was er terug op geramd. Toen hij de dop eraf wipte en snel een slok nam, zag ik hem even naar Eric en Campbell kijken. Hij probeerde net te doen alsof hij gewoon in het rond keek, niet naar iets in het bijzonder, maar hij bracht er niet veel van terecht.

'Staan ze er nog?' vroeg ik.

'Wie?'

'Eric en Campbell.'

Hij keek me aan en een fractie van een seconde zag ik de verwarring in zijn ogen terwijl hij probeerde te bedenken hoe hij moest reageren. Hij wist nu dat ik ze had gezien, maar niet of ik hem had zien kijken. 'Ja…' zei hij aarzelend knikkend en met een poging tot een grijns. 'Ja… ik dacht al dat die het waren.' Hij keek terloops weer naar het veldje en deed net alsof hij vaag geïnteresseerd was. 'Ja… ja, ze staan er nog.' Hij bood me het flesje aan. 'Wil je ook wat?'

Het was nog steeds warm en drukkend en na al het overgeven en de rest, voelde ik me behoorlijk uitgedroogd en dorstig. Ik had ook een vreselijke keel, zuur en schraal van het kotsen.

'Heb je iets van water?' vroeg ik aan Pauly.

Hij lachte.

Ik knikte naar het flesje in zijn hand. 'Wat zit erin?'

Hij wierp een blik op het etiket. 'Weet ik veel… wodka, sinaasappel, en nog iets. Ja of nee?'

Ik pakte het flesje aan en nam een grote slok. Er zat een beetje prik in, een beetje sinaasappel, maar vooral wodka. Ik knapte er niet van op.

'Wat doen ze daar?' vroeg ik.

'Wie?'

'Eric en Campbell.'

Hij haalde zijn schouders op. 'Weet ik niet.'

'Zijn die bevriend of zo?'

Hij haalde weer zijn schouders op.

Ik keek hem aan. 'Ik dacht dat jij met Campbell optrok?'

'Nou en?'

'Nou, hoe komt het dan dat je niet weet wat hij bij Eric doet?'

'Waarom zou ik?'

'Het zijn toch alle twee vrienden van je? Ik bedoel, je kent Eric, je kent Campbell…'

'Ik ken zoveel mensen. Dat ik ze ken wil nog niet zeggen dat ik weet wat ze de hele tijd uitvoeren.' Hij grijnsde naar me. 'Weet jij wat iedereen die jij kent de hele tijd uitvoert?'

'Dat is iets anders…'

'Weet jij wat Nic op dit moment uitvoert? En Raymond? Shit, je weet niet eens waar die konijnenjongen van je uithangt, of wel?' Hij lachte. 'Ik vond trouwens dat je wel erg bezorgd om hem was.'

Ik keek Pauly vuil aan en had zin om de fles op zijn kop kapot te slaan, zin om die idiote grijns van zijn gezicht te halen… maar ik wist dat hij gelijk had. Ik was vergeten wat ik mezelf had voorgenomen. Vol walging om mezelf schudde ik mijn hoofd. Wat was er verdomme met me aan de hand? Waarom kon ik niks goed doen? Waarom kwam ik nergens aan toe?

Zelfs terwijl ik daarover probeerde na te denken en Pauly plotseling van de bank zag opstaan en haastig het pad over zag steken, leek ik nog niet ergens toe te porren. Ik kon daar alleen maar zitten kijken hoe hij zich tussen de menigte door worstelde naar de plek waar Eric en Campbell hadden gestaan…

Maar die stonden daar niet meer.

En toen ik weer keek waar Pauly was, zag ik hem ook niet meer. Hij was weg, verdwenen, opgeslokt door de menigte…

Net als iedereen.

Toen voelde ik me zo beroerd, zo stom en sloom en overvol… dat alles wat ik voelde te veel was. Ik was te log om overeind te komen. Te moe om iets te doen. Het flesje wodka-orange in mijn hand voelde te koud en te ijzig, en zag er te limonadeachtig uit om niet te drinken. Ik wist dat ik het niet moest doen, dat het me geen goed zou doen, maar het leek wel of ik geen keus had. Het flesje ging vanzelf naar mijn mond, kantelde, en voor ik het wist was het leeg.

Ik zette het voorzichtig neer.

Liet zoet een boertje.

En sloot mijn ogen.

Negen

Ken je dat gevoel dat je hoofd blijft ronken, tollen en in het rond blijft draaien en je je zo misselijk voelt dat je denkt dat je lijf zich binnenstebuiten zal keren en het zo'n pijn doet dat je wilde dat je nooit geboren was?

Weet je hoe dat voelt?

Als het eind van de wereld, maar dan erger.

Het eind van de wereld dat maar niet ophoudt.

Je bent aan de schijterij, misselijk, hebt schuldgevoel, spijt... een onverdraaglijke pijn in je binnenste die er altijd heeft gezeten en er altijd zal blijven, of je nou dood, levend, of alles daartussenin bent.

Zo voelt het.

En zo bleef ik me de rest van de nacht ongeveer voelen.

Ik wist niet of het alleen door de drank kwam die alles verziekte – de tequila, de wodka, wat ik verder ook had gedronken – of dat het door iets anders kwam. Door het vreemde van de nacht, de warmte, het lawaai, de lichten... of misschien was ik het gewoon zelf. Misschien was ik mijn verstand aan het verliezen, in elkaar aan het storten, gek aan het worden. Ik had geen idee. Maar wat het ook was, het maakte weinig uit, omdat ik er toch niks aan kon doen. Ik kon alleen maar op de been blijven.

Dus deed ik dat.

Nadat het me eindelijk was gelukt om van de bank overeind te komen en op pad te gaan, bleef ik gewoon doorlopen, wandelen, struikelen, de hele kermis afzoeken, om Raymond te vinden. Ik had niet veel besef van tijd en ook al bleef ik op de klok van mijn telefoon kijken, ik vergat ook steeds weer wat die aangaf, dus heb ik echt geen benul van hoe lang ik over de kermis heb rondgezworven. Voor mijn gevoel was het een paar uur of zo, maar ik zou het echt niet weten.

Het was allemaal zo vaag.

Ik probeerde logisch te werk te gaan, volgens een soort plattegrond, maar de opstelling van de kermis leek er geen te hebben. Alles was gewoon lukraak neergezet. Ik had nergens houvast aan, geen enkel richtinggevoel, en hoe ik ook probeerde een bepaalde route te volgen, het lukte me gewoon niet. Het enige wat ik kon was blijven lopen, blijven kijken en blijven hopen.

Ik zocht overal.

Elk pad, elke attractie, elke kraam. De ruimte daartussen. Achterlangs. De botsautootjes, de rups, achter de wc's. De hamburgertentjes, de twisters, de achtbaan…

Niets.

De tent van de waarzegster was gesloten. De verlaten plek bij de kinderattracties was nog even verlaten…

Niets.

Geen Raymond.

Nergens een spoor.

Pauly kwam ik ook niet tegen. Geen Pauly, geen Eric, geen Campbell, geen Stella. Het enige vertrouwde gezicht waarvan ik een snelle – en heel versufte – glimp van opving was dat van Nicole.

Ik liep over een pad aan de buitenrand van de kermis, tussen de achtbaan en de plek waar alle kermisvoertuigen stonden geparkeerd, toen ik Nicole en de kerel van de rups op me af zag komen. Hij had zijn arm om haar schouder, en ze zagen er alle twee nogal wankel uit, ze waggelden en slingerden het pad over. De rupskerel leek een goede dronk over zich te hebben, een en al geschifte lachjes en rollende ogen, maar hoe Nicole zich voelde was moeilijk te zeggen. Ook als ik zelf wat meer bij mijn positieven was geweest, had ik geloof ik nog niet geweten wat ik van haar moest denken. Ze lachte, maar haar ogen waren uitgeblust. Ze hield zich stevig aan de rupsjongen vast, maar tegelijkertijd keek ze alsof ze zijn aanraking niet kon verdragen. En terwijl ze samen op me afkwamen, keek ze recht in mijn ogen, maar herkende me niet.

'Hé, Nic,' zei ik en ik ging recht voor haar staan. 'Heb jij Raymond ergens gezien? Ik heb het hele terrein afgezocht... Nic? Nicole?'

Ze gaf geen antwoord. Ik geloof dat ze me niet eens hoorde. En voor ik de kans had nog iets te zeggen, waren ze allebei van koers veranderd en struikelden het donker in, naar de kermiswagens.

Daarna ben ik niet veel langer blijven zoeken. Tegen die tijd was het behoorlijk laat. Het werd minder druk, sommige attracties sloten, en ik had het wel zo'n beetje gehad. Ik moet de kermis minstens tien keer zijn rondgelopen, en ik zag er het nut niet van in om het nog een keer te doen. Ik had overal al gekeken. Ik kon verder nergens zoeken. Wat kon ik nog meer doen?

En bovendien kwam de misselijkheid weer opzetten. Mijn hoofd bonsde. Mijn voeten deden pijn. En ik voelde me nog steeds zo raar... ik hoorde rare geluiden, verbeeldde me dat er allerlei rare dingen aan de hand waren in mijn lijf, zag rare dingen. Ik wist gewoon niet meer wat echt was en wat niet.

En zelfs nu weet ik dat nog niet.

Al wat ik weet – of denk te weten – is dat ik op een stapel planken bij de uitgang zat en probeerde te bedenken wat ik hierna zou doen, en dat de laatst overgebleven kermisgangers me voorbijslenterden op weg naar huis, en ik erover dacht dat ik dat misschien ook maar moest doen. De boel gewoon de boel laten. Niet meer over Raymond inzitten, er een punt achter zetten, en naar huis gaan.

Om te slapen.

Morgen op te staan.

Het gewone leven weer op te pakken.

Ik probeerde het me voor te stellen: zondagmorgen, kerkklokken, een stralende zon terwijl ik de straat uit zou lopen naar Raymond. De steeg door, linksaf, naar Raymonds tuinpoort, voelen of hij er was...

En toen voelde ik het.

Zijn aanwezigheid.

Hier en nu. En toen ik mijn hoofd optilde en het kermisterrein over keek, zag ik hem.

Hij zat in een draaimolen, een ouderwetse felgekleurde draaimolen. Zo'n twintig meter bij me vandaan, even rechts van de ingang, en ik begreep niet waarom ik die niet eerder had gezien. Ik was overal geweest, had elke vierkante centimeter van de kermis afgezocht, ik had alles gezien wat er maar te zien was: elke attractie, elke kraam... echt alles. Waarom had ik deze draaimolen dan niet gezien? Ik bedoel, hoe had ik die kunnen missen? Daar stond hij, recht voor mijn neus, een prachtig geschilderde carrousel, als iets uit een droom. Een kring vol houten paarden in alle kleuren van de regenboog – witte paarden, zilveren paarden, felrode paarden, gevlekte paarden – paarden met gouden zadels, glinsterend blauwe ogen en weelderig golvende manen...

En Raymond.

Ook vlak voor mijn neus. Hij zat wijdbeens op een gitzwart paard, hield zich stevig vast aan de gekrulde zilveren stang en lachte naar me terwijl de draaimolen langzaam ronddraaide...

Ik wist dat het niet echt kon zijn.

Een kermisorgel speelde, fluiten en trommels buitelden door de lucht en ik hoorde het gelach van kinderen, opgewonden stemmen, zwakke verrukte kreten... maar er waren helemaal geen kinderen. Er was bijna helemaal niemand meer. De enige ander die ik zag, was een beetje vreemd uitziende man met een snor die in de schaduw naar de draaimolen stond te kijken. Hij wekte de indruk van een overbezorgde vader die een oogje op zijn kind houdt... maar er zaten geen kinderen in de draaimolen. Er zat niemand in de draaimolen.

Alleen Raymond.

Ik keek naar hem toen hij weer langs draaide. Hij lachte nog steeds naar me, hield zich nog steeds aan de gekrulde stang vast, maar zijn gitzwarte paard was nu een konijn. Zo groot als een paard. Het was een mooi beest – glad en glanzend, met schitterend zwarte ogen, een slinger van bloemen rond zijn nek, een beschilderd hoofd dat leek te fronsen...

Ik glimlachte bij mezelf.

De carrousel bleef ronddraaien en nam Raymond mee, en terwijl ik wachtte tot hij weer langs zou komen, vroeg ik me af wat er zou gebeuren als ik ernaartoe zou lopen en bij hem zou gaan zitten. Er was plek zat, paarden of konijnen genoeg... we zouden daar samen kunnen zitten en als twee verdwaalde cowboys rondjes draaien, nergens heen, en ik zou Raymond kunnen vragen hoe hij zich voelde en waar hij was geweest en wat hij had gedaan...

Maar na een tijdje besefte ik dat het te laat was. Hij was er niet meer. De draaimolen draaide nog steeds in het rond, maar het konijn dat zo groot was als een paard was gewoon weer een paard en het gouden zadel was leeg.

Raymond was verdwenen.

En de man met de snor ook.

Daarna was ik me niet echt meer bewust van wat er gebeurde. Ik neem aan dat ik moet hebben geweten wat ik deed en waar ik naartoe ging, en ik weet nog dat ik bij mezelf dacht hoe verbazend helder alles was... en dat was ook zo. Alles in en rond me was helderder dan ooit: mijn gedachten, mijn zintuigen, mijn gevoelens, de wereld. Maar het was het soort helderheid dat alleen geïsoleerd werkt – als bij de felle bundel van een spotlight, die één ding tegelijk verlicht – en elke keer dat de spotlight verschoof en iets anders fel uitlichtte, vergat ik wat er in het donker was achtergebleven.

Het was alsof ik uit een serie van volmaakt heldere momenten bestond, die geen van alle iets met elkaar te maken hadden. Het was gewoon één iets, en daarna een ander iets. De ene gedachte, de andere gedachte. De ene stap, de andere stap…

Een stap tegelijk.

Dat was alles wat ik deed toen ik het kermisterrein verliet en terugliep door het recreatiepark: een stap tegelijk nemen. De ene stap, de andere stap… over het pad, weg van de lichten, het donker in… de ene stap, de andere stap… de ene stap, de andere stap… helemaal tot aan de hekken van het park. Die stonden nog open en ik vroeg me heel even – en zinloos – af of ze de hele nacht open zouden blijven, of dat iemand verondersteld werd ze dicht te doen… en als dat zo was, wie dan? Iemand van de kermis? Van de gemeente? Een agent?

Buiten de hekken bleef ik staan, keek om me heen en probeerde te besluiten welke kant ik op zou gaan. Het straatje naar het achterlaantje lag rechts van me, de straat links zou me met een boog naar Recreation Road voeren, vervolgens langs de andere kant van de oude fabriek, en op den duur terug naar de noordkant van Leonard's Road.

Ik keek op mijn telefoon hoe laat het was.

Ik weet niet waarom ik dat deed; het maakte niet uit hoe laat het was. En tegen de tijd dat ik mijn telefoon terug in mijn zak stopte, was ik het trouwens al vergeten.

Toen ik weer naar rechts keek, dacht ik dat ik iemand het achterlaantje in zag slaan. Het was maar een heel korte glimp, de straat was behoorlijk donker, en ik had er echt moeite mee om op iets te focussen wat verder dan een paar meter weg was… maar een moment lang was ik ervan overtuigd dat het de vreemd uitziende man met de snor was. Eigenlijk zag ik zijn gezicht niet echt, dus kon ik niet weten of hij een snor had, maar iets aan hem, een gevoel, een gewaarwording… die licht gebogen houding, de manier waarop hij liep…

Hij liep als een vreemd uitziende man met een snor.

Ik wist niet waarom het me stoorde en, trouwens, ik wist dat ik waarschijnlijk alleen maar dingen zag die er niet waren. Eigenlijk was ik er na een tijdje al vrij zeker van dat hij er nooit was geweest. Maar toch kon ik mijn hart nog voelen bonzen toen ik linksaf sloeg en bij het achterlaantje vandaan liep en ik bleef zo'n beetje om de tien seconden over mijn schouder kijken tot ik veilig bij de verlichte Recreation Road was.

Het huis van Eric en Nicole ligt op ongeveer tweederde van Recreation Road, zo'n dertig meter voorbij de hoofdingang van de oude fabriek. Het is een oud groot alleenstaand huis, een stukje van de weg af, met een voortuintje, een oprit van grint, en posters op alle ramen. Meneer en mevrouw Leigh zijn het soort mensen dat graag posters op ramen plakt: van plaatselijke theateropvoeringen, protestbijeenkomsten, politieke posters van de Groenen… van die dingen.

Ik wist niet of ik van plan was geweest om naar Eric en Nicole te gaan, en zelfs toen ik het hek van de voortuin opendeed en het pad opliep, wist ik nog steeds niet wat ik daar deed. Ik was inmiddels zo moe en kapot dat mijn hersens wel gekrompen leken. Ze waren er nog en werkten nog, maar ze voelden zo klein aan… zo ver weg. Alsof mijn schedel dikker was geworden, waardoor mijn hoofd voor het overgrote deel uit massief bot bestond, en er van mijn hele verstand niet meer dan een kleine holte heel diep vanbinnen was overgebleven.

Wat doe je hier? vroeg het.

Wat?

Wat doe je hier?

Weet ik niet.

Er komt helemaal geen afscheidsfeest…

Weet ik.

Nicole is er niet, die is ergens anders naartoe met haar kermis-jongen.

Ik ben hier niet voor Nicole.

Wat doe je hier dan?

Weet ik niet.

Zoek je Eric?

Nee.

Pauly?

Alsjeblieft, zeg…

Raymond?

Ja, bingo. Raymond. Ik ben op zoek naar Raymond. Daarom ben ik hier; ik ben op zoek naar Raymond.

En waarom zou die hier zijn?

Weet ik niet.

Heb je hem verteld dat je na de kermis hiernaartoe zou gaan?

Dat weet ik niet meer.

Jezus, wat is het warm…

Ik stond nu lichtjes zwaaiend bij de voordeur en probeerde me te herinneren of ik iets tegen Raymond had gezegd over dat ik hier na de kermis langs zou gaan… maar denken kostte te veel moeite. Mijn hoofd was te dik.

Ik boog achterover en staarde omhoog naar het huis. Alle lichten waren uit, de gordijnen dicht. Alles voelde stil en leeg. Ik wist dat er niemand thuis was, maar stak toch mijn hand uit en drukte op de bel.

Die klonk precies als anders – een verre dingdong – en heel even herinnerde ik me al die keren daarvoor dat ik hier op die bel had staan drukken, voor Nic, voor Eric, en onhandig hallo had gezegd als een van hun ouders opendeed. Meneer Leigh, met zijn gesloten gezicht, zijn schouderlange haar en zijn blauwe ogen die je licht van je stuk brachten. En mevrouw Leigh, die me altijd verlegen maakte met haar laag uitgesneden jurken, zwartharige schoonheid en haar donkere, sexy Franse accent...

Maar nu was er niemand.

Niemand was thuis.

Het huis was leeg...

Wat doe je hier?

Ik wist het niet meer... het ging om... ik probeerde me iets te herinneren, maar ik wist niet meer wat het was. Iets met Raymond... iets met...

Wat was het?

Ik was te moe om me iets te herinneren.

Ik ging op de stoep zitten.

De lucht was warm.

De nachtelijke hemel rommelde zachtjes in de verte.

Ik was zo moe...

Ik stopte mijn hoofd in mijn handen en sloot mijn ogen.

Tien

Ik werd wakker bij het geluid van de wereld die explodeerde, en één nachtmerrieachtig moment lang dacht ik dat ik dood was en naar de hel was gegaan. Mijn hoofd bonsde, mijn ogen brandden, overal rondom me dreunde en donderde het... en toen flitste er iets in de verte, knetterde er weer een enorme donderslag, en terwijl het begon te regenen, te gieten als bij een tropische bui, wist ik het plotseling weer.

Het huis van Eric en Nic...

Ik was bij het huis van Eric en Nic. Ik zat op de stoep bij de voordeur, werd drijfnat, en het leek of het dag was. Ik had het koud, was in de war, mijn kont deed zeer...

Ik moest hier uren hebben gezeten.

Ik moest in slaap zijn gevallen...

Het weerlichtte weer, de donder dreunde, en ineens kwam de regen werkelijk met bakken naar beneden. Ik strekte mijn stijve benen en kwam moeizaam overeind. Mijn kleren waren al doornat, dus had het geen zin om ergens te schuilen, maar toch schoof ik voorzichtig achteruit het portiek in. Ik huiverde en voelde me misselijk. Mijn hand beefde toen ik hem in mijn zak stak om mijn telefoon tevoorschijn te halen en te kijken hoe laat het was.

Het was twee minuten over zes.

Ik stopte het telefoontje terug in mijn zak, wierp een laatste blik op het nog steeds lege huis, draaide me toen om en begon te lopen.

Er was niemand te zien toen ik over Recreation Road naar huis liep. De onweersbui dreef nu af naar de verte, maar het goot nog steeds, en niemand die bij zijn volle verstand was, liep op dit uur van de ochtend buiten rond. De straten hadden die vermoeide zondagochtendsfeer – met de kater van de zaterdagavond ervoor – en ik moet toegeven dat ik een zielig soort plezier beleefde aan de somberte en leegte om me heen. Ik wílde dat alles een grote ellende was. Ik had een krankzinnige nacht achter de rug. Ik was Raymond kwijt. Had het helemaal verknald bij Nicole. Ik had het koud, was nat, mijn hoofd bonsde nog steeds...

Ik wílde me zielig voelen.

Dus deed ik dat.

Chagrijnig, huiverend en gekwetst liep ik door die koude zomerregen en wentelde me in wat voor ellende ik maar kon bedenken. Ik wist dat het stom en egoïstisch en kinderachtig was, maar dat kon me allemaal niks meer schelen. Ik wilde medelijden met mezelf hebben. Ik wilde egoïstisch en kinderachtig zijn. Ik wilde die pechvogel uit de film zijn die helemaal alleen in de regen rondloopt, en als ik er wat ellendige muziek op de achtergrond bij had kunnen hebben en een miljoen mensen die me op tv konden zien, dan had ik dat waarschijnlijk ook gewild.

Maar je kan nu eenmaal niet alles hebben.

Dus bleef ik in mijn ongeziene stilte door lopen kniezen over Recreation Road, St. Leonard's Road uit, linksaf naar Hythe Street, naar het laantje dat naar de rivier leidt...

Het hek naar het pad stond open, de ketting met het hangslot was eraf geslagen. Er liepen verse bandensporen naar de rivier en ik rook de stank van verbrand rubber. Het was niks om je zorgen over te maken, gewoon weer een gestolen auto. Bijna elk weekend worden er wel een of twee brandend bij de rivier achtergelaten. Meestal blijven ze daar een paar dagen staan smeulen voor de politie ze uiteindelijk wegsleept, en dan komt er iemand van de gemeente die een nieuwe ketting met hangslot aan het hek vastmaakt, maar dat maakt geen enkel verschil. De jongeren die de auto's stelen wíllen er nou eenmaal graag mee naar de rivier rijden, wíllen er een tijd mee rondracen voor ze ze in brand steken, zo simpel ligt het.

Ik liep door.

Het regende nog steeds, maar nu niet meer zo erg. Na het onweer hing er een schoongewassen grauw ochtendlicht en toen ik de straat naar mijn huis door liep zag ik een zwak lichtschijnsel door het keukenraam. Paps auto stond voor het huis geparkeerd, dus moest hij net terug zijn van zijn werk en zette hij voor zichzelf een kop thee voor hij naar bed ging.

Ik vroeg me af hoe ellendig ik eruitzag. Pap zag het altijd meteen... hij hoefde maar naar mijn ogen te kijken om te weten wat ik had uitgevoerd. Ik moet erbij zeggen, dat hij daar altijd vrij goed op reageerde. Ik bedoel dat hij nooit echt ergens een zwaar punt van maakte, maar hij was ook geen watje. Als hij echt dacht dat ik te ver was gegaan, liet hij het er niet bij zitten. Dan wilde hij met me praten, als mannen onder elkaar, me een paar harde waarheden voorhouden...

En dat kon ik nu even niet hebben.

Ik wilde geen man zijn.

Ik wilde geen harde waarheden horen.

Dus stak ik de straat over – alsof dat me onzichtbaar zou maken – en liep door naar Raymonds huis.

Zijn huis was donker, en even armzalig en smerig als altijd, en toen ik het steegje achterom naar de poort nam, liep er een koude rilling over mijn rug. Het voelde niet goed. Er miste iets, een leegte... er ontbrak iets. Ik bleef even staan en keek om me heen. Overal lagen lege natte vuilniszakken met hun doorweekte inhoud verspreid over het pad – kledders vuile tissues, kippenbotjes, stukjes grijs geworden vlees – en terwijl ik diep ademhaalde en probeerde kalm te blijven, draaide mijn maag zich om bij de stank van verrot afval. Even deed ik mijn ogen dicht en probeerde uit alle macht om niet over te geven, en in die vluchtige duisternis wist ik ineens wat die leegte was. Het was Raymond... zijn aanwezigheid. Die miste. Er was daar helemaal niets. Geen gevoel van Raymond, niet van zijn aanwezigheid maar ook niet van zijn afwezigheid...

Het enige wat ik voelde was een plotselinge misselijkmakende angst.

Ik had geen behoefte meer om mijn ogen open te doen.

Ik wilde niets zien...

Maar ik wist dat het moest.

Ik deed ze open en keek omlaag.

Ik zag de grond bij mijn voeten, het gebarsten betonnen pad... die kleine grijze wereld van steen en grind, plekken gerepareerd asfalt, insecten en gruis. Ik zag een spoor van ondiepe bruine plassen en verregende voetsporen die naar de poort van Raymonds huis leidden. En onder aan de poort, waar de grond droog was, zag ik bloed.

Er lag niet veel, maar een paar verspreide spettertjes...

Maar bloed is bloed.

Niets schreeuwt zo als het rood van bloed.

En het lag daar...

Zijn geweld naar me toe te schreeuwen.

Jezus, bloed!

Ik voelde me koud en kleintjes, als een kind in een vreemd pakhuis, en toen ik langzaam langs de poort naar boven keek, ging er vanbinnen een knop om. Ik wist niet meer wat ik deed. Ik deed het gewoon. En toen ik zag wat er aan de poort hing, vastgepind met een roestige spijker, geloofde ik het eerst gewoon niet. Ik kón het niet geloven. Het moest iets anders zijn: een weggegooide handschoen of zoiets... een oud zwart T-shirt, verfrommeld tot een prop... of misschien het restje van een knuffelbeest.

Maar het was geen knuffelbeest.

Knuffelbeesten bloeden niet.

Die hebben geen gonzende vliegen rond hun ogen.

Nee…

Ik sloot mijn ogen in de hoop dat het weg zou gaan… maar toen ik ze weer opendeed, hing de afgehakte kop van Zwartkonijn daar nog steeds, nog steeds vastgestoken aan de poort, nog steeds druipend rood in de regen.

Elf

Terwijl ik naar die gruwelijke voorstelling aan de poort stond te kijken, stroomde mijn hoofd helemaal leeg. Ik kon het gewoon niet bevatten. Het hoorde daar zo totaal niet, het was zo verkeerd. Te walgelijk om het te kunnen begrijpen. Het was Raymonds konijn, zijn onsterfelijke Zwartkonijn, maar het was geen konijn meer. Het was zelfs geen kop van een konijn. Het was gewoon een ding, een klein zwart ontzield ding. Tanden, bont, botten, bloed... regen en vliegen... een dode schedel aan een roestige spijker.

O, jezus...

Ik keek omlaag, haalde rustig adem en probeerde niet over te geven. Ik was nu klam van het zweet. Mijn benen trilden. Ik voelde een hol soort misselijkheid naar boven komen.

O, jezus...

Ik klapte dubbel met mijn handen over mijn maag en gaf over.

Daarna voelde ik me een stuk beter, maar mijn hoofd was nog verlamd van de schok. En ik denk dat het daardoor kwam dat ik me niet gewoon omdraaide en meteen naar huis ging. Dat zou het verstandigste zijn geweest. Naar huis gaan, pap halen en de rest aan hem overlaten... wat die rest ook mocht zijn.

Maar ik was niet verstandig.

Ik was onverstandig.

Ik deed gewoon maar wat, zonder erbij na te denken

Mijn verstand stond volstrekt op nul toen ik op de poort afliep, mijn ogen afwendde en hem met mijn elleboog openduwde. Mijn hoofd was leeg. De tuin ook. Ik bleef even – ietsje langer – in de poort staan, volkomen stil; ik luisterde ingespannen en keek door het halfduister naar het doornatte gazon, de modderige perken, de druipende struiken. Er was niemand. Niets dat er niet hoorde. Ik haalde diep adem, stapte de poort door en keek naar de tuinschuur. De deur stond open en voor de ingang lag wat verspreide rommel: een oude schop, een paar blauwe plastic zakken, een rol kippengaas. Mijn rugzak lag er ook bij. Maar daar stond ik niet lang bij stil. In plaats daarvan werden mijn ogen naar het konijnenhok naast de schuur toe getrokken… tenminste, naar wat ervan over was. Het was volledig in elkaar getremd. Iemand had het gesloopt en de grond in gestampt.

Vlak naast het vernielde hok lag het onthoofde restant van Zwartkonijn. Zijn zielige lijf lag in een plas, zijn hals was een gapende wonde, rood en opengereten… het doorweekte zwarte bont donker van bloed.

Een van zijn achterpoten was afgehakt.

Toen had ik het niet meer. Alles in me kwam tot een uitbarsting – de hevige schok van alles, de misselijkheid, de angst – en ik begon te lopen. De tuin door, weg van de verschrikking, tot aan de achterkant van Raymonds huis.

'Raymond!' riep ik, terwijl ik op de achterdeur bonkte. 'Raymond!'

Ik moet als een bezetene of zo hebben geklonken, maar het kon me niets schelen. Ik bleef gewoon op de deur bonzen en schreeuwen zo hard als ik kon…

'Raymond! Ben je daar? Ik ben het, Pete… Raymond? Raymond! RAYMOND!'

… tot ik uiteindelijk een bovenraam hoorde opengaan en een nasale stem naar beneden riep:

'Wat is hier verdomme aan de hand?'

Ik deed een stap achteruit en keek omhoog naar Raymonds

vader die uit het raam leunde en me dreigend aankeek. Ik had hem duidelijk wakker gemaakt – hij had een ontbloot bovenlijf, bloeddoorlopen, slaperige ogen – en hij keek alsof hij me wilde vermoorden.

'Ik ben het, meneer Daggett,' riep ik naar boven, 'Pete Boland.'

Hij tuurde naar me. 'Wa…?'

'Ik moet Raymond spreken,' zei ik. 'Voor iets belangrijks…'

'Raymond…?'

'Ja… Is hij daar?'

'Godsklere, jongen… weet je wel hoe laat het is?'

'Ja, ik weet het, sorry…'

'Wegwezen,' steunde hij en hij maakte een wegwuifgebaar met zijn hand. 'Flikker op.'

'Nee, u begrijpt het niet…'

'Ik zeg het niet nog een keer.'

'Hij is weg.'

Meneer Daggett aarzelde even en wreef in zijn ogen. 'Wie is er weg?'

'Raymond…'

'Wat bedoel je… weg?'

'Ik weet niet waar hij is,' zei ik. 'Ik bedoel, hij is waarschijnlijk niet echt weg… maar we waren samen op de kermis, en zijn elkaar kwijtgeraakt… en ik denk dat er misschien iets gebeurd is…' Ik begon nu heel zenuwachtig te worden en probeerde een manier te bedenken om het allemaal uit te leggen. 'Zijn konijn,' sputterde ik terwijl ik naar de tuin wees, 'iemand heeft Raymonds konijn vermoord…'

Toen hoorde ik de stem van mevrouw Daggett, een zwak, geïrriteerd gedrein.

'Wat is er, Bob? Tegen wie praat je?'

'Het is niks,' zei meneer Daggett. 'Ga maar weer slapen.'

'Met al dat lawaai zeker?' snauwde ze. 'Wat is er allejezus aan de hand?'

'Gewoon een jongen,' zei meneer Daggett zuchtend, 'die wil weten waar Raymond is.'

'Wat voor jongen?'

'Die van verderop, je weet wel… van de smeris.'

'Wat wil hij?'

'Dat zei ik net… hij zoekt Raymond.'

'Die is er niet.'

Meneer Daggett keek naar haar over zijn schouder. 'Weet je het zeker?'

'Ja, hij is de hele nacht niet binnen geweest… zal wel weer in de tuin zitten. Toe nou, Bob, doe het raam dicht. Ik probeer hier te slapen.'

Meneer Daggett draaide zich weer om en keek mij aan. 'Hij is er niet.'

'Hij is niet in de tuin,' zei ik. 'Er is daar iemand geweest, iemand heeft het konijnenhok in elkaar getremd en… nee, wacht nou.' Meneer Daggett begon het raam te sluiten. 'Wacht nou even,' gilde ik. 'Wat doet u nou? U kunt toch niet… hé, luister nou!'

Het raam sloeg met een klap dicht.

'Meneer Daggett!' schreeuwde ik.

Het gordijn schoof dicht.

'Shit.'

Ik bleef even kwaad omhoog naar het raam kijken, wilde schreeuwen en gillen om meneer Daggett zo te dwingen naar me te luisteren… maar ik wist dat het verloren moeite was. Hij had er schijt aan – aan Raymond, Zwartkonijn, waar dan ook aan – en daar bleef het bij. Het had geen zin om daar kwaad over te worden.

Ik draaide om en begon weer te lopen – terug de tuin door, langs het bloedbad, de poort door, de steeg…

Het begon weer harder te regenen, maar ik merkte het nauwelijks. Ik liep op angst en kwaadheid. De straat op, het tuinhek door, achterom, gooide de keukendeur open en viel buiten adem naar binnen…

'Pete?' vroeg pap. 'Wat is er? Wat scheelt er?'

Hij zat aan de keukentafel met een grote mok thee in zijn hand. Hij schrok toen hij mij zag en ik zag de plotselinge paniek in zijn ogen, maar die sprak niet uit zijn stem. Alleen een kalme en beheerste bezorgdheid.

'Raymond…' bracht ik hijgend uit terwijl ik op adem probeerde te komen, 'ik denk dat er iets met hem gebeurd is… en zijn konijn is…'

'Oké,' zei pap en hij kwam overeind. 'Oké, maar doe even rustig, neem de tijd…' Hij kwam naar me toe, legde een arm om mijn schouder en leidde me naar de tafel. 'Ga zitten,' zei hij kalm. 'Haal een paar keer diep adem.'

Ik ging zitten, haalde langzaam adem en probeerde kalm te worden.

'Met jou alles goed?' vroeg pap. 'Ik bedoel, je bent toch niet gewond?'

Ik schudde mijn hoofd.

Hij kwam naast me zitten. 'Wil je een beetje water?'

'Nee… nee, het gaat wel, dank je.'

'Zeker weten?'

'Ja… ik hoef niks.'

Pap legde zijn hand op mijn arm. 'Goed, vertel wat er gebeurd is.'

Ik vertelde hem natuurlijk niet alles. Ten eerste was er niet genoeg tijd en eerlijk gezegd dacht ik dat het meeste van wat er was gebeurd er toch niet toe deed. Maar er waren ook een hoop dingen die ik hem gewoon niet kon vertellen: het drinken, het roken, alle gekke dingen die waren gebeurd, het gedoe met Nicole in de hut…

Ik bedoel, het was wel mijn vader.

Je vertelt je vader toch niet alles?

Maar ik vertelde hem zoveel mogelijk: dat ik Raymond op de kermis was kwijtgeraakt, dat ik hem overal had gezocht, dat ik naar zijn huis was gegaan en zijn verminkte konijn had gevonden...

'Hoe laat was dat?' vroeg pap.

'Nu net, zo'n tien minuten geleden...' Ik keek op de keukenklok. Het was nu bijna kwart voor zeven. 'Dat moet rond halfzeven zijn geweest.'

Pap knikte. 'Dus je zag die konijnenkop aan de poort... wat deed je toen?'

Ik vertelde hem over het in elkaar getrapte konijnenhok en de resten van Zwartkonijn, en dat ik meneer Daggett wakker had gemaakt en had geprobeerd met hem te praten.

'En wat zei die?' vroeg pap.

'Niet zoveel...' Ik schudde mijn hoofd. 'Hij wilde het niet weten, pap. Ik probeerde hem over Raymond te vertellen, maar het kon hem gewoon niet schelen...'

'Heeft hij gekeken of Raymond in zijn kamer was?'

'Nee... maar ik hoorde mevrouw Daggett tegen hem zeggen dat Raymond de hele nacht niet thuis was geweest.'

'Hadden ze hem wel thuis verwacht?'

'Weet ik niet...'

Pap keek me aan. 'Ik dacht dat jij bij Nicole en Eric zou blijven slapen?'

'Ja, nou... maar ik wist niet of Raymond met me mee zou gaan. Ik bedoel, Nicole had hem niet echt uitgenodigd... en het kwam er trouwens niet van.'

'Wat niet?'

'Dat bij Eric en Nicole...'

Pap fronste zijn voorhoofd. 'Het kwam er niet van?'

'Nee.'

'Waarom niet?'

'Weet ik niet… Ik ben Eric en Nicole zo'n beetje uit het oog verloren op de kermis en daarna heb ik uren Raymond lopen zoeken…'

'Waar heb je dan de hele nacht gezeten?'

Ik wreef in mijn ogen. 'Ik ben naar Eric en Nicole toe gegaan, maar daar was niemand…'

'En toen?'

'Heb ik op hen gewacht.'

'De hele nacht?'

'Ik ben op de stoep in slaap gevallen.'

'Je viel in slaap?'

'Ja, ik was moe…'

Pap keek in mijn ogen. 'Hoeveel heb je gedronken?'

Ik schudde mijn hoofd. 'Ik was alleen maar moe, pap. Het was laat, ik heb de hele nacht over de kermis gelopen…' Ik keek hem aan. 'Wat vind jij dat we aan Raymond moeten doen? Ik maak me echt zorgen over hem.'

Pap zuchtte. 'Ik weet niet zeker of we op dit moment zoveel kunnen doen.'

Ik staarde hem ongelovig aan. 'Hoe kun je dat nou zeggen? We moeten iets doen… hij is vermist, zijn konijn is vermoord…'

'We weten niet of hij vermist is, Pete,' zei pap kalm. 'Hij kan overal zijn…'

'Waar dan bijvoorbeeld?'

Pap haalde zijn schouders op. 'Bij vrienden…'

'Hij heeft helemaal geen vrienden.'

'Misschien gewoon thuis.'

'Maar hij is niet thuis… zijn moeder zei dat hij de hele nacht niet thuis is gekomen.'

'Weet ik, maar echt weten doen we het niet, hè?'

'Hij is vermist, pap. Je moet iets doen…'

'Doe nou eens even rustig,' zei pap en hij legde zijn hand op mijn schouder. 'Ik zei niet dat ik niets zou doen, maar ik kan hem niet zomaar als vermist opgeven omdat jij niet weet waar hij is…'

'Waarom niet?'

'Luister,' zei pap, 'laat mij met zijn ouders gaan praten en zien wat die te zeggen hebben. Goed? Als Raymond daar niet is, zal ik zorgen dat ze hem als vermist opgeven, en dan kunnen we hem naar hem op zoek gaan.'

'Ja, maar wat als ze hem niet als vermist willen opgeven? Je weet hoe ze zijn, pap… ze geven geen moer om hem. Dat hebben ze nooit gedaan. En zijn konijn? Ik bedoel, kun je de Forensische Opsporing of iemand anders daar niet langssturen om te kijken?'

Pap schudde zijn hoofd. 'Toe nou, Pete… je weet dat ik dat niet kan doen.'

'Waarom niet?'

'Het is een konijn…'

'Ja, weet ik wel, maar iemand heeft zijn kop eraf gesneden en het aan de poort gehangen.'

Pap stond op. 'Ik zoek het uit, goed? Ik ga er nu naartoe. Laat me eerst even tegen je moeder zeggen waar ik ben…'

Terwijl hij vermoeid door de keuken naar de deur slofte, staarde ik naar de tafel en probeerde erachter te komen hoe ik me voelde. Natuurlijk was ik blij dat pap iets aan Raymond deed, en ik begreep wel zo'n beetje waarom hij niet meer kon doen… ik bedoel, ik wist dat het verstandig was om de dingen eerst te controleren, en ik wist dat het dode konijn niet meer was dan alleen maar dat… en misschien maakte ik me ook te veel zorgen en trok ik te snel domme conclusies… misschien maakte ik een hoop heibel om niks.

Maar stel dat dat niet zo was?

Stel dat…

Pap stond nu in de deuropening en toen ik hem aankeek en wat wilde zeggen, ging zijn telefoon. Hij haalde hem uit zijn zak, klapte hem open en hield hem aan zijn oor.

'Boland,' zei hij.

Ik keek terwijl hij luisterde en zag aan zijn gezicht dat het zijn werk was, iets belangrijks.

'Ja,' zei hij, 'ja, ik weet wie ze is… wanneer was dat?'

Toen keek hij even naar mij en er zat iets in zijn blik wat ik niet begreep: iets geheimzinnigs, of mogelijk iets achterdochtigs.

'Mag het over een halfuur, chef?' vroeg hij. 'Ik sta net op het punt… nee, nee, ik begrijp het… ja, natuurlijk… goed, ik ben er over tien minuten.'

Hij klapte de telefoon dicht en slaakte een zware zucht.

'Wat is er?' vroeg ik.

Hij keek me aan. 'Ik moet weg… terug naar het bureau.'

'Maar Raymond dan?' vroeg ik. 'Dat kun je toch niet zomaar laten…'

'Sorry, Pete,' zei hij. 'Dat was de hoofdinspecteur. Ik moet terug.'

'Waarom?'

Hij leek even een beetje opgelaten, bijna verlegen. 'Moet je horen, ik ga voor ik vertrek even bij de Daggetts langs, en probeer of ik iemand zover kan krijgen dat hij naar het konijn gaat kijken…'

'Waarom moet je weg, pap?'

Hij zuchtte weer. 'Er wordt een meisje vermist… haar ouders hebben ongeveer een uur geleden gebeld.' Hij keek me aan. 'Stella Ross.'

Een poos was ik te verward om iets te zeggen. Ik zat maar in het niets te staren, en probeerde de dingen helder te krijgen in mijn hoofd. Stella Ross werd vermist… Raymond werd vermist…

Stella…

Raymond…

De *beauty* en de *beast*.

Onzichtbare stemmen echoden door mijn hoofd:

De ster dooft vannacht…
Stella dooft…
Hier krijg je spijt van…
'Pete,' zei pap. 'Alles goed met je?'

Ik keek hem aan. 'Wordt Stella vermist?'

Hij knikte. 'Blijkbaar was ze op de kermis… maar ze is niet thuisgekomen en haar mobiel doet het niet. Niemand weet waar ze is…'

'Waar Raymond is net zo min.'

'Dat weet ik, Pete, maar dit is een ander geval…'

'Waarom? Wat is er zo anders aan?'

Pap keek me alleen maar aan, niet zeker wat hij moest zeggen.

Ik schudde mijn hoofd. 'Omdat ze een ster is zeker? Ze is een beroemdheid… haar ouders zijn beroemd…'

'Ze hebben haar als vermist opgegeven, Pete. We moeten een onderzoek instellen.'

'O ja,' zei ik afgemeten. 'Het heeft zeker niets te maken met wie ze is, hè?'

'Het is geen kwestie van wie…'

'O nee? Hoe komt het dan dat jouw chef je net heeft gebeld. Hij belt je toch nooit als er iemand vermist wordt? Ik bedoel, hij zou je niet bellen als Raymond werd vermist, of wel?'

'Raymond is geen nieuws,' zei pap rustig.

'Nou én?' barstte ik los. 'Dat zou geen verschil mogen maken.'

'Ik weet dat het niet zou mogen… maar dat doet het wel.'

Pap keek me aan in een poging het me te laten begrijpen. En ik begreep het wel. Ik wist precies wat hij bedoelde, en ook dat het niet zijn schuld was, en dat hij er niks aan kon doen.

Maar dat maakte het nog niet juist.

'Hoor eens,' zei pap, 'ik moet nu weg, oké?'

Ik keek hem aan. 'Ga je nog wel met Raymonds ouders praten?'

Hij knikte. 'Ik bel je zodra ik met hen gesproken heb, en ik zal zien wat ik kan doen wat het konijn betreft. En zit er niet te veel over in, oké? Het komt vast allemaal in orde.'

'Ja…'

'Zeg tegen mam dat ik haar later bel.'

'Oké.'

Hij glimlachte, pakte zijn autosleutels en liep naar de deur. Ik zag hem gaan en wist nog steeds niet hoe ik me voelde. Er was zo veel wat ik moest voelen, zo veel wat ik niet snapte: Raymond, Stella, Raymond en Stella, Raymond en ik, Stella en ik…

'Heb je haar gezien?' vroeg pap.

Hij was in de deuropening blijven staan en keek naar me om.

'Wie?' vroeg ik.

'Stella Ross. Heb je haar gezien op de kermis?'

'Eh, ja…' zei ik aarzelend. 'Ja, ik heb haar gezien. Ik heb haar zelfs gesproken.'

Hij kneep zijn ogen samen. 'Je hebt haar gesproken?'

'Ja…'

Toen keek pap me lang en aandachtig aan, en een paar momenten lang was hij niet mijn vader, maar alleen politieagent. Ik had me nog nooit zo schuldig gevoeld.

'Ik wil dat je vandaag thuisblijft,' zei hij streng. 'Begrepen?'

'Waarom?'

'Doe het nou maar gewoon, oké?'

'Ja, oké.'

Hij knikte. 'Ik spreek je later wel.'

Nadat pap weg was, bleef ik een tijdje in de keuken rondhangen en wachtte op het telefoontje. Buiten was het opgehouden met regenen en dreven de zware donkere wolken weg. Het zag ernaar uit dat het weer een warme dag zou worden.

Ik voelde me klote.

Mijn hoofd voelde dik en wazig, mijn mond was kurkdroog, en

ik bleef steeds een vreselijk smakende zure lucht van verschaalde alcohol opboeren. Alles vanbinnen voelde verdoofd en ver weg.

Ik ging naar de badkamer.

Waste mijn gezicht.

Probeerde wat van de aanslag op mijn tanden weg te poetsen.

Daarna ging ik weer terug naar de keuken.

Ging aan tafel zitten.

Stond op en liep naar de koelkast.

Dronk een half karton sinaasappelsap.

Gaf bijna over.

Ging weer aan tafel zitten.

Wachtte tot de telefoon ging.

Toen pap eindelijk belde was het halfnegen. Mam lag nog steeds boven in bed en ik greep de telefoon meteen toen die overging, zodat ze er niet wakker van zou worden.

'Hallo?'

'Pete… pap hier. Hoor eens, ik heb weinig tijd, dus moet ik het kort houden. Ik wilde je alleen laten weten dat ik meneer Daggett heb gesproken en hem in Raymonds kamer heb laten kijken…'

'Was hij daar?'

'Nee, maar ze schijnen dat niet iets te vinden om zich zorgen over te maken. Ze zeiden dat Raymond er dikwijls in zijn eentje op uitgaat…'

'Helemaal niet.'

'Nou, dat zeiden ze. Ze zeiden dat hij wel vaker de hele nacht wegblijft.'

'Nietwaar, hij blijft alleen soms buiten in de tuin zitten, meer niet. Hij gaat nergens naartoe.'

'Het spijt me, Pete, maar meer kan ik op dit moment niet doen. Geef het nog een paar uur, oké? Als hij dan niet terug is, stuur ik iemand langs.'

'En het konijn? Heb je het gezien?'

'Ja…'

'Wat vind je?'

'Ik weet het niet… Ik bedoel, ik weet dat het vreselijk is, maar er lopen een hoop zieke mensen rond, Pete. Dit soort dingen gebeurt: dode honden, gemartelde katten, verminkte paarden, noem maar op. Het zou me verbazen als dit iets met Raymond te maken heeft, maar ik zal zien of ik er iemand voor kan krijgen. Dat kan alleen even duren.'

'Ja, maar wat dan met…'

'Sorry, Pete, ik moet nu echt gaan. Niet vergeten wat ik gezegd heb over thuisblijven, oké?'

'Ja.'

'We spreken elkaar later.'

De verbinding werd verbroken.

Ik hing de telefoon op, ging aan tafel zitten en keek uit het raam. Het was een grote wereld daarbuiten. Er was daar van alles mogelijk, en er kon van alles gebeuren.

Ik vroeg me af of het allemaal al was gebeurd.

Twaalf

Ik zat nog steeds aan de keukentafel toen ik het vertrouwde geluid hoorde van mam die op haar sloffen naar beneden kwam. Ik keek naar de klok en was verbaasd dat het bijna tien uur was. Ik had daar meer dan een uur gezeten, over dingen zitten nadenken, proberen de boel in elkaar te passen, er wat van te snappen. Maar ik was er niets mee opgeschoten. Ik was nog net zo verward. Als er al verschil was, dan was ik nu nog meer in de war dan daarvoor. Al wat ik in mijn hoofd zag waren stukjes, delen van de nacht, herinneringen aan dingen die waren gebeurd, en verder kwam ik niet: dingen die waren gebeurd.

'Morgen, Pete,' zei mam opgewekt toen ze de keuken binnenkwam. 'Was het leuk op de kermis?'

Ik keek haar aan en glimlachte lusteloos.

'Mijn god, wat zie je eruit. Wat is er? Ben je ziek of zo?' Ze wierp snel een blik door de keuken. 'En waar is pap? Is hij nog niet terug? Ik dacht dat ik hem een tijd geleden tegen je had horen praten.'

Eigenlijk had ik geen zin om alles weer opnieuw uit te leggen, maar ik wist dat ik er niet mee weg zou komen door haar niets te vertellen, dus koos ik voor iets daartussenin. Ik vertelde haar over Stella, over dat pap teruggeroepen was naar het bureau omdat Stella's ouders haar als vermist hadden opgegeven, en ik vertelde dat ik pap had gevraagd om navraag te doen naar Raymond omdat we elkaar op de kermis uit het oog waren verloren en ik hem niet had kunnen vinden. Maar ik liet niet merken hoe bezorgd ik was, en vertelde ook niks over het konijn.

Ze had natuurlijk toch nog een boel vragen – waarom was Stella Ross op de kermis? Heb je haar gezien? Is alles nu goed met Raymond? – maar ik wist me met wat gemompel ervan af te maken en zei toen dat ik echt heel moe was en me niet zo goed voelde en dat het misschien maar het beste was als ik een poosje naar bed ging.

Ik weet bijna zeker dat ze me doorhad – ik zag het aan de manier waarop ze naar me keek en langzaam knikte – maar ze zei niets. Ze wierp me nog een alleswetende blik toe, knikte weer, en begon thee te zetten.

'Wil je dat ik een kopje boven breng?' vroeg ze.

'Nee, ik hoef niet, dankjewel. Ik wil alleen maar slapen.'

'Goed… nou, ga dan maar.'

Ik keek haar even aan, met toch weer iets van schuldgevoel, ging daarna naar mijn kamer, haalde mijn telefoon tevoorschijn en tikte Eric en Nicoles nummer thuis in.

'Ja?'

'Eric?'

'Ja, met wie spreek ik?'

'Met Pete.'

'O ja… hi, Pete. Hoe staat het ermee?'

Zijn stem klonk vreemd, een beetje ademloos en zenuwachtig, alsof hij net op iets was betrapt wat hij niet hoorde te doen.

'Alles goed met jou?' vroeg ik.

'Ja… ja, prima…'

Zo klonk hij niet.

Ik zei: 'Is Raymond toevallig bij jullie?'

'Raymond? Nee… waarom zou die hier zijn?'

'Zomaar… Ik ben gewoon naar hem op zoek. Hij is vannacht niet thuisgekomen. Heb jij hem misschien gezien?'

'Nee niet sinds de kermis. Hij was met mij en Pauly toen we daar aankwamen en daarna is hij zo'n beetje weggeslenterd… ik heb hem de hele nacht niet meer gezien.'

'Heb je hem niet met Stella gezien?'

'Stella?'

'Ja…'

'Stella Ross?'

'Ja, Raymond was…'

'Ik heb Stella niet gezien,' zei Eric afwerend. 'Hoe kom je erbij dat ik haar gezien heb? En wat heeft zij er trouwens mee te maken?'

'Niks, ik zei alleen maar…'

'Heb jij haar gezien?'

'Maar heel kort…'

'Wanneer?'

'Weet ik veel… het zal rond halfelf zijn geweest, misschien elf uur.' Toen aarzelde ik even en realiseerde me plotseling dat ik het misschien niet over Stella moest hebben. Ik bedoel, als ze vermist was, als er iets met haar was gebeurd…

'Pete?' vroeg Eric. 'Ben je er…'

'Is Nicole daar?' vroeg ik.

'Nicole?'

'Ja.'

'Eh, nee… nee, die is er niet.'

'Weet je waar ze is?'

'Ik? Nee… ik heb haar sinds ik gisteravond uit de hut ben vertrokken niet meer gezien. Is ze niet bij jou?'

'Nee.'

'O, oké… Ik dacht dat jullie misschien weer bij elkaar waren, of zo.'

'Nee,' zei ik, 'we zijn niet bij elkaar. Ik wilde alleen maar vragen of zij Raymond had gezien.'

'Oké… nou, wat ik zei, ze is nog niet terug. Ik denk dat ze vannacht ergens is blijven slapen. Ik bedoel, ik was zelf om een uur of drie terug, en toen was ze er niet…'

'Sorry?'

'Wat?'

'Was jij om drie uur terug thuis?'

'Ja, zoiets. Om de waarheid te zeggen was ik behoorlijk uitge-teld.' Hij lachte en probeerde stoer te klinken, maar het klonk niet erg overtuigend. Niets van wat hij zei klonk eigenlijk overtuigend. Ik wist niet waarom hij loog, maar wel dat hij het deed. Dat moest wel. Ik was daar om drie uur 's morgens geweest. Ik had godbetert op de stoep aan de voorkant van zijn huis gezeten.

'Hoe dan ook, Pete,' zei hij snel. 'Ik kan beter ophangen. Als Nic terugkomt zal ik zorgen dat ze je belt, oké?'

'Ja… oké…'

Ik probeerde nog steeds te begrijpen waarom hij loog en waar-om hij zo vreemd klonk: het ene moment zenuwachtig, het vol-gende kortaf en afwerend. Bijna alsof hij twee verschillende men-sen was.

'Tot ziens, Pete…'

'Wacht even, Eric,' zei ik. 'Voor je ophangt… heb jij het nummer van Pauly?'

'Wat?'

'Pauly's telefoonnummer.'

'Wat moet je met zijn nummer?'

Nu was hij weer de norse Eric.

Ik zei: 'Ik wil hem alleen maar bellen om naar Raymond te vra-gen.'

'Pauly zal nergens wat van weten.'

'Hoe weet jij dat?'

'Nou… dan had hij het toch wel gezegd? Ik bedoel, als hij Ray-mond had gezien…' Erics stem stierf weg en ik kreeg het gevoel dat hij moeite had om de juiste woorden te vinden. 'Ik heb het trouwens niet,' zei hij bot. 'Ik bedoel, waarom zou ik Pauly's nummer hebben?'

'En Nic?' vroeg ik. 'Zij moet Pauly gebeld hebben over zaterdag-avond…'

'Hoor eens, ik moet weg, oké?'

'Ja, maar...'

'Ik ga hangen.'

'Goed... maar als je Raymond ziet...'

'Laat ik het je weten.'

Hij hing op.

Ik staarde even naar de telefoon in mijn hand en probeerde me Erics gezicht voor de geest te halen – probeerde erachter te komen waarom hij had gelogen, waarom hij zo vreemd had geklonken – maar het lukte niet. Geen gezicht, geen aanwijzingen, geen antwoorden. Nu heb ik het altijd nogal moeilijk gevonden me Eric voor te stellen. Dus waarschijnlijk had het niet zoveel te betekenen. Ik bedoel, ik zeg niet dat Eric geen indruk achterlaat, of zo, want dat doet hij wel. Eigenlijk maakt Eric op de meeste mensen een onvergetelijke indruk. Trots, principieel, zelfverzekerd, volwassen... je weet wel, zo iemand die in zichzelf gelooft. Zo is hij altijd geweest, als kind al. Hij leek altijd ietsje ouder dan de rest van ons, ietsje groter... een beetje meer volwassen. Zo'n jongen die winden laten niet het leukste vindt dat er bestaat. Zo'n jongen die niet voortdurend in de war is. Zo'n jongen die een snor kan laten staan op zijn veertiende.

Zo'n jongen was Eric.

En zulke mensen heb ik me altijd heel moeilijk voor kunnen stellen.

En ook altijd moeite gehad om ze aardig te vinden, en terwijl ik mijn telefoon dichtklapte en naar het slaapkamerraam liep, vroeg ik me af of Eric ooit iets had gehad wat ik leuk aan hem vond. Ik wist zo goed als zeker dat er iets moest zijn... ik bedoel, je bent toch niet voor niks bevriend? Maar het enige wat ik op dat moment kon bedenken – het enige aan Eric dat me ooit had aangetrokken – was Nicole.

Daarna stond ik een tijdje voor het raam en probeerde nergens aan te denken, ik keek alleen maar naar de straat, naar de huizen, de geparkeerde auto's, naar de lucht. Het was allemaal zo vertrouwd dat het me niks zei. Raymonds huis zag er ook hetzelfde uit als altijd – donker en somber in de ochtendzon, gordijnen dicht, voortuin vol met rommel…

Ik wist dat ik er terug naartoe moest.

Ik wilde niet.

Het enige wat ik wilde was op mijn bed liggen en slapen. Gewoon liggen en mijn ogen dichtdoen, niet nadenken, niet aan Raymond en Stella en Eric en Nicole denken… gewoon slapen en alles vergeten.

Toen was er iets waardoor ik naar mijn zwarte porseleinen konijn keek, en heel even dacht ik een kermisorgel te horen spelen en, ergens in de verte, het geluid van lachende kinderen te horen…

Elke seconde van elke dag nemen we beslissingen…

Een fluisterstem.

Neem me mee naar huis.

Ik knipperde met mijn ogen, en plotseling was alles weer stil. Geen stemmen, geen muziek, geen kindergelach. Alleen ikzelf, die voor mijn slaapkamerraam stond, en wist wat me te doen stond.

Terwijl ik wat schone kleren aantrok, herinnerde ik me wat pap had gezegd – Ik wil dat je vandaag thuisblijft. Begrepen? – en ik probeerde mezelf ervan te overtuigen dat ik hem niet met zoveel woorden had gezegd dat ik dat zou doen. Natuurlijk wist ik dat ik dat wel had gedaan, maar als je jezelf echt in iets wil laten geloven, is het helemaal niet zo moeilijk.

Je moet het gewoon geloven.

Tegen de tijd dat ik schone kleren aanhad en naar beneden was gegaan, was ik er zo goed als zeker van dat pap om te beginnen niet eens iets over thuisblijven had gezegd.

'Mam!' riep ik vanuit de gang. 'Ik ben weg, oké?'

'Waar ga je naartoe?' riep ze vanuit de keuken.

'Gewoon even naar buiten,' zei ik. 'Ik blijf niet lang weg.'

'Wacht even, Pete…' begon ze.

Maar ik trok de deur al achter me dicht.

Eerst ging ik weer bij Raymond langs, maar deze keer via de voordeur. Ik had zo het idee dat zijn vader en moeder niet zo blij zouden zijn om me te zien, dus was ik niet zo verbaasd toen mevrouw Daggett opendeed en me onmiddellijk vuil aankeek. Ze vormde geen aantrekkelijke aanblik. Haar vette haar hing slap naar beneden, ze had fletse ogen die een beetje glazig stonden, en ze was slordig gekleed in een versleten oude badjas.

'Wat moet je nu weer?' vroeg ze, terwijl ze een sigaret opstak.

'Is hij al terug?'

Ze zette haar hand in haar zij en keek me aan. 'Jezus… hoe vaak moet ik het nog zeggen? We hebben die ouwe van je al aan de deur gehad, die zich ermee kwam bemoeien…'

'Ik wil alleen maar weten of Raymond terug is, meer niet.'

'Nee, hij is niet terug.'

'Bent u niet ongerust?'

'Niet echt.' Ze nam een trek van haar sigaret. 'Wat gaat jou dat trouwens aan?'

'Hebt u gezien wat iemand met zijn konijn heeft gedaan?'

Ze grinnikte. 'Waarschijnlijk heeft hij dat zelf gedaan.'

Ik staarde haar aan en schudde mijn hoofd. 'Stel dat er iets met hem is gebeurd? Hebt u daaraan gedacht? Ik bedoel, stel dat iemand Raymond te pakken heeft…'

'Godallemachtig, niemand heeft Raymond te pakken,' snauwde ze. 'Waarschijnlijk zwerft hij ergens in zijn eentje rond en loopt hij godbetert tegen de lucht of zo te praten…' Ze nam weer een haal van haar sigaret, en terwijl ze de rook gretig naar binnen zoog en snel weer uitblies, kreeg ik het gevoel dat ze misschien niet zo on-verschillig was als ze wilde dat ik dacht dat ze was.

Ik zag hoe ze door de deur naar buiten leunde en wat as van haar sigaret tikte. Het zonlicht verblindde haar. Ze knipperde en snoof. Boog weer terug naar binnen.

Ze keek me aan en vroeg met een ruk van haar kin. 'Wat?'

'Niks...'

Ze schudde haar hoofd. 'Waarom zou iemand Raymond trouwens iets aan willen doen?'

'Weet ik niet... waarom zou iemand een konijn zijn kop eraf willen snijden? Het waarom is toch niet belangrijk?'

Ze snoof weer. 'Ja, nou... Raymond is niet dom. Hij kan wel voor zichzelf zorgen...' Ze keek me met angstaanjagend doordringende ogen aan. 'Er is niks mis met hem hoor.'

'Dat weet ik.'

'Hij loopt niet in zeven sloten tegelijk.'

Daarna viel er niet veel meer te zeggen. We stonden daar gewoon nog een tijdje en lieten de stilte voortduren, tot mevrouw Daggett langzaam terug de schemerige gang inliep, haar bleke schim in het halfduister verdween, en ze zonder een woord stilletjes de voordeur sloot.

Daarna ging ik naar de rivier. Dat was altijd een van Raymonds lievelingsplekjes geweest, en ik wist dat hij daar nog steeds veel kwam – om zomaar rond te lopen of op een bank te zitten – en als hij, om wat voor reden dan ook, zich domweg ergens had verstopt, had hij geen betere plek kunnen kiezen. Er waren daarbeneden allerlei schuilplekken: stukken bos, oude bruggen, verborgen paden en landweggetjes...

Het was een goede plek om naartoe te gaan als je je voor de wereld wilde verbergen.

Er hing nog steeds een lichte stank van verbrand rubber, en toen ik aan het eind van het pad de hoek omsloeg en naar de rivier liep, zag ik het uitgebrande autowrak rechts van me smeulen op een braakliggend stuk grond. Het leek op een Ford Focus, maar het viel moeilijk te te zeggen. Er was niet veel van over. De banden waren weggebrand, de ruiten waren ingeslagen, en van het chassis was alleen nog een verschroeid grijs skelet over.

Ik besteedde er niet veel aandacht aan.

Het was gewoon weer zo'n uitgebrande auto.

Daartegenover, tussen het pad langs de rivier en een steile beboste helling, stond een kleine witte caravan. Ik bedacht dat hij van die kerel met dreadlocks moest zijn die ik zaterdagavond over het hek had zien klimmen. Ik heb hem een paar keer bij de rivier gezien, had Raymond gezegd. Hij heeft daar een caravan.

En ik vroeg me af…

Hoe goed ken je hem, Raymond?

Goed genoeg om bij hem langs te gaan?

Goed genoeg om hem te vertrouwen?

Het was niet bepaald een schone caravan, maar hij was niet echt goor of zo. Gewoon een beetje smerig: onder de modderspatten, verregend, vuilwit. De trekhaak aan de voorkant rustte op stenen, en in de modder naast de deur stond een fles propaangas.

Toen ik voorbij de caravan kwam ging ik langzamer lopen en probeerde naar binnen te kijken, maar de ramen waren geblindeerd met platen karton die vanbinnen vastzaten met plakband. Ik vroeg me af waarom… waarom zou je je ramen barricaderen? En ik vroeg me af waarom ik zo bang was om op de deur te kloppen.

Doe het gewoon, zei ik tegen mezelf. Wat is er met je aan de hand? Godallemachtig, klop gewoon op die deur.

Ik klopte op de deur van de caravan.

Er gebeurde niets.

Ik klopte weer. 'Hallo? Is daar iemand? Hallo?'

Niemand gaf antwoord.

Ik probeerde de deur, maar die zat op slot.

'Raymond?' riep ik en ik klopte nog eens. 'Raymond... zit je hierbinnen?'

Niets.

Ik staarde omhoog naar het talud achter de caravan. Die was hoger dan het talud in het achterlaantje, maar minder begroeid. Tussen de bomen lag overal industrieel afval van een pakhuis boven aan het talud: roestige onderdelen van oude machines, blokken polystyreen, gebroken pallets, verfrommeld plastic verpakkingsmateriaal...

Ik wist nog dat we daarboven een keer een hut hadden gebouwd, een gammel oud ding van golfplaat, en terwijl ik de top van de heuvel afspeurde naar een teken dat hij er nog stond, vroeg ik me terloops af waarom we onze hutten altijd boven aan steile beboste hellingen leken te bouwen. Waarschijnlijk dachten we dat ze daar veilig waren. Veilig, geheim, en afgelegen. Het soort plek waar niemand je kan zien, maar jij de ander wel ziet...

Het soort plek waar Raymond van hield.

Ik zag de oude hut nergens. Geen vervallen resten, geen roestige golfplaten. Ik zette mijn handen aan mijn mond en riep naar boven: 'RAYMOND! RAAYMOND!'

Er kwam geen antwoord.

Ik riep nog een keer, nu harder, maar er kwam nog steeds geen antwoord. Ik dacht erover om tegen de helling op te klimmen om beter te kunnen kijken, maar dat leek niet erg zinvol. Er waren daarboven te veel plekken waar je je kon verstoppen, te veel verborgen hoeken en spleten... het zou me een hele dag kosten om ze allemaal af te zoeken.

Dus liep ik, met nog een laatste doelloze blik op de caravan, verder het pad af.

Het pad dat langs de rivier loopt bestaat eigenlijk uit heel veel verschillende paadjes, maar ze lopen allemaal min of meer in dezelfde richting: langs de rivier, door een paar bosjes, onder een tunnel door, over een brug, dan achter een paar percelen langs, om uit te komen op een weg die Magdalen Hill heet. Als je de Magdalen Hill afloopt, kom je via een kortere weg bij het centrum, maar als je linksaf slaat, de heuvel op, leidt hij over een kruising naar Recreation Road.

Die weg nam ik, nadat ik zo'n uur bij de rivier had rondgezworven. Ik was het bos door gelopen en had weer Raymonds naam geroepen. Alle schuilplaatsen die ik in de buurt van de tunnel kende had ik afgezocht. Ik had zelfs overal waar mogelijk langs de rivieroever gezocht. Maar van Raymond geen enkel spoor.

Dus ging ik nu naar het kermisterrein.

Ik wist niet of het iets uit zou halen, en ook niet wat ik zou doen als ik daar was, maar het leek me logisch: volg je sporen terug, ga terug naar het begin, en kijk of daar iets is.

Alles was nog vrij rustig in de Recreation Road, maar nu scheen de zon en regende het niet meer, waardoor de straten niet meer zo somber en verlaten waren als daarvoor. Er waren een paar mensen op straat – een oude man die zijn auto waste, een stel kleine kinderen dat tegen een bal schopte, een man met duidelijk een kater, die naar de winkels slofte – maar niemand zei iets tegen me.

Hoewel ik niet stopte bij Eric en Nicoles huis toen ik daar langskwam, zag ik dat er nu een paar ramen openstonden waardoor het huis niet meer leeg aandeed. En weer vroeg ik me af waarom Eric tegen me had gelogen dat hij om drie uur was thuisgekomen, en probeerde ik een manier te bedenken waarop dat wel had gekund. Om die tijd sliep ik, dus als hij echt zo uitgeteld was geweest – zo gaar dat hij nauwelijks nog wat zag – was hij misschien het huis binnen gestrompeld zonder me zelfs maar op te merken? Of misschien had hij de tijd helemaal verkeerd? Misschien was het geen drie uur... maar veel vroeger, of veel later...?

Misschien...

Er waren zat andere mogelijkheden, en ik geloofde ze geen van alle, maar ik bleef er toch over doordenken, en tegen de tijd dat ik aan het eind van de straat was, was ik zo in gedachten dat zelfs toen ik een bekend uitziend figuur voor me de hoek om zag schuifelen, het even duurde voor ik besefte wie het was. Ze liep langzaam – met gebogen hoofd en haar handen lusteloos in haar zakken gepropt – en ze zag er niet echt gelukkig uit. Ze had ongekamde haren, haar make-up was uitgelopen... het leek alsof ze gehuild had. Ze hield haar ogen moedeloos naar de grond gericht, zodat ze me niet zag aankomen tot we bijna tegen elkaar op liepen.

'Nicole?' vroeg ik.

Plotseling keek ze licht geschrokken op en bleef recht voor me staan.

'Hé, Pete...' zei ze, terwijl ze met haar ogen knipperde en een hand door haar haar haalde. 'Wat doe jij hier?'

Ze leek nogal suf en vaag. En ook een beetje beschaamd.

'Alles goed met je?' vroeg ik.

'Ja, ja,' zei ze en ze forceerde een glimlach. 'Gaat wel...'

'Weet je het zeker?'

'Ja... waarom?'

'Je ziet er afgepeigerd uit.'

'Bedankt.' Ze knipperde weer met haar ogen. 'Zelf zie je er anders ook niet zo geweldig uit.'

'Nou ja... het was een lange nacht.'

'O ja?'

'Ik ben Raymond kwijt.'

'Je bent wat?'

'Hij is er vannacht op de kermis in zijn eentje vandoor gegaan...

ik heb een hele tijd naar hem gezocht, maar heb hem nergens kunnen vinden. En hij is ook niet naar huis gegaan.'

'Shit,' zei Nic. 'Denk je dat hij oké is?'

Ik keek haar aan en besefte plotseling dat ze van de mensen die ik had gesproken de eerste was die echt haar bezorgdheid voor Raymond liet blijken. Ik was ook weer niet zo verbaasd, omdat hoewel Nicole er eerst niet zo dol op was geweest dat hij meeging naar de kermis, ik wist dat ze altijd een zwak voor hem had gehad. In het verleden waren er meer keren geweest dat ze hem er niet voortdurend bij wilde hebben, de keren dat ze met mij alleen wilde zijn, maar ook toen had ze hem altijd vriendelijk behandeld. Ze mocht hem. Niet alleen om wat hij voor mij, of ik voor hem, betekende – al weet ik zeker dat dat meetelde – maar eigenlijk denk ik dat ze hem mocht om hemzelf. Ze gaf om hem.

En toen herinnerde ik me de woorden van de waarzegster: Je bezit een grote goedheid, had ze tegen Raymond gezegd. Je geeft om anderen zonder aan jezelf te denken.

'Ben je hem afgelopen nacht nog tegengekomen?' vroeg ik.

Ze ging weer met haar hand door haar haar en zuchtte. 'Jezus, Pete… ik heb geen idee. Het lijkt wel of ik me van afgelopen nacht niks meer kan herinneren.' Ze blies haar wangen bol en schudde haar hoofd. 'Ik weet niet… het is zo gek. Ik bedoel, ik weet er nog wel wat van, je weet wel, van die vage flitsen van dingen, maar het meeste is gewoon blanco.'

'En Raymond? Weet je nog of je hem bent tegengekomen?'

'Nou, ja… in de hut…' Ze keek me even ongemakkelijk aan. 'Maar daarna… weet ik het niet zeker. Ik geloof dat ik hem ergens op de kermis heb gezien… maar ik weet niet meer waar of wanneer.'

'Was hij alleen?'

Ze sloot haar ogen en bracht een hand naar haar hoofd terwijl ze het zich probeerde te herinneren. 'Ik weet niet… ik geloof dat ik hem misschien twee keer heb gezien. Of misschien was dat iemand anders…' Ze slaakte een zware zucht en deed haar ogen weer open. 'Sorry, Pete… ik weet het echt niet meer.'

'Geeft niet,' zei ik. 'Maar stel dat je het weer weet…'

'Ja, dan bel ik.'

Ik knikte. 'Ik ben nog even weg, dus bel me op mijn mobiel. Heb je mijn nummer?'

'Ik heb je oude nummer ergens, maar dat zal wel niet meer werken.'

Ze had gelijk; het nummer dat zij had was van minstens drie of vier mobieltjes daarvoor.

'Heb je een pen?' vroeg ik.

Ze haalde een lippenstift uit haar zak, gaf hem aan mij en hield me haar arm voor. Ik wachtte even en keek naar een politieauto die ons langzaam voorbijreed, toen pakte ik haar hand, draaide aan de lippenstift, en schreef mijn mobiele nummer op haar arm.

'Hoor eens, Pete,' zei ze zacht, 'over gisteravond…'

Een druppel zweet viel van mijn voorhoofd op haar arm.

'Ik weet dat het een stomme vraag is,' ging ze door, 'maar we hebben toch niet echt iets gedaan?'

'Nee,' zei ik en ik deed alsof ik mijn volle aandacht bij de lippenstift had. 'Nee we hebben niets gedaan. Weet je niet meer wat er gebeurd is?'

'Nou, zo'n beetje… ik bedoel, ik weet er nog wel wat van, en ik weet dat we het van plan waren, en zo…' Ze bracht een hand naar haar hoofd. 'God, ik weet alleen dat ik me zo raar voelde… alsof mijn lijf ontplofte. Alsof ik er totaal geen controle meer over had, zoiets.'

Ik liet haar hand los en gaf haar de lippenstift terug.

Nic keek me aan. 'Het spijt me, Pete… ik bedoel, als ik de boel verknald heb…'

'Het zit wel goed,' zei ik. 'Niemand heeft wat dan ook verknald. Het was gewoon een hele rare nacht.'

Ze knikte droevig. 'Ja…'

Ik bleef haar een tijdje aankijken en vroeg me af wat ik moest zeggen, en vervolgens keken we alle twee omhoog toen een helikopter laag over onze hoofden vloog. Een ogenblik lang was de lucht vol met het geklapper van de wieken en ik hield een hand voor mijn ogen tegen de zon om naar het donkere silhouet van de helikopter te kijken toen die naar links overhelde en boven het park begon te cirkelen.

'Wat is er aan de hand?' vroeg Nicole. 'Is dat een politiehelikopter?'

'Ja…'

'Denk je dat het iets met Raymond te maken heeft?'

'Ik weet het niet… waarschijnlijk niet.' Ik keek haar aan. 'Moet je horen, ik moet er weer eens vandoor…'

'Ga je terug naar de kermis?'

'Ja.'

'Wil je dat ik meega?'

'Nee… het gaat wel, dank je. Ik ga alleen even snel een kijkje nemen…'

'Zeker weten?'

'Ja…' Ik glimlachte naar haar. 'Je ziet er trouwens uit alsof je maar beter naar huis kunt gaan.'

Ze keek me aan. 'Oké… nou, ik bel wel als er iets bovenkomt…'

'Ja, bedankt.'

We bleven even staan en wisten geen van beiden goed hoe we er een eind aan moesten breien, tot Nic mijn arm aanraakte, 'tot ziens' zei en wegliep. Ik bleef haar een tijdje nakijken en vroeg me heel kort af wat voor soort nacht ze met de kermisjongen had gehad, en of ze zich echt niets meer kon herinneren van wat er in de hut was gebeurd…

Toen schudde ik het allemaal van me af en ging op pad.

In het zomerse licht van een zondagmiddag leek het kermisterrein uitgestorven. Zonder de lichten, de muziek en het lawaai, lag het er levenloos en uitgeput bij. Alle fut was eruit. Alle kermiswaanzin, beweging en leven... het enige wat restte was een vormeloze verspreid liggende machinerie, stellages, tentzeilen en voertuigen.

De kermis trok verder.

Sommige attracties waren al ontmanteld en afgevoerd, met grote plekken geel gras waar ze hadden gestaan, terwijl andere nog in de afbreekfase waren. Terwijl ik rondslenterde, waren overal geluiden van hard werken te horen: gebrom van boren, dreunende hamerslagen, het doffe gekletter van stellages die werden neergehaald. De kermismensen hadden het te druk met hun boeltje te pakken om veel aandacht aan me te besteden, en als er al een paar waren die zich afvroegen wat ik daar deed, lieten ze het niet merken. Ik ving een paar zijdelingse blikken op, wat nieuwsgierige ogen, maar dat was het dan ook.

Het hele terrein leek veel kleiner dan ik het me herinnerde, en rondlopen en alles in me opnemen vroeg niet veel tijd. Er was niet veel meer te zien. De wc-cabines waren allemaal weg en de meeste rotzooi eromheen was weggeveegd en opgeruimd. De tent van de waarzegster stond er niet meer. Geen rups, geen botsautootjes, en geen kinderattracties. Op de plek waar de ouderwetse draaimolen had gestaan, of waar ik dacht dat hij had gestaan, was helemaal niets te bekennen. Geen stuk vergeeld gras. Geen afdruk zonder troep in de grond. Geen teken dat hij er ooit was geweest.

Dat had me aan het denken moeten zetten. Of op zijn minst een beetje nieuwsgierig moeten maken. Maar toen ik daar bij de ingang van de kermis stond en naar de lege plek keek waar ik dacht Raymond op een zwart konijn zo groot als een paard te hebben zien rijden, leek alles zo gewoon en kleurloos dat ik er moeilijk iets bij kon voelen. Zelfs het zien van de politiehelikopter die in zijn eentje midden in het park stond en de patrouillewagen die bij het hek geparkeerd stond... het deed me niks. De twee geüniformeerde agenten van de patrouillewagen slenterden over het kermisterrein, hielden nu en dan stil om met een paar kermiswerkers te praten, maar schenen niet veel haast te hebben. En de twee figuurtjes in de helikopter zaten daar gewoon te niksen.

Ik keek naar het terrein waar alle kermisvoertuigen en wagens stonden geparkeerd en vroeg me af of ik op zoek moest gaan naar de waarzegster. Mijn verstand zei dat het geen zin had, alleen maar tijdverspilling. Ook al had het geleken alsof ze veel van Raymond afwist, ik wist dat het allemaal bedrog was. Woorden, slimme spelletjes, oplichterij... hoe je het ook wilde noemen. Het bestaat gewoon niet dat je dingen weet die nog moeten gebeuren.

'Neem me niet kwalijk.'

De stem kwam achter me vandaan en toen ik omkeek zag ik een van de twee geüniformeerde agenten naar me toe komen.

'Werk je hier?'

'Sorry?'

'Hoor je bij de kermis?'

'Nee...'

Hij bleef recht voor me staan en veegde het zweet van zijn voorhoofd. 'Zou je me willen vertellen wat je hier uitvoert?'

'Ik doe niks,' zei ik. 'Ik was gewoon... ik weet niet. Ik kijk gewoon een beetje rond...'

'Je kijkt gewoon een beetje rond?'

'Ja...'

Hij keek me aan. 'Hoe heet je?'

'Pete Boland.'

'Boland?'

'Ja.'

'Waar woon je, Pete?'

'In Hythe Street.'

'Nummer?'

'Tien.'

Hij knikte. 'Was je gisteravond hier?'

'Op de kermis bedoelt u?'

'Ja, op de kermis.'

'Ja… ik was hier, ja.'

'Hoe laat kwam je aan?'

'Rond halfelf geloof ik.'

'En hoe laat ben je vertrokken?'

Ik haalde mijn schouders op. 'Rond middernacht.'

Hij knikte weer. 'Dus je kwam hier vanmorgen alleen nog eens een kijkje nemen. Klopt dat?'

'Ja… nou, nee… ik bedoel, ik was niet echt van plan om hier naartoe te gaan. Ik wilde bij een paar vrienden langs op Recreation Road, maar die waren niet thuis, dus kwam ik hier een beetje rondhangen, snapt u… om wat te doen te hebben.'

'Juist. Dus nu ga je weer terug naar die vrienden?'

'Ja.'

'Op Recreation Road?'

'Dat klopt.'

Hij glimlachte naar me. 'Wegwezen, dan maar.'

Toen ik me omdraaide en wegliep, voelde ik dat hij me nakeek, en ik vroeg me af waarom ik hem niet over Raymond had verteld, en waarom ik hem niet had gevraagd wat er aan de hand was…

Mijn god, waarom deed ik zo zielig?

Ik keek niet om om te zien of de politieagent me nog stond na te kijken, tot ik bij het hek van het park was. Zelfs daar voelde ik me zo stom paranoïde dat ik het niet waagde achterom te kijken tot ik echt linksaf was geslagen en een eindje in de richting van Recreation Road was gelopen, gewoon voor het geval hij me nog steeds stond na te kijken. Maar dat was niet zo. Ik zag hem nergens. Ik keek nog eens om er zeker van te zijn, draaide toen snel om en liep terug de andere kant op, naar het achterlaantje.

Behalve een stel kinderen op skateboards die bij de gastorens rondhingen was het laantje stil en verlaten. Er liepen geen mensen met honden, geen zwervers, geen rare snuiters, geen vreemd uitziende mannen met snorren. Maar ook geen spoor van Raymond. Eigenlijk zag ik nergens een spoor van wat ook. Onder het lopen hield ik mijn ogen open, keek overal – naar de grond, omhoog langs het talud, in de bomen – maar wist niet echt waar ik naar zocht. Ik keek alleen maar, geloof ik. Gewoon een beetje in het rond…

Maar nu ik eraan terugdenk, zocht ik eigenlijk helemaal niet. Ik bedoel, ik had mijn ogen open en liet ze alle kanten opgaan, en áls ik iets had gezien… nou, dan was dat prettig geweest – of niet, dat ligt eraan wat ik had gezien – maar wat ik eigenlijk deed, was afleiding zoeken zodat ik niet hoefde na te denken over wat ik aan zou treffen als ik bij de hut kwam.

Ik wist dat er niets aan de hand hoefde te zijn; dat ik bij de hut zou komen en daar Raymond zou zien zitten, levend en wel… en ook dat ik misschien helemaal niets zou vinden. Maar er was nog een mogelijkheid, en daar was ik bang voor, daar wilde ik niet aan denken. Maar hoe dichter ik bij de hut kwam, hoe moeilijker het werd om er niet aan te denken, en toen ik tegen het talud op klauterde en me een weg baande tussen de struiken en de bramen, stelde ik me onwillekeurig het ergste voor.

Het kwam door het konijn, geloof ik… het beeld van Zwartkonijns afgehouwen kop aan de poort, zijn wezenloze ogen die in het niets staarden. Dat beeld zag ik steeds voor me. En ik kon ook niet voorkomen dat het me kunstjes flikte, me dingen liet zien die ik niet wilde zien.

Een konijnenkop met Raymonds ogen…

Raymonds hoofd met konijnentanden…

Zwart bont, zwarte kleren…

Fluisterstemmen…

Bloed en vliegen…

Daar is het.

Ik was boven aangekomen en toen ik zwaar hijgend voor de hut stond, zag alles er hetzelfde uit. De verwilderde braamstruiken, de houten planken, de verkleurde blauwe verf op het dak. Alles was precies hetzelfde.

Zo te zien is hij nog heel, hè?

Ik zei toch dat hij er nog zou zijn.

Ja, dat is zo.

Ik keek even over mijn schouder naar beneden langs het talud. Niemand te zien. Ik draaide weer om naar de hut en liep naar de deur.

Na jou.

Nee, na jou.

Ik bleef even staan en luisterde naar de echo van Raymonds stem, toen bukte ik en deed de deur open.

Daarbinnen was niets. Geen nachtmerries, geen lijken, geen bloed… alleen lege flessen die in het rond lagen, stank van verschaalde sigarettenrook en zweet, en een zoete duistere herinnering die ik wilde vergeten.

Dertien

Mam zat in de huiskamer tv te kijken toen ik thuiskwam. Ze zat op het puntje van de bank met in haar ene hand een sigaret en in de andere de afstandsbediening, en ze ging zo op in waar ze naar keek dat ik dacht dat ze me niet had zien binnenkomen.

'Hé, mam,' zei ik. 'Heeft pap nog gebeld…?'

'Ogenblikje,' zei ze en ze zette het geluid van de tv harder. 'Dit gaat geloof ik over Stella.'

'Wat?'

'Sky News,' zei ze terwijl ze naar de tv knikte. 'Ze hebben het over Stella.'

Ik draaide naar de tv en staarde naar het beeld. NIEUWS-ONDERBREKING stond er onder in beeld, VERMISSING GEVREESD VAN TIENERSTER. De nieuwslezeres – een keurig geklede vrouw met een heel klein hoofd en heel veel haar – had een vel papier in haar hand en tuurde naar een laptop.

'… deze berichten zijn nog niet bevestigd,' zei ze, 'maar naar we hebben begrepen is de politie van Essex eerder deze morgen door meneer en mevrouw Ross gewaarschuwd, en doen agenten op dit moment onderzoek in de buurt van St. Leonard's waar miss Ross voor het laatst is gezien.' De nieuwslezeres legde het vel papier neer en keek ernstig in de camera. 'Stella Ross,' zei ze samenvattend, 'is naar het schijnt vanmorgen als vermist opgegeven.' Ze wierp weer een blik op haar laptop, drukte op een toets en keek toen weer in de camera. 'Onze verslaggever, John Desmond is op dit moment in St. Leonard's, en we schakelen straks naar hem over voor meer recente gegevens. Tot die tijd kunnen we denk ik weer over naar Sheila McCall in Bagdad…'

Mam drukte het geluid weg en keek me aan. 'Nou,' zei ze, 'het ziet ernaar uit dat pap het druk krijgt.'

'Ja…'

'Dit wordt een belangrijke zaak.'

'Als het waar is.'

'Wat bedoel je?'

Ik ging zitten. 'Ik weet het niet, mam, het lijkt mij een beetje… ik weet niet. Ik bedoel, ik zag Stella afgelopen nacht op de kermis. Ze had een heleboel mensen bij zich. Er was zelfs een man met een camera bij.'

'Ja, en?'

Ik schudde mijn hoofd. 'Ik vind het gewoon een beetje vreemd.'

'Wat is er zo vreemd aan? Het is een jong meisje, haar ouders weten niet waar ze is…'

'Ja, maar het is Stella Ross, mam. Ze is een ster, ze reist overal naartoe, de hele wereld over… haar ouders weten waarschijnlijk de meeste tijd niet waar ze is. En nu bellen ze meteen de politie alleen omdat ze niet is thuisgekomen van een stom kermisje?' Ik keek mam aan. 'Vind jij dat niet een beetje raar?'

Ze haalde haar schouders op. 'Misschien weten zij iets wat wij niet weten.'

'Ja, zou kunnen…'

Ik wierp een blik op de tv. Een vrouw stond met een microfoon in een straat vol puin te praten en met haar handen om zich heen te gebaren. Achter haar werden dode lichamen in zwarte zakken achter op een vrachtwagen geladen.

'Heb je Raymond gevonden?' vroeg mam.

'Nee,' zei ik, haar aankijkend. 'Hij is nog steeds niet thuis.'

'Heb je met zijn vader en moeder gesproken?'

Ik knikte. 'Het kan ze niks schelen.'

'Natuurlijk wel…'

'Echt niet,' zei ik bitter. 'Niemand kan het wat schelen... niet als het om Raymond gaat. Die is niet beroemd, hè? Hij is niet knap, heeft geen beroemde ouders, geen hopen zielige oude mannetjes die naar hem zitten te lonken op internet... waarom zou iemand het een bal kunnen schelen? Het is maar een sloom uitziende rare jongen.'

'Toe nou, Pete,' zei mam zacht, 'zo is het helemaal niet.'

'Mooi wel. Hij wordt net zo vermist als Stella, niet dan? Hij is net zo kwetsbaar als zij... eigenlijk nog meer, maar over hem hebben ze het niet op het nieuws.' Ik keek weer naar de tv. Nu lieten ze een foto van Stella zien. Het was een promotiefoto: een en al blonde lokken en stralende ogen, veel boezem, de glimlach van een superster. 'Kijk dan,' zei ik tegen mam, 'ik wed dat ze een foto van Raymond niet zo op het nieuws zouden laten zien.'

Ze keek me een beetje onderzoekend aan en ik wist wat ze wilde zeggen – ja, oké, het was een stomme opmerking en nee, het sloeg nergens op – maar ik denk dat ze wist wat ik probeerde te zeggen. Ik staarde naar de tv toen ze het geluid harder zette.

'... is de dochter van Justin Ross en Sophie Hart,' zei de nieuwslezeres. 'Ze kreeg voor het eerst bekendheid als opstandige tiener in een populaire tv-reclamespot, die vele prijzen won, en schitterde sindsdien in videoclips, soapopera's en glamourtijdschriften...'

Terwijl de nieuwslezeres doortetterde over Stella's beroemde ouders, haar beschermde opvoeding, en haar meer recente bekendheid in roddelbladen, flitsten er reeksen foto's en tv-fragmenten over het scherm die Stella in al haar glorie toonden: dansend in video's, poserend voor tijdschriftomslagen, slecht acterend in soaps. De intiemere foto's van het internet werden natuurlijk niet vertoond en werden feitelijk ook niet genoemd. Maar er waren genoeg verborgen hints en onzichtbare knipogen om ons op de hoogte te brengen.

Eigenlijk was het behoorlijk weerzinwekkend. De tv-lui hadden niets te melden. Geen informatie. Geen feiten. Geen nieuws. Het enige wat ze deden was kletsen, roddelen, speculeren, tijd vullen. Alsof je naar een of ander luguber amusementsprogramma keek.

'Kijk,' zei mam en ze wees naar het scherm. 'Is dat Nicole niet?'

De nieuwslezeres praatte nu door een filmfragment heen en legde uit dat het om een exclusief videofragment ging, dat naar werd verluid zaterdagavond was opgenomen op de kermis in St. Leonard's. Het fragment duurde niet erg lang, niet meer dan zo'n twintig seconden, maar ze bleven het steeds maar weer af- draaien en toen ik naar voren boog en met ingehouden adem naar het scherm keek, besefte ik dat mam gelijk had. Daar was Nicole. Je kon haar net onderscheiden aan het begin van het fragment: on- scherp, op de achtergrond, terwijl ze de kermis opliep. Ze was in haar eentje en zag er behoorlijk nijdig uit… alsof ze net bij een of andere stomme jongen in een hut een blauwtje had gelopen. Ter- wijl de camera inzoomde op Stella's lachende gezicht, verdween Nicole even uit beeld, maar toen draaide Stella zich om en keek over haar schouder, alsof iets zojuist haar aandacht had getrokken, en toen de camera uitzoomde zag ik dat ze naar Nic keek. Nic liep nu naar haar toe, met een geforceerde glimlach op haar gezicht ge- plakt – alsof ze haar oude vriendin Stella alleen maar even gedag ging zeggen – maar haar oude vriendin Stella nam niet eens de moeite om net te doen alsof ze teruglachte. Ze keek naar Nic alsof ze haar nog nooit had gezien. Zo van: wie ben jij dan wel? Nic leek even in de war, vervolgens ging haar verwarring over in een boze frons toen Stella zich afwendde, deed alsof ze niet bestond, en heel even zag ik een flits van razernij in Nics ogen – een blik van onver- valste haat – en toen zoomde de camera weer terug in op Stella's lachende gezicht.

Het ging allemaal heel snel, het camerawerk was een beetje schokkerig en alles was een beetje onscherp, maar er was geen twij- fel over mogelijk. Stella had op de kermis dwars door Nic heen gekeken, en dat had Nic helemaal niet leuk gevonden.

Ik wist niet of het iets te betekenen had of niet.

Het enige wat ik wist was dat Sky de film had, en als ze dat ene stukje hadden, hadden ze de rest waarschijnlijk ook. Wat betekende dat ze waarschijnlijk film hadden waar Stella met Raymond op stond...

De ster dooft vannacht...

... en Stella met mij...

Hier krijg je spijt van...

Stella en Raymond.

Raymond en Stella...

'Pete?' vroeg mam die mijn gedachten onderbrak. 'Hoorde je wat ik zei?'

Ik keek haar aan. Ze zat nog steeds op het puntje van de bank, en nog steeds met de afstandsbediening in haar hand. Ze had het geluid weer afgezet. Het was stil in de kamer, het nieuws was overgegaan naar Afghanistan, en mam keek me met een bezorgd gezicht aan.

'Waar denk je aan?' vroeg ze.

'Niks...'

'Toe nou, Pete,' ze zuchtte. 'Wat vertel je niet?'

'Waarover?'

'Wat denk je?' zei ze. 'Stella Ross, de kermis... alles wat er gisteravond gebeurd is.' Ze kneep haar ogen samen. 'Je weet er meer van, of niet?'

Ik keek haar onschuldig aan. 'Waarom denk je dat?'

'Ik ben je moeder, Pete. Ik weet wanneer je iets achterhoudt...'

'Ik hou niks achter...'

'O nee?'

Ze wierp me weer zo'n blik toe, van het soort waar je je ogen voor neerslaat en naar de vloer kijkt in de hoop dat je er niet zo schuldbewust uitziet als je je voelt.

161

'Wat is er, Pete? vroeg ze zacht. 'Vooruit, mij kun je het wel vertellen.'

'Ik weet niks, mam,' mompelde ik, terwijl ik naar de vloer bleef kijken. 'Eerlijk... ik zou het zeggen als het zo was. Ik maak me alleen vreselijke zorgen om Raymond. Ik weet niet wat ik eraan moet doen, snap je... ik weet niet wat ik ervan moet denken.'

Mam knikte langzaam. 'En die anderen die er gisteravond bij waren? Nicole, Eric, Pauly... misschien weten die waar hij is.'

Ik schudde mijn hoofd. 'Die hebben hem niet gezien.'

'Denk je dat hij iets over Stella weet?'

'Wat?' vroeg ik, opkijkend.

'Raymond,' zei ze behoedzaam. 'Ik bedoel, als hij vermist wordt en Stella ook...'

Ik had geprobeerd daar niet aan te denken. Al vanaf dat pap dat telefoontje van zijn chef had gekregen, had ik de mogelijkheid proberen te negeren dat Raymonds verdwijning misschien iets met die van Stella te maken had. Ik wilde het niet geloven, en ik geloofde het ook niet. Wat viel er te geloven? Al dat gedoe bij de waarzegster over mensen die doodgingen en slechte dingen die stonden te gebeuren... Dat wilde niks zeggen. En Raymonds woorden, of die van Zwartkonijn – *de ster dooft vannacht* – net zomin. Om te beginnen praten konijnen niet. En waar Raymond die woorden vandaan had – van zichzelf, van zijn gekte, van wat voor stemmen in zijn hoofd dan ook – hij kon niet weten dat ze iets met Stella te maken hadden, omdat hij niet eens wist dat ze op de kermis zou zijn.

Tenminste, ik dacht van niet...

Maar ze waren wel samen op de kermis.

En mam had gelijk, ze werden nu alle twee vermist.

Stella en Raymond.

Raymond en Stella...

Toen ik mam weer aankeek, voelde ik me ineens ongelooflijk treurig. 'Raymond zou nooit iets verkeerds doen,' zei ik halfluid en ik schudde mijn hoofd. 'Hij zou niemand pijn doen... dat zou hij niet kunnen...'

'Al goed, Pete,' zei mam. 'Het is al goed...'

'Nee, dat is het niet,' fluisterde ik met inmiddels bevende stem. 'Het is níét goed. Er is iets helemaal niet goed.'

Daarna probeerde ik wat te slapen, maar ik kon alleen maar op mijn bed liggen, naar de geluidloze tv staren, en wachten tot er iets zou gebeuren. Sky News bleef de videoclip van Stella en Nic op de kermis uitzenden, en ik bleef ernaar kijken en vroeg me af of het iets te betekenen had... en wanneer ze de rest zouden vertonen.

Stella met Raymond.

De ster dooft vannacht...

... en Stella met mij...

Hier krijg je spijt van...

De kwellende woorden bleven maar in mijn hoofd branden.

Ik lag nog steeds in bed naar de stomme tv te staren, toen ik beneden de telefoon hoorde. Ik hoorde mam uit de huiskamer komen, de gang inlopen, de telefoon oppakken... en hoorde haar een tijdje zachtjes praten. Ik kon niet horen wat ze zei, maar uit haar toon maakte ik op dat ze het tegen pap had. En het was niet moeilijk te raden waar ze het over hadden.

Ik wachtte en luisterde... en heel even flitsten mijn gedachten terug naar donderdagavond toen de telefoon was gegaan en de zomer van dit verhaal was begonnen. Toen had ik ook op bed gelegen. Bezig met niks doen, naar het plafond kijken, en me met mijn eigen domme dingen bezighouden.

'Pete,' riep mam nu. 'Pap aan de telefoon!'

Een seconde lang verroerde ik me niet. Ik lag gewoon op bed

163

niets ziend naar de slaapkamerdeur te kijken... totaal wezenloos.

'Pete!' riep mam weer, maar nu harder. 'Kom, schiet een beetje op. Pap wil je spreken... het is belangrijk.'

Ik schudde het wezenloze van me af, stond op en ging naar beneden.

'Hoi, pap,' zei ik terwijl ik de telefoon van mam overnam. 'Heb je...?'

'Ik had je gezegd binnen te blijven.'

'Ik ben niet...'

'Niet liegen, Pete. Ik weet waar je hebt gezeten.'

'Ik ben alleen maar...'

'Hoor eens,' zei hij boos, 'als ik zeg dat je thuis moet blijven, blijf je thuis. Heb je dat begrepen?'

'Ja, maar...'

'Heb je dat begrepen?'

'Ja, pap. Sorry.'

'Goed, luister,' zei hij snel, 'ik moet zo ophangen... het wordt nogal ingewikkeld. Ik weet niet of ze het goedvinden dat ik...'

'Wat?' vroeg ik. 'Wat goedvinden?'

'Niets, laat maar. Luister, ik wil dat je de rest van de dag thuis bij je moeder blijft. Je gaat nergens naartoe en praat er met niemand over. Is dat duidelijk?'

'Ja...'

'En als ik zeg niemand, bedoel ik ook niemand, Pete. Begrijp je dat? Kan me niet schelen wie het is – de pers, je vrienden, politie...'

'Politie?'

'Ik leg het je later wel uit. Gewoon nergens iets over zeggen voor je met mij hebt gesproken. Ik kom zo naar huis...'

'Maar waarom...?'

'Gewoon doen wat ik zeg, Pete.'

'Ja, oké...'

'Goed, ik moet ophangen…'

'Heb je al iets over Raymond gehoord?'

'Nee, maar we zijn naar hem op zoek. Zijn moeder heeft ongeveer een uur geleden gebeld. We zullen van jou een schriftelijke verklaring moeten hebben over afgelopen nacht…'

'Een verklaring?'

'Straks… wanneer ik thuis ben leg ik het allemaal wel uit. Blijf voorlopig waar je bent, en ik spreek je zo gauw ik kan.'

Daarna probeerde mam een tijdje een gesprek met me aan te knopen; ze vroeg wat pap had gezegd, en wat ik terug had gezegd, maar ik was niet in de stemming om vragen te beantwoorden, dus mompelde en prevelde ik maar wat en bleef mijn schouders ophalen, tot ze het uiteindelijk opgaf en me terug naar mijn kamer liet gaan.

Pap had echt vreemd geklonken, en ik begreep niet waarom. Ik begreep waarom hij kwaad op me was, en dat hij erg onder druk stond, maar van de rest – dat hij me niks wilde vertellen, dat hij erop stond dat ik niks tegen iemand zou zeggen, zelfs niet tegen de politie – begreep ik gewoon niets. Het leek bijna of hij me ergens tegen wilde beschermen…

Of dat hij zichzelf wilde beschermen?

Ik lag op bed, staarde naar de tv, en dacht erover na.

Zowat een uur later was ik daar nog steeds mee bezig toen mijn telefoon ging. Ik nam snel op, hoopte dat mam niets zou horen, en praatte zacht.

'Hallo?'

'Pete?'

'Hé, Nicole. Hoe gaat het…'

'Heb je het gehoord, over Stella?' vroeg ze snel.

'Ja…'

'Ik heb het net op het nieuws gezien. Jezus, Pete… wat is er verdomme aan de hand? Waarom draaien ze steeds dat stukje film over de kermis? Heb je het gezien?'

'Ja.'

'Shit… daar lijkt het net alsof ik er iets mee te maken heb.'

'Nee hoor…'

'Ja hoor. Stella wordt vermist en moet je mij daar naar haar zien kijken alsof ik haar wil vermoorden of zoiets… ik bedoel, shit, dat kunnen ze toch niet maken? Ik sta op die film… ze kunnen die toch niet zomaar blijven afdraaien zonder mijn toestemming of zo, of wel?'

'Ik weet het niet, Nic…'

'Shit,' zei ze nog eens en ik hoorde dat ze een sigaret opstak. 'Wat denk jij dat er met haar gebeurd is, Pete?'

'Ik weet het niet.'

'Denk jij dat Raymond er iets mee te maken heeft?'

'Nee.'

Ze aarzelde even, trok aan haar sigaret, en toen ze weer wat zei, klonk ze een beetje kalmer. 'De politie wil natuurlijk informatie van ons hebben, denk je niet?' vroeg ze.

'Dat denk ik wel…'

'Wat heb je aan je vader verteld?'

'Waarover?'

'Over gisteravond.'

'Ik heb hem verteld wat er gebeurd is.'

'Alles?'

'Nee, niet alles… maar het meeste weet hij.'

'Heb je hem over de hut verteld?'

'Nee, alleen dat we naar de kermis zijn gegaan.'

'En wat over ná de kermis?'

Nu was het mijn beurt om te aarzelen, maar terwijl ik me afvroeg hoeveel ik Nicole moest vertellen en hoeveel ze al wist, besefte ik dat ik haar sowieso al te veel had verteld, en dat ik door alleen maar met haar te praten precies deed wat pap me had gezegd niet te doen. Ga nergens naartoe, had hij gezegd, en praat er met niemand over. Maar dit was niet niemand. Dit was Nicole. En het voelde oké. En ik had er behoefte aan om me oké te voelen.

'Na de kermis ben ik naar jouw huis gegaan,' zei ik.

'O, ja?' zei ze op haar hoede.

'Nadat ik overal naar Raymond had gezocht, ben ik op de terugweg bij jullie langs geweest. Ik dacht dat hij daar misschien naartoe was.'

'Hoe laat was dat?'

'Weet ik niet… vrij laat. Er was niemand thuis.'

'Ja,' zei Nic, 'ik geloof dat Eric niet eerder thuis was dan rond een uur of drie of zoiets…'

'Om drie uur was ik daar.'

Ze snoof. 'Nou, dan was het misschien halfvier.'

'Nee.'

'Hoe kun jij dat nou weten?'

'Ik ben op jullie stoep in slaap gevallen. Ik ben daar de hele nacht geweest. Eric is niet eerder dan een uur of zes thuisgekomen.'

Ik luisterde naar de stilte, en vroeg me af wat Nicole ging zeggen. Wist ze dat Eric tegen me had gelogen, of herhaalde ze alleen maar wat haar was verteld?

'Weet je vader dat?' vroeg ze kalm.

'Wat?'

'Dat je de hele nacht bij ons thuis was. Ik bedoel, heb je hem verteld dat Eric er niet was?'

'Ja… ja, ik geloof van wel. Pap was thuis toen ik terugkwam, en hij vroeg waar ik de hele nacht had gezeten.'

Nic zuchtte. 'Moet je horen, Pete… Eric schaamde zich alleen maar. Hij heeft alleen maar tegen je gelogen omdat hij zich schaamde.'

'Waarover?'

'Als je belooft dat je het aan niemand vertelt.'

'Dat gaat niet, Nic. Als de politie me vragen gaat stellen, ga ik niet…'

'Nee, oké,' zei ze. 'Zo bedoelde ik het niet. Ik bedoelde alleen, je snapt me wel… dat je het niet verder moet vertellen. Het niet rond moet bazuinen.'

'Wat rondbazuinen?'

Ze zuchtte weer. 'Eric… nou, hij is gisteravond een beetje dronken geworden, en uiteindelijk met iemand meegegaan.'

'Nou en?'

Ze schraapte haar keel. 'Nou ja, het was iemand… iemand met wie hij dat niet had moeten doen… een oudere man. Ik bedoel, niet zo heel erg oud of zo, je snapt me wel, het was geen vieze oude man, hij was nog maar vijfentwintig of zoiets… en verder helemaal in orde, weet je wel… alleen had Eric nooit met hem geslapen als hij niet dronken was geweest, als je begrijpt wat ik bedoel.'

Ja, dacht ik bij mezelf, denkend aan de kermisjongen. Ja, ik weet precies wat je bedoelt.

'Hij heeft een fout gemaakt,' zei Nic. 'Meer is het niet, Pete. Een foutje. Hij heeft om de verkeerde redenen met een man geslapen. Hij weet dat het verkeerd was, en zou willen dat hij het niet had gedaan en voelt zich daar nu slecht over.' Ze zweeg even. 'Begrijp je wat ik bedoel?'

'Ja,' zei ik, 'ik geloof van wel.'

'Dus, je snapt wel… dat het…'

De verbinding begon slecht te worden.

'Nic?' vroeg ik. 'Ben je er nog?'

'… als iemand… hallo?'

'Hoor je me?'

'Hallo, Pete?'

De verbinding viel weg.

Ik probeerde haar terug te bellen, maar haar nummer was bezet; ik dacht dat ze mij probeerde te bellen. Dus verbrak ik de verbinding en wachtte tot ze zou bellen, maar er kwam niets. Ik wachtte nog een paar minuten en belde haar toen weer, maar nu had ik geen bereik.

Dus gaf ik het op en bleef gewoon liggen denken aan wat ze had gezegd, en me weer afvragen waarom Eric had gelogen. Dat gedoe over slapen met een oudere kerel en zich daar echt voor schamen, sloeg nergens op. Zelfs als het waar was, en Eric zich er echt voor had geschaamd – wat ik, Eric kennende, heel erg betwijfelde – dan verklaarde dat nog niet waarom hij tegen mij had gelogen. Hij had gewoon tegen me kunnen zeggen dat hij met iemand geslapen had. Hij had me niet hoeven vertellen wie het was en hij had kunnen weten dat ik er niet naar zou vragen, dus zou er niets geweest zijn waarover hij zich had hoeven te schamen.

Dus waarom liegen?

En waarom was hij afgelopen nacht met Wess Campbell op de kermis?

En Stella, ik dacht aan Stella…

En aan Pauly.

Maar het meeste dacht ik aan Raymond.

Raymond…

Aan zijn gezicht, zijn lach… zijn vreemd staande ogen.

Aan zijn ouders… te veel problemen, te veel misverstanden.

Aan zijn lichtpuntjes… *de ster dooft vannacht.*

Aan zijn toekomst: de kaart van de dood.

Gaat er iemand dood?

Het leven bestaat bij gratie van de dood.

Toen begon ik weg te zakken en na een tijdje moet ik denk ik in slaap zijn gevallen, omdat ik het volgende moment mijn ogen opendeed in een donker geworden kamer en de lucht stil was met de geluiden van de nacht. Ik zweette en huiverde. Warm en koud.

Ik was wakker. Maar niet helemaal. Ik sliep niet en wist dat ik niet droomde, maar het voelde wel zo. Mijn gedachten zweefden vrij rond, mijn verstand was uitgeschakeld. Mijn zintuigen leken niet meer van mij te zijn. De duisternis had een vreemde zilveren weerschijn, en in het donkere licht zag ik de dingen van vorm veranderen. De tv stond nog aan en flikkerde in driedimensionale kleuren. Mijn cd-speler lachte naar me. Mijn huid voelde als fluweel, de lucht was wit. Het plafond boven me was kilometers ver weg, een ander universum. Met bergen, rivieren, dalen, wegen.

Daarboven lachten kinderen.

Een kermisorgel speelde.

Het porseleinen konijn op mijn kast was een paard… een paard dat fronste… met een halsketting van bloemen… en een snor.

Uit de bloemen druppelde bloed.

Het paard was een konijn, dat trilde met zijn porseleinen neus…

Tegen me fluisterde.

Zwartkonijn fluisterde tegen me.

Neem me mee naar huis… breng me naar huis…

'Raymond?' hoorde ik mezelf mompelen.

Breng me naar huis.

'Waar ben je?'

Nergens.

'Waar ben je, Raymond?'

Overal…

'Wat is er met je gebeurd?'

Niets. Het doet er niet toe.

'Raymond? Wat gebeurt er allemaal?'

Hij veranderde nu van vorm en hing dreigend als een grote zwarte reus over me heen…

Pete…?

… met een reusachtig hoofd, een reusachtige mond en een reusachtige hand die hij naar mij uitstrekte.

'Peter?'

De reuzenstem klonk ver en traag zonder dat ik wist waar hij vandaan kwam. Hij zwol op, was overal en nergens. Het was beangstigend. Ik deinsde achteruit, jankte als een kind en bedekte mijn ogen met handen waar geen gevoel in zat...

'Wat is er, Pete? Wat doe je?'

De stem klonk plotseling zacht.

En vertrouwd.

En toen ik mijn ogen opendeed en het zweet weg knipperde, was alles weer normaal. Mijn kamer was gewoon weer mijn kamer. Geen lachende cd-spelers, pratende konijnen of paarden met snorren. Geen zwarte reuzen met reuzenhoofden en reuzenhanden. Alleen maar mijn vader die naast mijn bed stond en voorzichtig zijn hand naar me uitstak.

Veertien

Ik denk niet dat pap me echt geloofde toen ik hem vertelde dat er niets was om zich zorgen over te maken, dat ik alleen maar een nachtmerrie had gehad, maar ik denk ook dat hij iets anders liever niet geloofde. Ik bedoel, hij had kunnen denken dat ik gek was, of lag te ijlen, of helemaal van de wereld was door drugs of zoiets, maar dat wilde hij niet geloven. Dus bleef hij een tijdje stil naar me staan kijken terwijl ik rechtop ging zitten, het zweet van mijn gezicht veegde en vervolgens, na zo'n minuut van peinzende stilte, zuchtte hij bij zichzelf – zette zijn twijfels opzij – en ging voorzichtig op de rand van het bed zitten.

'Gaat het echt goed met je?' vroeg hij.

'Ja…'

'Je ziet er anders niet goed uit.'

Ik lachte naar hem. 'Het was maar een nachtmerrie, pap. Echt… alles in orde.'

Natuurlijk was dat niet zo. Ik was verre van in orde. Ik voelde me zwaar en stijf. Alsof iemand lood in mijn aderen had gespoten. Mijn armen en benen tintelden, mijn ogen waren te groot, en mijn hoofd…

God, wat voelde mijn hoofd raar.

'Waarom ben je aangekleed?' vroeg pap.

'Wat?'

'Het is nog niet eens acht uur.'

Ik keek om me heen en wreef in mijn ogen, plotseling in de war wat de tijd betrof. Ik was ervan uitgegaan dat het middernacht was of zoiets, maar nu zei pap dat het acht uur was, wat niet klopte, want dan zou het niet donker zijn als het nog maar acht uur 's avonds was… maar toen, terwijl ik naar het raam keek en het zonlicht naar binnen zag stromen, besefte ik dat het niet meer donker was… natuurlijk was het niet donker, het was acht uur 's morgens.

Het was maandagochtend.

Ik had ik weet niet hoelang geslapen.

Ik kon het gewoon niet geloven.

Ik keek naar pap en probeerde mijn verbazing te verbergen. 'Ik was moe,' zei ik. 'Ik moet met de tv aan in slaap zijn gevallen.'

Hij wierp een blik op de tv. Hij stond nog steeds op Sky News. Ze hadden het over effecten en aandelen.

'Ben je net terug van je werk?' vroeg ik aan pap.

Hij knikte. 'Zo'n halfuur geleden.'

'Ik dacht dat je gisteren naar huis zou komen? Je zei aan de telefoon dat je zo thuis zou zijn…'

'Ja, ik weet het, maar toen gebeurde er van alles… Ik kon niet weg.' Hij keek me aan. 'We moeten praten, Pete. En we hebben niet veel tijd.'

'Wat bedoel je?'

Hij zweeg even en keek me in de ogen. Toen haalde hij diep adem en zei: 'Een van mijn collega's komt over een halfuur langs om met jou over Raymond en Stella te praten. Ik weet niet of hij nu al echt een schriftelijke verklaring gaat afnemen, maar hij zal alles willen weten wat er op zaterdagavond is voorgevallen. En dan bedoel ik álles, begrijp je dat?'

'Ik heb jou al verteld wat er gebeurd is.'

'Maar je hebt me niet alles verteld, is het wel?'

Ik haalde mijn schouders op.

Hij zei: Luister, dit is heel belangrijk, Pete. Ik weet dat het voor jou misschien niet zo leuk is, maar de politie moet weten wat er gebeurd is…'

'Waarom kan ik dat niet gewoon aan jou vertellen?' vroeg ik.

'Waarom moeten ze iemand anders langs sturen om met me te praten? Jij kunt mij toch ook een verklaring afnemen?'

Pap schudde zijn hoofd. 'Ik ben bang dat het niet zo simpel ligt.'

'Waarom niet?'

'Omdat je erbij betrokken bent.' Hij haalde nog een keer diep adem en toen hij langzaam uitademde, merkte ik hoe de uitputting van hem af straalde. 'Je was met Raymond,' zei hij vermoeid, 'en Raymond wordt nog steeds vermist. En jullie waren alle twee op de kermis toen Stella Ross verdween.' Hij keek me aan. 'Je bent erbij betrokken, Pete. En ik ben je vader. En dat betekent dat ik er níét bij betrokken mag raken.'

'Waarom niet?'

'Tegenstrijdige belangen,' zei hij eenvoudig. 'Als iets ervan ooit voor de rechter komt, en een van de getuigen de zoon van een behandelend rechercheur blijkt te zijn... nou dan komt de zaak niet eens voor de rechter.' Hij zuchtte. 'Dus met ingang van zeven uur hedenmorgen ben ik officieel van de zaak afgehaald. Ik zou er eigenlijk niet eens met jou over mogen praten.'

'Maar dat doe je wel.'

Hij glimlachte. 'Ik doe mijn best.'

Ik keek hem aan. 'Is er nieuws over Raymond?'

Hij schudde zijn hoofd. 'Nog niet.'

'En over Stella?'

Hij keek op zijn horloge. 'Luister, we hebben nog maar twintig minuten voor...

Hij zweeg en luisterde toen een auto voor de deur stilhield. Ik hoorde een autoportier open- en dichtslaan, tsjak, tsjak, en daarna voetstappen die op het huis af kwamen.

'Shit,' zei hij met een snelle blik op zijn horloge. 'Hij is vroeg.'

De bel ging.

Pap draaide weg van het raam en keek me aan. 'Je kent John Kesey toch wel?'

Ik knikte. John Kesey was een rechercheur die al jaren met pap samenwerkte. Ze waren ook buiten het werk bevriend. Goed bevriend.

'Goed, luister,' zei pap snel. 'Ik wil dat je John de waarheid vertelt, oké? Wat hij ook vraagt, hoe ongemakkelijk je je daar ook onder voelt, vertel hem gewoon de waarheid. Snap je?'

'Ja, maar…'

'Ik ben bij het gesprek, maar denk vooral niet dat je iets voor mij verborgen hoeft te houden.' Hij liep naar me toe en legde zijn hand op mijn schouder. 'Moet je horen, ik weet van de fles wijn die je hebt gepakt, oké? En ik weet dat je een beetje dronken bent geworden… en ik neem aan dat je nog het een en ander hebt uitgevoerd waarvan je ook niet wilt dat ik het weet. Maar dat geeft allemaal niks. Goed? Vertel gewoon de waarheid en hou niks achter. Oké?'

'Ja…'

De bel ging weer.

'Goed,' zei pap en hij liep naar de deur. 'Kom op dan.'

Toen we naar beneden liepen, had mam John Kesey al binnengelaten, en zaten ze samen in de huiskamer op ons te wachten. Kesey zag er ongeveer hetzelfde uit als altijd: een beetje ongezond bleek, alsof hij altijd in donkere kroegen zat. Hij was bijna even oud als pap, maar zag er afgeleefder en meer gespannen uit. Hij had vermoeide ogen, vingers met nicotinevlekken, en zijn adem rook naar verschaald bier en pepermunt.

Hij knikte naar pap toen we de kamer binnenkwamen.

'John,' zei pap terug knikkend. 'Je bent vroeg.'

'Ja, sorry, Jeff, we konden niet wachten. Je weet hoe het gaat… Als je wilt kan ik buiten even in de auto wachten…'

'Nee,' zei pap, 'jij niet.'

'Zeker weten?'

'Ja.'

Kesey keek naar mij. 'Goed, Pete?'

Ik knikte.

Hij glimlachte naar me.

Pap zei: 'Wil je een kop koffie of iets anders?'

'Ja, lekker, graag.'

Pap keek naar mam: 'Wil jij daarvoor zorgen, schat?'

Mam keek even naar mij, lachte, en keek toen weer naar pap. Even dacht ik dat ze iets tegen hem ging zeggen, maar ze zweeg. Ze keek hem alleen even aan om te laten zien wat ze dacht – wat dat ook was – toen draaide ze zich om en liep naar de keuken.

Pap zei tegen Kesey: 'Neem je een verklaring op?'

'Nee, nog niet,' zei Kesey. 'De chef wil eerst alle informatie bij elkaar hebben. We hebben nog steeds geen goed beeld.' Hij keek weer naar mij: 'We willen je alleen een paar vragen stellen als je dat goed vindt.'

Ik haalde mijn schouders op.

Pap zei: 'Is het een probleem als ik erbij blijf?'

Kesey schudde zijn hoofd: 'Zolang je maar niet…'

'Ja, ik weet het. Ik zeg niks.'

Kesey leek een beetje verlegen. 'Moet je horen, ik vind het rot voor je, Jef. Ik weet dat dit heel vervelend voor je is…'

'Het is oké,' zei pap nors. 'Geen probleem. Laten we maar beginnen.'

Tegen de tijd dat we allemaal zaten – ik op de bank, Kesey naast me in de leunstoel en pap in een andere bij het raam – was mam terug met twee kopjes koffie. Ze gaf er een aan pap en de andere aan Kesey, draaide zich toen om en liep weg zonder iets te zeggen.

'Oké, Pete,' zei Kesey en hij nam een slokje, 'het enige wat we nu gaan doen is nalopen wat er zaterdagavond is gebeurd, oké?' Hij zette zijn kopje neer en pakte zijn notitieblok. 'Dit is geen officieel verhoor, en je staat niet onder ede of zo. We willen alleen wat voor-

176

bereidend onderzoek doen en daarvoor hebben we wat details nodig. Oké?'

'Ja.'

'Goed… oké, nou, ik denk dat je wel weet dat Raymond Daggett door zijn ouders als vermist is opgegeven, en volgens jouw vader, zou jij wel eens de laatste persoon kunnen zijn die hem gezien heeft. Klopt dat?'

'Ja.'

'En dat was zaterdagavond op de kermis?'

'Ja… nou, eigenlijk was het zondagochtend.'

'Goed, zondagochtend. Dus Raymond en jij gingen samen naar de kermis?'

'Zo ongeveer…'

'Wat bedoel je met "zo ongeveer"?'

Ik probeerde te doen wat pap had gezegd. Ik probeerde Kesey de waarheid te vertellen, en eerst had ik daar geen moeite mee. Ik vertelde hem eerlijk dat ik een fles wijn van pap had gepakt en dat Raymond ook drank van zijn ouders had meegenomen. Daarna vertelde ik hoe we de anderen in de hut hadden ontmoet, legde uit waar die was, en wie die anderen waren, gaf toe dat we allemaal hadden gedronken (ik zei niets over de drugs), en dat ik met Nicole in de hut was achtergebleven toen de anderen vooruit waren gegaan naar de kermis…

'Wacht even,' zei Kesey bij dat punt. 'Jij bleef met Nicole achter in de hut?'

'Ja…'

'Wat deed Raymond?'

'Die ging door naar de kermis met Pauly en Eric.'

'Juist… maar jij bleef achter met Nicole?'

'Ja.'

'Hoe lang?'

'Geen idee… misschien zo'n twintig minuten, in die richting.'

Ik zag Kesey snel even naar pap kijken, toen keek hij weer naar mij. 'Waarom bleven jullie met zijn tweeën achter?'

'Nic wilde me spreken,' zei ik. 'Onder vier ogen.'

Kesey zei niets, hij keek me alleen maar aan.

'We waren vroeger nogal dik bevriend,' legde ik uit, terwijl ik probeerde niet te blozen. 'Ik bedoel, toen we klein waren trokken we altijd veel samen op, en daar wilde ze gewoon over praten, je weet wel… praten over vroeger.'

'Juist,' zei Kesey. 'Dus daar bleef het bij? Je hebt alleen over vroeger gepraat?'

Toen voelde ik dat iets me tegenhield, een soort van… ik weet niet. Misschien een soort intuïtieve waarschuwing. Het is moeilijk uit te leggen, maar het was alsof iets binnen in me – een dringend gefluister in mijn achterhoofd – me zei voorzichtig te zijn, zeg niet te veel… hij hoeft niet álles te weten. Ik begreep het niet echt, maar ik was al een keer in de fout gegaan door niet te luisteren naar dingen die ik niet begreep, en die fout wilde ik niet nog een keer maken.

'Pete?' zei Kesey. 'Voel je je wel goed?'

'Ja… sorry. Ik was even…'

'Even wat?'

'Niets.' Ik lachte vaag naar hem. 'Sorry, ik ben vergeten wat ik zei.'

'Je vertelde over Nicole,' zei hij geduldig. 'Weet je nog? Je was met haar in de hut, om te praten over "vroeger".'

'O, ja…'

'En dat was het enige wat jullie deden? Praten?'

'Ja.'

'Verder niets?'

'Zoals?'

Hij lachte veelbetekenend. 'Toe nou, Pete, je weet best wat ik bedoel: jij en Nicole, alleen in de hut… jullie hadden alle twee wat gedronken…'

'We hebben alleen over van alles gepraat,' zei ik nonchalant terwijl ik hem recht aankeek. Meer niet. Er is niets gebeurd.'

'Goed,' zei hij, terwijl zijn lach snel verdween. 'Hoe komt het dan dat Nicole uiteindelijk alleen naar de kermis ging?'

Ik aarzelde. 'Wat bedoel je?'

'Ik ben niet gek, Pete,' zei hij vermoeid. 'Ik heb de videoclip gezien die ze steeds op het nieuws uitzenden, die met Stella op de kermis. Dat is toch Nicole op de achtergrond? Het meisje dat door Stella genegeerd wordt... dat is Nicole Leigh.'

'Ja.'

'En ze komt net aan op de kermis.'

'Ja.'

'In haar eentje.'

'Nou en?'

'Nou, waar was jij? Ik bedoel, als jullie samen in de hut een aardig vriendelijk gesprek voerden, waarom ging je dan niet samen naar de kermis?'

Ik wist even niet wat ik moest zeggen. Ik keek hem alleen maar aan en probeerde er niet al te dom uit te zien.

Hij zei: 'Snap je wat ik bedoel?'

'Ja,' mompelde ik en ik sloeg mijn ogen neer.

'Wat is er gebeurd, Pete?'

Ik haalde diep adem en keek hem aan. 'Het stelde niets voor... ik bedoel, we hadden gewoon een beetje ruzie, meer niet.'

'Nicole en jij?'

'Ja.'

'Jullie hadden ruzie in de hut?'

'Ja.'

'Waarover?'

'Nergens over, eigenlijk...'

'Het moet toch ergens over gegaan zijn.'

Ik schudde mijn hoofd. 'Gewoon een ruzietje om niks, je weet wel… we hadden alle twee te veel op, ik zei iets verkeerds, Nicole werd een beetje kwaad…'

Kesey trok zijn wenkbrauwen op. 'Wat heb je gezegd waardoor ze kwaad werd?'

'Ik weet het niet meer.'

'Je weet het niet meer?'

Ik haalde mijn schouders weer op. 'Wat ik zei, een ruzietje om niks…'

Hij bleef me een tijdje aankijken en liet merken dat hij niet erg tevreden was met mijn antwoord, maar toen knikte hij. 'Goed,' zei hij zuchtend, 'dus jullie hadden ruzie. Wat gebeurde er toen?'

'Nic liep de hut uit en ging in haar eentje naar de kermis.'

'Was ze nog steeds kwaad op jou?'

'Ik neem aan van wel.'

'Wat deed jij nadat ze vertrokken was?'

'Niks bijzonders… ik bleef nog een tijdje in de hut, misschien zo'n vier minuten, en toen ben ik naar de kermis gegaan.'

Kesey keek me aan. 'Kennen Stella en Nicole elkaar?'

De plotselinge verandering van onderwerp overviel me. 'Sorry?'

'Stella en Nicole,' herhaalde hij langzaam. 'Kennen die elkaar?'

'Eh, ja… ik bedoel, toen Stella nog op school zat waren ze bevriend met elkaar, maar toen Stella beroemd werd zijn ze zo'n beetje uit elkaar geraakt…'

'Dus ze zijn niet meer bevriend?'

'Niet echt.'

'Is dat de reden waarom Stella Nicole negeerde op de kermis?'

'Weet ik niet. Waarschijnlijk…' Ik keek hem aan en besefte plotseling waar hij naartoe wilde. 'Ze hebben geen hekel aan elkaar of zo,' zei ik. 'Ik bedoel, als je probeert te zeggen dat Nic…'

'Ik probeer niks te zeggen,' zei hij kalm. 'Weet jij waar die videoclip vandaan kwam?'

'Wat?'

'De video van Stella op de kermis… weet jij wie die gemaakt heeft?'

'Gewoon een of andere kerel met een camera,' zei ik. 'Hij was samen met Stella. Er was er ook een met een microfoon.'

'Waren die samen met Stella?'

'Ja, ze had een hele vracht mensen bij zich.'

'Hoe zagen de cameraman en de kerel met de microfoon eruit?'

Ik wist niet meer hoe ze eruitzagen, maar ik deed mijn best om ze te beschrijven. Terwijl ik daar zo'n beetje zat te mompelen – een was vrij groot, de ander een beetje kleiner – en Kesey het allemaal ijverig zat op te schrijven, drong het tot me door dat als de politie niet wist wie de clip had gemaakt, ze er dan waarschijnlijk ook niet meer van hadden gezien. Wat betekende dat ze waarschijnlijk niet wisten dat Raymond op de kermis samen met Stella was geweest, of dat ik hem bij haar vandaan had gehaald. En dat betekende waarschijnlijk weer…

'Dus je hebt haar gezien?'

'Wie?'

'Stella Ross. Je hebt haar gezien op de kermis?"

Ik keek hem aan.

Hij zei: 'Ik bedoel, als je die twee mannen met filmapparatuur hebt gezien, en je vertelt me dat die met Stella waren…'

'Ja,' zei ik. 'Ja, ik heb haar gezien.'

'Heb je met haar gesproken?'

'Maar heel kort…' Ik haalde mijn schouders op. 'We hebben elkaar even gedag gezegd, gewoon… Ik ken haar van vroeger van school.'

Kesey lachte. 'Dus jou negeerde ze niet?'

'Nee.'

'Hoe laat was dat?'

'Vrij vroeg… rond halfelf, elf uur. Ik was er nog maar net.'

'Wat deed ze?'

'Niks bijzonders… een beetje rondlopen, je weet wel… genieten van alle aandacht.'

'En je zei haar alleen maar gedag?'

'Ja.'

'Verder nog iets?'

Ik schudde mijn hoofd. 'Ik was op zoek naar Raymond. Ik voelde me rot dat ik hem alleen naar de kermis had laten gaan.'

'Waarom?'

'Hij is een beetje… hij wordt wel eens ergens bang van.'

'Bang?'

'Ja.'

Kesey schreef iets op zijn notitieblok en keek toen weer naar mij. 'Dus je ging op zoek naar Raymond?'

'Ja.'

'En?'

Ik vertelde verder, maar was nu nog voorzichtiger met de feiten. Ik vertelde Kesey dat ik Raymond op de kermis had gevonden, maar liet de details weg. Ik vertelde hem dat we naar de waarzegster waren gegaan, maar niet wat ze had gezegd. En dat ik Raymond bij de wc-cabines uit het oog was verloren, en hem in de paar uur daarop had gezocht, maar over de rest vertelde ik niks.

'Dus hoe laat ben je echt van de kermis vertrokken?' vroeg Kesey.

'Weet ik niet… nogal laat. Voorbij middernacht.'

'En toen ben je rechtstreeks naar huis gegaan?'

'Nee, ik ben langs Eric en Nicole gegaan.'

'Waar wonen die?'

'Recreation Road. Ik dacht dat Raymond daar misschien zou zijn.'

'Maar dat was niet zo?'

'Nee.'

'Heb je Eric of Nicole gesproken?'

Ik schudde mijn hoofd. 'Ze waren niet thuis.'

'Dus wat heb je toen gedaan?'

'Ik heb gewacht…'

'Hoe lang?'

'Weet ik niet… ik ben in slaap gevallen.

Kesey grijnsde naar me. 'Je bent in slaap gevallen?'

'Dat was ik niet van plan… Ik ben gewoon op de stoep bij de voordeur gaan zitten en ik zal wel een beetje aangeschoten zijn geweest, je weet wel…'

'Hoe laat werd je wakker?'

'Rond een uur of zes… het regende. Ik ben teruggelopen naar Hythe Street en langs Raymond gegaan om te zien of hij thuis was… maar dat was niet zo. En iemand had zijn konijn afgemaakt…'

'En toen ben je hier teruggekomen en heb je met je vader gesproken?'

'Ja… ik heb eerst geprobeerd met meneer en mevrouw Daggett te praten over Raymond, maar die leken zich niet erg ongerust te maken. Dus ben ik naar huis gelopen en heb het aan pap verteld.'

'Juist.' Kesey keek me aan. 'Waarom ging je zondagochtend terug naar de kermis?'

'Sorry?'

'Je weet wat ik bedoel, Pete. Waarom ging je terug?'

'Om Raymond te zoeken. Ik maakte me ongerust over hem.'

'Dat was niet wat je tegen de agent zei die vroeg wat je daar deed.'

'Wat?'

'Toe nou, Pete,' zei Kesey, weer met die grijns. 'Die agent van de uniformdienst zondagochtend op de kermis. Hij vroeg je wat, weet je nog? Hij vroeg wat je daar deed, en jij zei dat je gewoon wat rondkeek. Je hebt niks over Raymond gezegd.'

'Ja, weet ik…'

'En toen hij vroeg hoe laat je zaterdag van de kermis was vertrokken, heb je toch niets gezegd over dat je op de terugweg bij Eric en Nicole was langsgegaan?'

'Nou, nee…'

'Waarom niet?'

'Ik weet niet… Ik was gewoon… Ik probeerde niks te verbergen…'

'Zoals?'

'Niks… ik bedoel, er is niks te verbergen, ik bedoelde alleen maar, je weet wel… ik was niet zo helder.' Ik keek naar pap en toen weer terug naar Kesey. 'Het spijt me, oké?'

'Ja, al goed,' zei hij zacht. 'Zolang je ons nu maar alles vertelt.'

'Dat doe ik…'

'Want als je dat niet doet komen we er toch achter. Dat weet je toch wel?' Hij tikte op zijn notitieblok. 'Dit wordt allemaal nagetrokken. Dus als er nog iets is dat je misschien bent vergeten dan kun je het nu zeggen. Begrijp je wat ik bedoel?'

'Ik heb alles verteld.'

'Laten we het hopen,' zei hij. 'Want hoe meer we weten, hoe meer kans dat we Raymond vinden.'

'Ja,' zei ik nors, 'maar als jullie hem net zo snel waren gaan zoeken als Stella…'

'Zo kan hij wel, Pete,' viel pap me in de rede. 'Daar gaan we het nu niet over hebben.'

Kesey keek even naar pap en ik zag een blik in zijn ogen… die iets betekende, iets over tussen hem en pap, maar ik kwam er niet achter wat het was.

'Dat was het?' vroeg pap. 'Ben je klaar?'

Kesey knikte. 'Ja, ik denk dat dit voorlopig voldoende is.' Hij klapte zijn notitieblok dicht en borg het weg. 'Het kan zijn dat we je nog een keer willen spreken, Pete,' zei hij. 'Het spreekt vanzelf dat als Raymond en Stella opduiken, wat ze hopelijk doen, het onderzoek daarmee afgesloten is. Maar als we hen niet gauw vinden, zul je een schriftelijke verklaring moeten afleggen, en zullen we waarschijnlijk nog een stel vragen voor je hebben, oké?'

Ik knikte.

Hij keek me aan met ogen vol vragen waarop hij nog geen antwoord had gekregen, en ik weet bijna zeker dat hij nog iets wilde zeggen, maar van pap de kans niet kreeg.

'Ja, nou, ontzettend bedankt, John,' zei die terwijl hij opstond en de kamer door liep. 'En bedankt dat je me erbij liet blijven. Dat waardeer ik.'

Kesey glimlachte. 'Graag gedaan, Jeff. Bedankt dat je het zo goed hebt opgenomen.'

'Ga je nu terug naar het bureau?'

'Nog niet... ik moet nog bij een paar mensen langs.'

'O.'

'En jij?' vroeg Kesey.

Pap haalde zijn schouders op. 'Om zes uur vanavond weer opdraven. Papierwerk, rapporten, je kent het wel... van alles en nog wat om me uit de buurt te houden.'

'Waarom neem je niet gewoon een paar dagen vrij?'

'Ik heb het geld nodig. Als je vrij neemt heb je geen overwerk.'

'Klopt.'

Ze kletsten door terwijl pap Kesey de kamer uit werkte, en het klonk allemaal heel vriendelijk, maar ik wist dat ze zich alle twee een beetje ongemakkelijk voelden, en ik bedacht dat het voor hen best zwaar moest zijn: pap die zich op de achtergrond moest houden en Kesey het werk moest laten doen; Kesey die streng moest optreden tegen de zoon van zijn beste vriend...

Het was een ongemakkelijke situatie.

En ik had het gevoel dat het er niet beter op zou worden.

Nadat Kesey weg was zei pap niet veel. Ik wist dat hij met me wilde praten, maar ik denk dat hij dacht dat het voor nu wel genoeg was. En hij was ook moe, zo goed als uitgeteld.

'Ik ga een paar uur slapen,' zei hij. 'Als je het niet erg vindt.'

'Ja, prima.'

'En ik geloof dat jij dat ook maar eens moest proberen,' zei hij. 'Je ziet er doodmoe uit.'

'Oké.'

'Ik maak je rond de middag wel wakker en dan praten we.'

'Goed.'

Hij keek me aan terwijl hij probeerde zich te concentreren op wat hij had willen zeggen... maar hij kon er niet op komen. Wat het ook was, hij kreeg het niet voor elkaar. Hij legde zijn hand op mijn schouder en gaf me een kneepje.

'Ik spreek je over een paar uur,' zei hij.

Ik knikte. 'Tot dan, pap.'

Ik keek hem na toen hij vermoeid de kamer uit slofte, en luisterde terwijl hij de trap opging. Ik hoorde hem de slaapkamerdeur opendoen en zachtjes weer sluiten, en kon maar net het zachte gemompel van stemmen horen toen hij tegen mam begon te praten. Ik kon niet horen wat ze zeiden, maar ik vermoedde dat ze het over mij hadden.

Ik ging naar mijn kamer en zorgde ervoor dat pap en mam me konden horen, toen liep ik zachtjes op mijn tenen terug naar beneden, sloop via de achterdeur naar buiten, haalde mijn fiets uit de tuinschuur, en reed die zachtjes achterom naar de voorkant van het huis en de straat op.

Vijftien

De Greenwell-wijk bestaat uit een doolhof van uitgestrekte straten en granietkleurige huizen die er allemaal hetzelfde uitzien. Het is een buurt waar kinderen van zeven de passerende auto's met stenen bekogelen, en die van twaalf het op straat voor het zeggen hebben. Een buurt waar honden geen huisdieren maar wapens zijn, en waar katten dienen om afgemaakt te worden. Een buurt waar iedereen elkaar kent, en iedereen weet of je daar woont of niet. En als je daar niet woont, of niemand kent die daar woont, kun je er maar beter niet te lang rondhangen.

Toen ik naar het centrum van de wijk fietste lag het asfalt er bijna verlaten bij, maar dat wilde niet zeggen dat er niemand in de buurt was. Het betekende alleen dat ik ze niet kon zien. Maar ik voelde dat ik in de gaten werd gehouden terwijl ik door de sombere grijze hitte verder fietste, langs kleine speelveldjes, paadjes vol hondenpoep, garageboxen, uitgebrande auto's, straten die nergens naartoe gingen...

De zon brandde op me neer.

De buurt was kil.

De onzichtbare ogen waren overal.

Pauly Gilpins huis was een grijs grindstenen geval aan het eind van een straat met allemaal grijze grindstenen gevallen. Het had vieze ramen, een poepkleurige deur, en een onooglijke voortuin van gebarsten beton met onkruid. Ik stapte van mijn fiets, nam hem aan de hand mee naar de voordeur en zette hem tegen de muur.

Ik drukte op de bel en wachtte.

Het voelde heel raar om bij Pauly's huis te zijn. Alsof het vertrouwd had moeten zijn maar het niet was. En terwijl ik daar stond te wachten en naar de afgebladderde deur keek, moest ik weer aan vroeger denken, aan de tijd dat Pauly en wij altijd samen optrokken, en plotseling kwam het bij me op dat we toen bijna nooit bij Pauly langs waren geweest. Eigenlijk was ik daar, voor zover ik me kon herinneren, ooit twee keer geweest. En zelfs toen was ik niet binnen gevraagd.

Maar dat was ik weet niet hoe lang geleden…

Toen Pauly eindelijk de deur opendeed, had hij dezelfde argeloze uitdrukking op zijn gezicht die ik had gezien toen hij in zijn eentje op de kermis zat: verloren, eenzaam, somber. Hij was blootsvoets met alleen een spijkerbroek aan en ik vermoedde dat hij nog maar net wakker was. Hij had ongekamde haren, dikke ogen, en het duurde even voor hij me herkende.

'Pete?' vroeg hij knipperend en in zijn ogen wrijvend. 'Hé… wat doe jij hier?'

'Ik moet met je praten,' zei ik.

'Ja?' Nu keek hij over mijn schouder; zijn ogen speurden onwillekeurig de straat af. 'Je had eerst even moeten bellen,' zei hij terwijl hij me nog steeds niet aankeek. 'Ik was net van plan weg te gaan…'

'Is de politie al bij je langsgeweest,' vroeg ik.

Meteen richtte hij zijn blik scherp op mij. 'Wat?'

'De politie… hebben ze al contact met je opgenomen?'

'Waarover?'

'Wat denk je?'

'O, ja… Stella. Ja, ik zag het op het nieuws.' Hij schudde zijn hoofd. 'Niet te geloven…'

Uit zijn woorden sprak niet echt ongeloof, hij zei maar wat… het soort dingen die je zegt als je verwacht wordt iets te zeggen. De verwarde uitdrukking op zijn gezicht leek me ook niet al te oprecht.

'Waarom zou de politie mij willen spreken?' vroeg hij. 'Ik weet niks van Stella…'

'Raymond wordt ook vermist.'

'Raymond?' zei hij. 'Wat heeft Raymond ermee te maken? Hij was niet eens…'

'Hij was niet eens wat?' vroeg ik.

Pauly aarzelde, een snelle nerveuze grimas. 'Wat?'

'Raymond was niet eens wát?' zei ik nog een keer.

'Nee, niks… ik bedoel, hij was niet op het nieuws… Raymond. Snap je, er was niks over Raymond op het nieuws.'

Ik keek hem aan. Nu ontweek hij weer mijn blik en deed alsof hij naar iets op straat keek. Hij krabde in zijn nek, wreef over zijn blote buik, pulkte aan een korstje onder zijn oog…

'Mag ik binnenkomen?' vroeg ik.

'Wat?' zei hij grijnzend.

'Of ik binnen mag komen.'

'Ik wou net weggaan…'

'Wil je niet weten wat de politie aan mij heeft gevraagd?'

'Hebben ze jou dingen gevraagd?'

Ik knikte. 'Vanmorgen.'

'Wat heb je gezegd?'

'Als je me binnenlaat, zal ik het je vertellen,' zei ik.

In Pauly's huis was niets van de zomer te bekennen. Zo heet als het buiten was, zo kil, klam en schemerig was alles daarbinnen. Het voelde als een huis waar nog nooit iets van licht was binnengedrongen.

Terwijl ik achter Pauly aan de smalle trap opliep naar zijn kamer, vroeg ik me af waar zijn ouders waren. Sliepen ze? Waren ze op hun werk? Beneden? Ik had verder niemand gezien of gehoord en het

huis voelde heel leeg aan, maar ik had het idee dat het altijd zo aan-
voelde, dus kwam ik er niet achter of zijn ouders wel of niet thuis
waren. Niet dat het veel uitmaakte. Maar nog terwijl ik dat dacht,
besefte ik dat ik eigenlijk niets van zijn ouders afwist. Ik herinnerde me niet dat ik ze ooit had gezien, en ook niet dat Pauly het ooit
over ze had gehad. Voor zover ik wist, was er misschien niet eens
sprake van meervoud. Ze konden wel gescheiden zijn, uit elkaar,
dood...

'Pas op de krant,' zei Pauly toen we bij de overloop kwamen. 'Die
klotekat heeft weer gekotst.'

Ik stapte over een stuk krant met vlekken en volgde Pauly zijn
kamer in.

Het was daarbinnen niet erg fraai. Ik bedoel niet te zeggen dat mijn
kamer de eerste prijs verdient, maar die van Pauly was niet alleen
niet opgeruimd, maar een smerige, stinkende bende. Overal lag
rotzooi: lege KFC-dozen, stapels vuile kleren, overvolle asbakken,
gonzende vliegen boven onafgewassen borden. Het bed was niet
opgemaakt, de lakens goor en vol vlekken, en de hele kamer stonk
gewoon, zo'n ranzige, zweterige, muffe lucht. Alles in de kamer gaf
me een vies gevoel: de vieze vloer, de vieze goedkope meubels, de
vieze plaatjes die slordig aan de muur waren bevestigd. De gordijnen waren dicht, en dus was er niet veel licht, maar genoeg om te
zien dat sommige van die plaatjes computerprints van Stella
waren. Het waren zielige, ranzige fotootjes, op A4-formaat, slecht
afgedrukt in zwart-wit, korrelige kiekjes van internet.

'Wat?' zei Pauly toen hij me zag kijken. 'Het zijn maar foto's hoor.
Vertel me niet dat jij ze niet hebt gezien.'

'Ik heb ze niet overal aan de muur hangen.'

'Wat wou je daarmee zeggen?'

'Het zijn foto's van Stella, Pauly,' zei ik. 'Stella wordt vermist...'

'Nou en? Denk je dat ik daar iets mee te maken heb?'

'Dat zei ik niet…'

'Denk je dat ik haar foto aan de muur had hangen als ik er iets mee te maken had?'

Ik keek hem aan. 'Als ik jou was haalde ik ze eraf,' zei ik. 'Voor de politie hier komt.'

'Waarom zouden die me trouwens willen spreken?' vroeg hij. 'Wat heb jij ze verteld?'

'Niets. Ze vroegen me over zaterdagavond, meer niet. Ik heb ze over de hut moeten vertellen.'

'Wat over de hut?'

'Ze wilden weten wie er was.'

'Waarom?'

'Godallemachtig! Raymond wordt vermist. Daarom!'

'O ja… Ik dacht dat je bedoelde…'

'Wat?'

'Niks.' Hij liep naar zijn bed, viste een T-shirt uit een stapel vuile kleren en trok het aan. 'Wat is er dan met hem gebeurd?' vroeg hij terloops terwijl hij naar een rommelige computertafel toe liep. 'Met Raymond bedoel ik. Waar zit hij?'

'Als ik dat wist,' zei ik met een zucht, 'zou hij toch niet vermist zijn?'

'Ja, is ook zo…'

Pauly stond nu bij zijn computertafel. Hij stond met zijn rug naar me toe, waardoor ik niet zag wat hij deed, maar aan zijn afwezig klinkende stem kon ik horen dat hij met zijn hoofd niet bij Raymond zat. Hij had zijn aandacht bij iets anders; hij pakte iets op, stak het in zijn zak, pakte nog wat, trok een la open, stopte er iets in, schoof de la weer dicht…

'Ik heb de politie verteld dat jij in de hut was,' zei ik 'maar over later heb ik niets verteld.'

Hij draaide zich om en keek me aan. 'Later?'

'Toen ik je bij de wc's zag. Weet je nog? Je zat op een bank en ik was naar Raymond op zoek, en jij zat naar Eric en Campbell te loeren.

'Ik zat niet naar ze te loeren…'

'Dat deed je wel. Ik heb zo'n vijf minuten achter je gestaan. Ik loerde naar jou.'

Zijn gezicht betrok. 'Jij deed wat?'

'Je zat naar ze te loeren, Pauly. Ik weet het gewoon zeker.'

Nu keek hij me met koude harde ogen aan, en heel even had hij iets waar ik bang van werd. Niet dat hij me iets zou doen. Ik bedoel, ik geloofde niet echt dat hij me iets aan zou doen. Maar ik zag aan zijn ogen dat hij tot een bepaald soort geweld in staat was. Het was heel raar, alsof hij iemand anders was, iemand die ik nooit had gekend.

En op dat moment vroeg ik me af of ik hem ooit had gekend.

Maar het duurde niet lang en toen hij zijn schouders ophaalde en een sigaret opstak, verdween de kilte uit zijn ogen en werd hij weer de Pauly die ik kende.

'Ja, nou ja…' zei hij, rook uitblazend. 'En wat dan nog? Het is toch niet verboden?'

'Waarom deed je het?'

Hij keek me aan terwijl hij bij zichzelf overlegde, liep toen naar zijn bed en ging zitten. 'Goed,' zei hij zuchtend en hij legde zijn sigaret op een asbak, 'ik hield ze in de gaten, ja, oké? Maar wat ik niet snap is waar dat mee te maken heeft. Ik keek alleen maar naar ze, weet je wel…'

'Waarom?'

Hij sloot zijn ogen en bracht zijn handen naar zijn gezicht en heel even dacht ik echt dat hij zou gaan huilen. Maar dat was niet zo. Hij wreef alleen maar in zijn ogen en liet zijn handen langzaam langs zijn gezicht naar beneden zakken alsof hij zich op iets heel moeilijks voorbereidde. Hij haalde adem, deed zijn ogen open, pakte zijn sigaret en keek me aan. 'Moet je horen,' zei hij, 'ik wilde alleen weten wat ze aan het doen waren, oké? Meer niet. Ik zag ze samen en ik wist niet... je weet wel... ik wist niet waarom ze samen waren. Eric en Wes. Het klopte niet, weet je wel?'

'Waarom niet?'

Het korstje onder zijn oog had losgelaten en het wondje bloedde. Hij veegde het af met zijn hand en veegde die daarna met bloed en al af aan het bed. 'Je weet hoe Eric is,' zei hij vals. 'Die hoort niet bij mensen zoals Wes.'

'Wat bedoel je?'

'Je weet wat ik bedoel.' Hij wees met zijn kin naar het raam waarmee hij op de wijk daarbuiten doelde. 'Dit is onze wereld, die van Wes en mij. Eric heeft daar niets te zoeken. Als hij hier zou komen hield hij het nog geen vijf minuten uit.'

'Wat... omdat hij homo is?'

'Nee, omdat hij Eric is.'

Het leek misschien niet zo logisch, maar toen dacht ik te weten wat Pauly wilde zeggen. Wes Campbell was één, maar Eric iets heel anders. Wat ze ook alle twee voor Pauly mochten betekenen, onderling hoorden ze geen band hebben. Ze stonden voor verschillende delen van zijn leven. Verschillende milieus, verschillende werelden. Ze hoorden niet bij elkaar.

'Waar gingen ze naartoe?' vroeg ik.

'Wat?'

'Eric en Wes. Op de kermis, toen je bij mij wegliep; je bent ze toch gevolgd?'

Pauly zei even niets. Hij zat weer met zijn vingers aan het wondje, veegde nog wat bloed weg, drukte toen zijn sigaret uit, stond op en liep naar de deur. 'Moet even pissen,' zei hij. 'Zo terug.'

Hij deed de deur van de kamer achter zich dicht.

De wc was vlak naast zijn slaapkamer, waardoor ik hem naar binnen kon horen gaan en de deur sluiten. Ik wachtte tot ik hem hoorde plassen, liep toen de kamer door naar zijn computertafel en trok zachtjes de la open. Boven op een allegaartje aan cd's en dvd's lag de stuff die Pauly van zijn bureau had gepakt en weg had geborgen: een plastic medicijnflesje vol blauwe pilletjes, een stuk hasj in plastic folie en wat glinsterend poeder in een plastic zakje.

Terwijl ik naar al die troep stond te kijken – en me afvroeg wat de pillen en het poeder waren, en waarom Pauly die zo nodig voor mij had willen verstoppen – hoorde ik hem zachtjes mompelen in de wc. Het klonk alsof hij tegen iemand praatte. Ik spitste mijn oren en probeerde te verstaan wat hij zei, maar ik hoorde alleen het geluid van zijn stem: een zacht, voorzichtig gefluister… te zwak om er iets van te maken.

Na ongeveer een minuut hield het gefluister op en hoorde ik de wc doortrekken. Ik schoof de bureaula dicht en liep weer terug naar de andere kant van de kamer.

'Sorry hoor,' zei Pauly toen hij weer binnenkwam.

Ik keek hoe hij naar zijn bed liep en erop ging zitten. Hij keek me niet aan, en zei ook niks; hij zat daar maar naar de vloer te staren, op zijn lip te kauwen, en op en neer te wippen met zijn voet.

'Tegen wie had je het?'

'Huh?'

'Ik hoorde je praten…'

'Wanneer?'

'Daarnet op de wc. Ik hoorde je tegen iemand praten.'

'Nee hoor,' zei hij hoofdschuddend. 'Waarschijnlijk de mensen hiernaast… je hoort hier alles door die muren.' Hij keek op en grijnsde naar me. 'Je wil gewoon niet weten wat ik soms hoor… nog maar een paar avonden geleden…'

'Ik hoef het niet echt te weten, dankjewel.'

Hij haalde zijn schouders op. 'Zelf weten.'

Ik keek hem aan. 'Je hebt me nog steeds niet verteld over Eric en Wes.'

'Wat is daarmee?'

'Ik vroeg je waar ze naartoe waren gegaan.'

Hij fronste zijn voorhoofd. 'Wanneer?'

'Op de kermis,' zei ik geduldig. 'Toen je hen gevolgd bent. Waar gingen ze naartoe, Pauly?'

Hij schudde zijn hoofd. 'Weet ik niet.'

'Je bent hen gevolgd…'

'Ja, weet ik… maar ik kon ze niet vinden.' Hij keek me aan. 'Eerlijk waar, Pete… ik weet niet waar ze naartoe zijn gegaan. Ik dacht dat ik ze door dat zijhekje zag gaan – je weet wel, vanwaaruit je op Port Lane uitkomt – maar toen ik daar kwam was er niemand te zien. Ik bedoel, ik heb ze gezocht, ben de straat een paar keer op en neer gelopen, maar ik zag ze nergens.'

'Wat heb je toen gedaan?' vroeg ik.

'Niks bijzonders,' zei hij schouderophalend. 'Ik heb een tijdje bij het hek rondgehangen, voor het geval ze terugkwamen… en daarna ben ik naar huis gegaan.'

'Dus je hebt ze helemaal niet gezien?'

'Nee.'

'En je hebt geen idee waar ze naartoe zijn gegaan?'

'Ik zei toch net…'

'Heb je sinds die tijd een van hen gezien?'

'Nee.'

'Heb je ze aan de telefoon gehad?'

'Wat is dit…?'

'Nou?'

'Nee.'

'Waarom niet?'

'Waarom wel?'

'Ik wil het gewoon weten.'

'Waarom?' vroeg hij terwijl hij me aanstaarde. 'Ik bedoel, wat zou het? Trouwens, waar slaat dit allemaal op?'

Toen keek ik hem aan en vroeg me af wat hij was… en wie… en

wat ik hier in dat vuile kamertje deed. Waar was ik mee bezig? Waarom vroeg ik hem dat allemaal? Was het alleen maar omdat ik wilde weten waarom Eric had gelogen over zaterdagnacht? Ik bedoel, wat gaf het? Waar sloeg het op?

'Ik weet het niet...' hoorde ik mezelf fluisteren.

Mijn stem klonk van heel ver.

'Ja, nou ja,' zei Pauly. 'Ik moet ergens anders naartoe...'

Zijn stem... zijn woorden...

'Pete?'

'Huh?'

'Wat is er?'

'Wat?'

'Moet je horen,' zei hij met een snelle blik op een klok aan de muur. 'Ik moet nu echt weg, oké? Dus, ik bedoel... als je het niet erg vindt...'

'Je bloedt,' zei ik.

'Wat?'

'Die snee onder je oog... die bloedt weer.'

Daarna zei Pauly niets meer. Hij veegde gewoon het bloed van zijn gezicht en liep de kamer uit. Ik volgde hem zwijgend de trap af. Hij zei niets toen hij de voordeur opendeed en me uitliet, en toen ik op zijn stoep bleef staan en dom naar de lege plek bleef staren waar mijn fiets had gestaan, grijnsde hij alleen maar.

'Shit,' zei ik.

Pauly grijnsde nog steeds toen hij terug naar binnen ging en de voordeur dichtdeed.

Fietsen was ook zoiets wat ik de laatste maanden praktisch niet meer had gedaan. Net als voetbal en gitaarspelen, het boeide me gewoon niet meer. Dus zoveel kon het me ook weer niet schelen dat mijn fiets was gestolen. En als ik ergens anders was geweest had ik het ook niet erg gevonden als ik terug naar huis had moeten lopen.

Maar ik was niet ergens anders; ik was in Greenwell. En op het moment dat ik bij Pauly's huis vandaan de straat op liep, zag ik al een stel link tuig bij de volgende hoek rondhangen, en wist ik dat ze me in de gaten hielden, me opwachtten, zin hadden in een lolletje... en wist ik ook dat ze mijn fiets hadden. Een van hen zat erop, een jongen van zo'n jaar of veertien met een kaalgeschoren hoofd. Toen ik naar hem keek grijnsde hij, stak zijn been uit en stampte zijn voet in de spaken.

Het valt niet mee om er nonchalant uit te zien als je bang bent, maar ik deed mijn best – stak nonchalant de straat over, deed nonchalant of ik niets had gezien, alsof ik gewoon een of andere jongen was... gewoon op weg ergens anders naartoe. Ik sloeg achteloos linksaf en liep een zijstraat door.

Toen zette ik het nog niet op een lopen – dat doe je pas als het echt niet anders kan – maar ik had er wel de vaart in. De zijstraat kwam uit op een paadje dat naar een andere straat voerde, daar sloeg ik weer linksaf, liep de straat uit, toen weer een paadje door en een klein speelveldje over, en daar vandaan zag ik de weg die langs de haven liep.

Ik stond even stil en keek over mijn schouder. De Greenwell-jongens kwamen achter me aan. Ze liepen niet hard en schreeuwden niet of zo, ze liepen gewoon onverschillig achter me aan. Ze waren met een stuk of zes, witte gympen, basketballshirts en gouden kettingen die glinsterden in de zon.

Terwijl ik snel doorliep richting havenweg, bleef ik over mijn schouder kijken om te zien wat ze deden. Op een gegeven moment zag ik dat drie jongens zich van de anderen losmaakten en de andere kant opliepen, bijna in tegenovergestelde richting. Eerst begreep ik het niet en vroeg me een ogenblik af of ik alleen maar paranoïde was. Dat ze misschien toch niet achter me aan kwamen. Misschien alleen maar toevallig dezelfde richting opliepen en dat er nu drie toevallig een andere kant op gingen. Maar ik zag waar ze naartoe liepen en besefte ineens waar ze mee bezig waren. De drie die zich hadden afgesplitst gingen niet zomaar ergens naartoe, ze liepen naar het uiteinde van de havenweg om mijn route terug naar St. Leonard's Road af te snijden.

De enige mogelijkheid die ik nu nog had, was om de havenweg over te steken, op het braakliggend terrein zien te komen, en zo verder het achterlaantje in.

De afrastering die het braakliggend terrein van de weg afschermt was vroeger een oud roestig geval vol gaten waar je heel makkelijk doorheen kon, maar dat was niet meer zo. Er was een nieuwe omheining, een stuk hoger dan de oude, en toen ik de havenweg overstak en ervoor stond, was er geen gat te bekennen.

Ik keek achterom en zag de drie Greenwell-jongens recht op me aflopen. Ze waren nu zo'n vijftig meter bij me vandaan. En toen ik naar rechts keek, zag ik de andere drie via het uiteinde van de havenweg op me afkomen.

'Shit,' zei ik.

Tot nu toe was ik niet zo bang geweest. Ik had er een beetje mee in gezeten, had dat akelig fladderende gevoel in mijn buik gehad, maar had niet echt gedacht dat ik serieus gevaar liep of zo. Ik bedoel, ik was wel bang, maar niet zo dat ik het op een lopen had gezet. Maar nu... ja, nu voelde ik me steeds meer in de val zitten.

Dus was het nu tijd om te gaan rennen.

Ik zette koers naar links, weg van de jongens die via de havenweg kwamen, en onder het rennen bleef ik de afrastering afspeuren op een opening naar het braakliggend terrein. Ik hoorde snelle voetstappen achter me en wist dat de Greenwell-jongens ook aan het rennen waren geslagen, maar ik verspilde geen tijd met achteromkijken. Ik bleef gewoon doorrennen.

En terwijl ik de weg af stormde probeerde ik na te denken en te plannen waar ik naartoe kon en wat ik moest doen als ik niet op het braakliggend terrein kon komen – waar gaat deze weg naartoe? en hoe ga ik dan verder? hoe kom ik terug thuis zonder in elkaar geslagen te worden? – en ik begon net te beseffen dat ik geen notie had welke kant ik op rende of wat me te doen stond, toen ik plotseling een gat in de omheining zag. Het was precies bij het eind van het braakliggend terrein, vlak naast het parkeerterrein van een goor havenkroegje; een stuk afrastering waar de bedrading van de paal was losgerukt en weg was gerold, waardoor er net genoeg ruimte vrijkwam om me langs te wringen naar het braakliggend terrein.

Ik stortte me erdoorheen, haalde daarbij mijn arm open, en keek toen snel om me heen naar de Greenwell-jongens. Die vormden nu weer een groep en renden met zijn zessen in een slordige troep de weg over, niet meer dan twintig meter achter me.

Ik ging er weer vandoor en holde over het braakliggend terrein naar de gastorens.

Ik had nu wat meer hoop. Ik wist weer waar ik was en waar ik naartoe liep en dat als ik maar voorbij de gastorens kon komen, en dan de steile heuvel op en het achterlaantje in, ik het waarschijnlijk ging redden. Het achterlaantje kende ik als mijn broekzak en als ik daar eenmaal was, kon ik kiezen. Ik kon richting huis, of terug naar het recreatiepark, of het talud op naar de oude fabriek. Zo nodig kon ik ook alleen een plek vinden om me te verbergen. Dus liep ik nu zonder al te veel angst, ik liep alleen maar hard, maar niet te hard, probeerde de vaart erin te houden en alle stenen, troep en gaten te ontwijken…

Het braakliggend terrein is een eigenaardige plek. Ik weet niet wat het vroeger is geweest, niet eens of het wel iets was, maar er heeft altijd een vreemde sfeer gehangen. Ik kan het moeilijk uitleggen, maar net of het een apart klein wereldje is, met zijn eigen unieke sfeer en grondgebied. Er groeit bijna niks. Het heeft een ongelijke bodem van oud, afgebrokkeld beton, bedekt met een dunne laag aarde en zand, met hier en daar vreemde struikjes en onvolgroeide boompjes die nooit groter lijken te worden. Overal liggen stapels keien en rotzooi, gigantische hopen verwrongen ijzer, en verschillende diepe poelen vol grijs, olieachtig water. De hele plek ziet er grijs uit. Zelfs de stukjes die niet grijs zijn – de struiken en de bomen, het dikke groene mos rond het water – zien er toch allemaal grijs uit. Maar dan ineens, voorbij al het grijze, op de hoge betonnen muren rond de achterkant van het terrein, waar de skateboardkids met hun spuitbussen hun stripversie van steden en straten uitbeelden, daar zie je een fantastische uitbarsting van felle kleuren. Metallic rood, zonnig geel, purper, groen en staalblauw...

Niet te geloven.

En dan is er die sfeer, de geur van het braakliggend terrein, met zijn zwakke maar hardnekkige gaslucht. Die licht alarmerende geur is er altijd geweest, al zijn de gastorens al jaren leeg, en het ruikt altijd hetzelfde. Het is nooit minder of sterker. Hij is er gewoon altijd, een continu aanwezige geur. Maar het vreemdst van alles is dat, zo gauw je van het terrein af gaat, zo gauw je door de omheining stapt, of het talud opklimt naar het achterlaantje, de gasstank plotseling weg is.

Dus, best wel een eigenaardige plek, het soort plek dat je aan het denken zet... maar op dat moment had ik dat geloof ik niet moeten doen. Want als ik dat niet had gedaan, en onderweg niet om me heen had gekeken met mijn gedachten bij het vreemde van het terrein, dan had ik misschien eerder de twee jongens gezien die in de schaduw van de gastorens stonden, en had ik misschien meer tijd gehad om na te denken...

Maar die was er niet.

Ze stonden meteen rechts van de dichtstbijzijnde gastoren, en ik zag ze pas toen ze vlak voor mijn neus opzij waren gestapt om me de weg te versperren, en ik bijna tegen ze aan was gebotst. Ik stopte net op tijd, draaide snel naar links en rende langs de andere kant om de gastoren heen. Ze deden niet veel moeite om me vast te grijpen, en kwamen ook niet achter me aan stormen... en ik denk dat ik toen had moeten beseffen wat er gebeurde. Maar ik had het te druk met bang zijn om logisch na te denken. Pas toen ik bij de andere kant van de gastoren kwam en opkeek om te zien waar ik naartoe liep, zag ik Wes Campbell midden op het pad staan, die me met een spottende glimlach aankeek...

Pas toen realiseerde ik me wat er aan de hand was.

Zestien

'Hé, Boland,' zei Campbell. 'Alles goed met je? Je ziet er een beetje verhit en zorgelijk uit.'

Hij had een goede plek uitgekozen om me op te wachten. Met de gastoren rechts van me en links een dikke bos braamstruiken, versperde hij de enige doorgaande weg. En ik hoefde niet over mijn schouder te kijken om te weten dat de Greenwell-jongens achter me waren. Ik kon ze horen mompelen en lachen, uithijgen en sigaretten opsteken.

Ik zat in de val.

Het enige wat ik kon doen was blijven staan en kijken hoe Campbell naar me toe kwam lopen. Zachtjes grinnikend, met zijn kille ogen op mij gericht, liep hij door tot hij bijna boven op me stond. Toen ik een stap achteruit deed trok hij zijn wenkbrauwen op en lachte.

'Wat is er?' zei hij met een pruillip. 'Mag je me niet?'

Iemand achter me proestte.

'Pauly heeft je zeker gebeld?' vroeg ik.

Campbell haalde zijn schouders op. 'Pauly belt me voortdurend.'

'Hij heeft je verteld dat ik bij hem thuis was...'

Ik zweeg toen Campbell dicht naar me toe boog en zijn vinger op mijn lippen legde. Het was een merkwaardig vriendelijk gebaar, bijna intiem. Maar het was ook ongelooflijk bedreigend.

'Ssjj,' fluisterde hij terwijl hij nog dichterbij kwam. 'Je praat te veel... dat weet je toch?'

Ik knikte automatisch.

Hij keek me een tijdje aan, zijn ogen vlak bij de mijne, toen haalde hij langzaam zijn vinger weg, lachte weer en deed een stap achteruit. 'Ik wilde alleen even met je praten, oké? Alleen jij en ik... vind je dat goed?'

Ik wist niet wat ik daarop moest zeggen, dus zei ik maar niks.

Campbell bleef me een poosje aankijken, op den duur wendde hij zijn ogen af en keek over mijn schouder naar de Greenwelljongens achter me. 'In orde,' zei hij knikkend, 'jullie kunnen gaan. Wacht op me bij de hoek.'

'Hoe lang gaat het duren?' vroeg een van hen.

Campbell wierp hem een blik toe. 'Gewoon wachten tot ik er ben.'

Ik hoorde wat gemompel, het geluid van schuifelende voetstappen toen ze zich allemaal omdraaiden en terugliepen over het terrein. Terwijl Campbell hen na stond te kijken vroeg ik me af wat ze zouden doen als ik me om zou draaien en roepen: Hé, wacht, niet weggaan... laat me niet met hem alleen...

Maar daar was het nu te laat voor.

Ze waren weg.

En ik was met hem alleen.

En hij keek naar me alsof hij met me kon doen wat hij wilde.

En het beviel me voor geen meter.

'We zijn toch geen domme dingen van plan, hè?' vroeg hij.

'Nee.'

'Goed zo.' Hij glimlachte. 'Want ik wil je geen pijn doen, ik wil alleen met je praten. Je hoeft alleen maar je mond te houden en te luisteren en dan komt alles in orde. Oké?'

'Ja.'

'Dat is toch niet zo moeilijk, wel?'

'Nee.'

'Goed.' Hij gaf een ruk met zijn hoofd naar een hoop stenen naast de gastoren. 'Ga daar zitten.'

Ik liep ernaartoe en ging zitten.

Toen Campbell naast me kwam zitten, wist ik niet of hij met opzet zo dicht tegen me aan schoof of dat het iets was wat hij deed zonder erbij na te denken, iets instinctiefs van stoere jongens: je privéterrein binnendringen om je te intimideren. Evengoed schoof ik onwillekeurig bij hem vandaan, maar bijna onmiddellijk sloeg hij zijn arm om mijn nek en trok me terug naar zich toe.

'Waar ga je naartoe?' zei hij, zijn greep aanschroevend.

'Nergens naartoe,' mompelde ik, terwijl ik bijna stikte. 'Ik ging alleen maar... gewoon wat makkelijker zitten...'

Hij verzwakte zijn greep en legde zijn arm om mijn schouder. 'Zo beter?'

Ik kon niks zeggen.

Hij grijnsde naar me. 'Zit je nu makkelijk?'

Ik had me van mijn leven niet zo ongemakkelijk gevoeld, maar ik knikte toch maar.

'Goed,' zéi hij. 'Nu moet jij eens goed naar mij luisteren... luister je?'

'Ja.'

'Mooi... je gaat het volgende doen, oké? Je gaat niet meer je neus in zaken steken die je niet aangaan. Je gaat alles vergeten wat je op de kermis hebt gezien. En je gaat nergens meer vragen over stellen. Begrepen?'

'Nee...'

Hij zuchtte. 'Ik dacht dat jij slim was?'

'Ik weet niet waar je het over hebt.'

'Christus, zo moeilijk is het niet. Je hebt niks gezien, je weet niks, en je wilt niks weten. Wat begrijp je daar niet van?'

'Ik vroeg Pauly alleen maar naar Raymond...'

'Wie?'

'Raymond... Raymond Daggett.'

'Wie is godver Raymond Daggett?'

'Hij was die avond bij me, je weet wel… Zaterdagavond, in het achterlaantje…'

'Die achterlijke jongen?'

'Raymond is niet…'

'Rot op met je Raymond,' zei Campbell kwaad en hij greep me weer bij mijn nek. 'Ik heb schijt aan Raymond… Dit heeft geen flikker met Raymond te maken. Ik zeg jou alleen dat je die verrekte neus van je nergens in moet steken, ja?'

'Anders wat?' hoorde ik mezelf zeggen.

Toen bleef het een halve seconde stil, net lang genoeg om me af te vragen of ik nog iets stommers had kunnen zeggen, maar toen klemde Campbell mijn nek plotseling in een houdgreep, hij leunde opzij en rukte met geweld mijn hoofd omlaag. Terwijl mijn lichaam dubbel klapte, vlogen mijn benen omhoog en belandde ik zo'n beetje half zittend, half liggend op de hoop stenen, met een arm klem onder mijn borst terwijl de ander in het rond graaide op zoek naar iets om me aan vast te houden, en zat mijn hoofd omlaag geduwd tussen Campbells benen.

Het was idioot.

Ik was doodsbang.

Maar het bleef idioot.

Ik kreeg bijna geen adem, mijn hoofd barstte van de pijn, maar zelfs toen Campbell zijn greep verstevigde en zo hard in mijn keel kneep dat ik dacht dat mijn nek zou knappen… zelfs toen was ik me er nog steeds flauw van bewust dat mijn hoofd tussen zijn benen zat en dat voelde helemaal verkeerd. Ik schaamde me er eigenlijk een beetje voor. God mag weten waarom. Ik had niet voor die situatie gekozen, en er waren heel wat nuttiger dingen die ik had kunnen voelen dan een vaag gevoel van schaamte dat nergens op sloeg.

Maar misschien ook niet.

Misschien werkt het zo als je denkt dat je doodgaat, dat je je vastgrijpt aan onbelangrijke dingen om niet aan het hele afschuwelijke te hoeven denken. Dat je eerder aan schaamte denkt dan aan pijn. Je bent met je hoofd meer bij de smetteloze witte spijkerbroek van je moordenaar, dan bij het feit dat hij je wurgt. Je ruikt hem, een beetje een donkere zoete geur, en je vraagt je af waar je dat eerder hebt geroken…

Je denkt aan het donker dat zich om je heen sluit…

Het donker.

De sterren…

Die doven.

Donkere stilte.

Witte vlakten.

Het zwarte…

Dat was nu overal.

Hé!

Het voelde aangenaam… alsof je in een lichtbel zat.

Boland?

… in een of ander vaag onderbewustzijn…

Hé, Boland!

Iemand schudde aan me, schudde het leven in me terug, en ver weg hoorde ik een stem.

'Luister je, Boland?'

'Jahhh…'

Een gefluister.

'Kijk me aan.'

Ik deed mijn ogen open. Ik lag plat op mijn rug aan Campbells voeten en keek naar hem omhoog. Mijn keel deed pijn. Mijn nek deed pijn. De zon was te fel.

'Kijk me aan.'

Ik ging langzaam overeind zitten en keek hem aan. Zijn gezicht was een vlek, koud en wasachtig.

'De volgende keer knijp ik door,' zei hij. 'Begrepen?'

Ik knikte en kromp ineen van de pijn in mijn nek.

Campbell ging voor me op zijn hurken zitten en keek in mijn ogen. 'Geen vragen meer, ja? Je weet niks. Je hebt niks gezien. En dit is nooit gebeurd.' Hij stak zijn hand uit en tilde zachtjes mijn kin op. 'Heb je dat begrepen?'

'Ja.'

'Goed.'

Hij liet mijn kin los, gaf een klopje op mijn wang, stond op en wandelde weg.

Zeventien

Mijn nek begon pijnlijk stijf te worden toen ik door het laantje terug naar huis liep, en elke keer als ik inademde, hoorde ik zo'n raar schrapend geluid in mijn keel. Mijn hoofd deed ook pijn, en ik had lichten in mijn ogen, kleine flitslichtjes, als piepkleine witte sterretjes. Maar afgezien daarvan – en als je naging wat Campbell me net had aangedaan – voelde ik me niet eens zo slecht.

Lichamelijk dan.

Geestelijk stortte ik in.

Om te beginnen was ik bang, en als ik bang zeg, bedoel ik heel erg bang. Compleet de bibbers zo bang. Alles oké, bleef ik tegen mezelf zeggen. Niks om je ongerust over te maken. Gewoon een uitgestelde reactie, een soort emotionele naschok... volkomen normaal dat je je zo voelt. Maar zo voelde het niet, meer alsof ik me nooit meer normaal zou voelen.

En ik kon ook niet nadenken. Ik kreeg niks op een rijtje in mijn hoofd. De gedachten waren er wel – gedachten, herinneringen, feiten, gevoelens – maar ik kon er niks mee. Ze bleven niet op hun plek. Ze zoemden rond in mijn hoofd, als een kamer vol vliegen, en elke keer dat ik er een probeerde te grijpen hield ik een handvol niks over.

Ik kon niet logisch denken.

Ik kon niets met elkaar in verband brengen.

Ik had vliegen in mijn hoofd.

Lichten in mijn ogen.

Je weet niks. Je hebt niks gezien... De volgende keer knijp ik door.

De lucht was te heet om in te ademen.

Toen ik aan het eind van het achterlaantje kwam en naar Hythe Street wilde oversteken, dacht ik een seconde dat de flitslichten in mijn ogen plotseling op hol geslagen waren en heel even vroeg ik me af of ik weer weg zou raken. Toen besefte ik dat de lichten die ik nu zag niet wit waren, maar blauw, en dat het niet het soort lichten waren die alleen ik kon zien...

Het waren de blauwe zwaailichten van politieauto's.

Het waren er twee, ze stonden op de hoek bij het hek naar de rivier, en toen ik St. Leonard's Road overstak en Hythe Street inliep zag ik verderop in de straat nog meer blauwe zwaailichten. Een agent van de uniformdienst zette de straat af met rood-wit lint om een steeds grotere menigte toeschouwers op afstand proberen te houden, en bij de auto's liepen andere agenten te praten in portofoons. Ik was me vaag bewust van loeiende sirenes in de verte en van het zwakke geluid van een rondcirkelende helikopter, maar het enige wat ik echt hoorde was het bonken van mijn hart in mijn borst toen ik me door de menigte heen drong en onder de afzetting door dook.

Ze hebben Raymond gevonden, dacht ik. O, mijn god, ze hebben Raymond gevonden...

'Hé!' schreeuwde de agent die snel op me afkwam. 'Hé, daar!'

Ik negeerde hem en bleef doorlopen. Het hek naar de rivier stond open, gemarkeerd met afzetlint, en twee professionals van de Forensische Opsporing liepen in papieren pakken en overschoenen voorzichtig langs de rand van het pad. Toen ik dichter bij het hek kwam, haalde de agent me in, greep me bij mijn arm en trok me terug.

'Vooruit,' zei hij bars. 'Wegwezen.'

Ik probeerde hem weg te duwen, maar het was een vrij grote kerel en zo gauw ik begon tegen te spartelen, draaide hij gewoon mijn arm op mijn rug en begon me naar een van de politieauto's te duwen.

'Wacht,' zei ik, 'wacht even...'

'Kop dicht.'

'Nee, u begrijpt het niet…'

'Mike,' schreeuwde hij naar een van zijn geüniformeerde collega's. 'Haal die jongen hier weg, wil je?'

Toen zag ik pap. Hij kwam uit de richting van ons huis aanlopen, zijn ogen namen alles op, en toen hij mij ruw behandeld zag worden door die grote agent, begon hij meteen te rennen.

'Hé!' riep hij, zwaaiend met zijn hand. 'Hé, Diskin!'

De agent die me vasthield keek in paps richting.

'Wat doe je?' riep pap. 'Laat hem los!'

'Jeff?' vroeg agent Diskin toen pap op hem af kwam rennen. 'Wat doe jij…'

'Laat hem los,' zei pap buiten adem.

'Maar hij was…'

'Dat is mijn zoon.'

'Je zoon?'

Toen pap knikte, liet Diskin mijn arm los.

Pap keek me aan. 'Alles in orde met jou?'

'Ja…'

'Wat ben je verdomme aan het uitspoken?'

'Niks… ik kwam gewoon…'

'Hij liep daar naartoe,' zei Diskin tegen pap en hij wees naar het hek. 'Ik moest hem tegenhouden. Ik wist niet…'

'Wat is er trouwens aan de hand?' vroeg pap terwijl hij om zich heen keek. 'Hebben ze iets gevonden?'

Diskin aarzelde. 'Ik weet niet of… er is ons gezegd, je weet wel…'

'Wat?'

De agent haalde zijn schouders op. 'Je kunt het beter aan de chef vragen.'

Pap keek Diskin even aan, toen knikte hij alleen maar. 'Waar is hij?'

'Ik denk dat hij nog beneden bij de rivier is.'

'Is Kesey bij hem?'

'Ik geloof van wel, ja.'

Pap knikte. 'Goed... bedankt, Ross.'

Diskin glimlachte ongemakkelijk. 'Ja... moet je horen, ik vind dit ook niet leuk, Jeff. Maar je weet hoe het werkt...'

'Ja,' zei pap. 'Ik weet hoe het werkt.' Hij draaide zich naar mij. 'Kom op, Pete, ik breng je naar huis.'

Maar we gingen nog niet naar huis. Toen agent Diskin weer terugliep om de toeschouwers op afstand te houden – waar zich nu een menigte persjournalisten en tv-ploegen bij had gevoegd – leidde pap me naar een min of meer rustig plekje vlak achter een van de politieauto's. We bevonden ons nog steeds in het afgezette gebied – waardoor de straat in beide richtingen werd afgesloten, zag ik nu – en te zien aan de blikken die pap van zijn collega's kreeg merkte ik dat ze allemaal wisten dat hij daar niet hoorde te zijn, maar niemand zei er iets van.

'Wat is er aan de hand, pap?' vroeg ik, terwijl ik over mijn nek wreef. 'Wat hebben ze gevonden? Is het Raymond?'

'Ik weet het niet... ik ben net wakker. Ik weet niet meer dan jij.' Hij keek me aan. 'Alles goed met je? Heeft Diskin je pijn gedaan?'

'Nee,' zei ik. 'Ik heb alleen een beetje een stijve nek.'

Pap keek me aan. 'Ik dacht dat jij in je kamer zou zijn?'

'Ik kon niet slapen... ik ben een eindje gaan wandelen.'

'Waar?'

Ik haalde mijn schouders op. 'Zomaar... gewoon een eindje lopen...'

Hij schudde zijn hoofd. 'Ik begin het nu echt zat te worden, Pete. Ik bedoel, moet je kijken...' Hij gebaarde om zich heen. 'Dit hier is menens: politie, de pers, mensen van tv... en jij maakt er deel van uit, Pete. Je bent erbij betrokken, verdomme! Je kunt niet gewoon steeds in je eentje er op uit blijven trekken...'

'Jeff?'

We keken alle twee op bij paps naam, en ik zag twee mannen uit de richting van het hek naar ons toe komen. Een van hen was John Kesey, en ik vermoedde dat de ander – een oudere man met een rood aangelopen gezicht – paps afdelingschef was, George Barry. Ze hadden alle twee van die pakken aan, en zweetten als otters in de felle zon. Toen ze naderbij kwamen en voor ons stilhielden, gaf Kesey pap een vriendelijk knikje, maar hoofdinspecteur Barry keek alleen maar kwaad.

'Wat doe je verdomme hier, Jeff?' zei hij streng. 'Ik dacht dat we hadden afgesproken...'

'Ik woon hier, chef,' zei pap kalm. 'Hier even verderop en ik wist niet dat dit iets te maken had met het onderzoek. Ik zag al die opschudding en kwam kijken wat er aan de hand was.'

'Juist,' zei Barry.

'En wat is er aan de hand?' vroeg pap aan Kesey.

'Dat is jouw zaak niet,' zei Barry nog voor Kesey antwoord kon geven.

Toen Kesey, met een lachje naar pap, zijn schouders ophaalde zag ik Barry even naar mij kijken.

'Wat doet hij hier?' vroeg hij aan pap.

'Niets,' zei pap zuchtend. 'Hij probeerde alleen maar terug thuis te komen.'

'Nou, maak dat hij hier als de donder wegkomt.' Barry schudde zijn hoofd. 'Toe nou, Jeff, je weet dat we het ons niet kunnen permitteren om dit te verknallen. Schiet op, naar huis... nu. Allebei.'

'Ja, chef,' zei pap.

Hij knikte naar Kesey en ik zag ze snel een blik uitwisselen, toen legde pap een hand op mijn schouder en voerde me weg. Toen we onder het afzetlint door doken en ons voorzichtig een weg door de menigte begonnen te banen, zag ik van de overkant van de straat

camera's flitsen. Ik zag ook mensen naar ons kijken. Buren, vreem-
den, tv-verslaggevers. Maar ik lette er niet echt op. Ik had het te
druk met naar de politieauto kijken die voor Raymonds huis geparkeerd stond.

Zo gauw we thuis waren, belde pap snel iemand met zijn mobiel,
en zei toen dat ik in de huiskamer moest wachten.

'Waarom?' vroeg ik. 'Wat is er?'

'Doe het nou maar,' zei hij. 'Ik ben er zo.'

Terwijl ik de huiskamer inging, hoorde ik hem naar de keuken
lopen en tegen mam praten en daarna hoorde ik zijn mobiel over-
gaan. Ik luisterde een tijdje, maar ik kon niet horen wat hij zei, dus
liep ik naar het raam en probeerde te zien wat er bij Raymonds huis
gebeurde. Ik kon van hieruit zijn huis niet helemaal zien, de meeste gordijnen waren trouwens dicht, maar ik zag wel dat de politieauto er nog steeds stond.

Ik wist niet wat dat betekende. Praatte de politie alleen maar met
zijn ouders? Verhoorden ze hen? Of brachten ze slecht nieuws over
wat ze net bij de rivier hadden gevonden?

Dat wilde ik niet geloven.

Ik kon het niet geloven.

Jezus, ik kon er niet eens aan denken.

Ik haalde diep adem en veegde de tranen uit mijn ogen. God…

Ik haalde nog eens adem, probeerde tot rust te komen… en ineens schoot me iets te binnen. Een geur… iets in de lucht… iets wat
me ergens aan herinnerde. Ik snoof nog eens. Bloemen. Er stond
een vaas bloemen in de vensterbank. Ik bukte en snoof hun geur
op. Nee, dat was het niet… het was niet de lucht van de bloemen
zelf die me ergens aan herinnerde, het deed me alleen aan een
luchtje denken… een ander luchtje.

Een donker luchtje.

Dat was het.

De donkere zoete geur die ik bij Wes Campbell had geroken…

Dat was het.

Ik wist weer waar ik dat eerder had geroken.

Toen ging de kamerdeur open, ik draaide me om en zag pap en John Kesey binnenkomen. Ik veegde snel mijn ogen af en liep weg van het raam.

'Niet wat je denkt, Pete,' zei pap die de blik in mijn ogen opving. 'Het is Raymond niet. John heeft me net verteld wat ze bij de rivier hebben gevonden, en voorlopig ziet het er niet naar uit dat het iets met Raymond te maken heeft.'

Ik slaakte een zucht van opluchting.

Het is Raymond niet.

Maar de opluchting duurde niet lang.

'Wat bedoel je?' vroeg ik.

'Hoezo?'

'Je zei dat het er voorlópig niet naar uitziet dat wat ze gevonden hebben iets met Raymond te maken heeft.' Ik keek hem aan. 'Wat hebben ze gevonden?'

Pap aarzelde en keek even naar Kesey.

'Je kunt het hem net zo goed vertellen,' zei Kesey. 'Het komt straks toch overal op het nieuws.'

Pap dacht even na en knikte toen. 'Goed,' zei hij vermoeid. 'Maar je moet je wel realiseren dat dit allemaal niet is zoals het hoort, Pete. John hoort hier niet te zijn, en we horen je geen van tweeën ook maar iets te vertellen. Dus als iemand ernaar vraagt…'

'Ja, ik weet het. Dit is nooit gebeurd.'

'Juist.'

We gingen zitten, John Kesey en ik op de bank, en pap in de leunstoel.

'Een paar uur geleden,' zei pap, 'kreeg de politie een telefoontje van een bejaarde man die iets bij de rivier had gevonden. Blijkbaar was de man zijn hond aan het uitlaten en die ging achter een konijn aan, en toen hij uit de struiken kwam had hij een met bloed bevlekt T-shirt in zijn bek.'

'Shit,' fluisterde ik.

'Hoe dan ook,' ging pap door, 'dat oudje belde de politie en die stuurde er een paar agenten op af om een kijkje te nemen… en die vonden nog een paar andere dingen.'

'Wat voor dingen?'

Pap keek naar Kesey.

'Kleren,' zei Kesey. 'Een korte spijkerbroek, wat ondergoed, een paar zwarte laarzen…'

'Dat is wat Stella aanhad.'

'Ja, dat weten we,' zei Kesey. 'Haar ouders hebben de kleren al geïdentificeerd als die van haar.'

'En Stella?' vroeg ik. 'Ik bedoel, is ze…'

'Tot nu toe is er van haarzelf geen spoor,' zei Kesey. 'We hebben daar nu tientallen mensen rondlopen. Die kammen het hele gebied centimeter voor centimeter uit. Als ze daar is, vinden we haar.'

Ik keek even naar pap en toen weer naar Kesey, en voor het eerst vroeg ik me af wat hij hier deed. Als hij hier niet hoorde te zijn en ons geen dingen hoorde te vertellen die we niet mochten weten… waarom was hij dan hier?'

'Luister eens, Pete,' zei Kesey met een ernstige uitdrukking op zijn gezicht en hij ging verzitten om me recht aan te kijken. 'Ik weet dat het voor jou nu allemaal nogal verwarrend is, maar als er iets is wat je ons nog niet hebt verteld, maakt niet uit wat het is… dan is het nu het moment om je hart te luchten. Voor het echt menens wordt.'

'Wat bedoel je?'

'Niemand weet dat ik hier ben, oké? Niemand weet dat ik met jou praat. Dus alles wat je me nu vertelt is strikt vertrouwelijk. Begrijp je wat ik zeg?'

'Niet echt, nee.'

Hij zuchtte. 'Ik probeer alleen maar te zeggen dat als je ook maar íéts weet, wat dan ook dat me kan helpen om erachter te komen wat er gebeurd is, kan ik het nu meenemen zonder jouw naam te noemen. Zolang we resultaten boeken, maakt het niemand wat uit waar ik de informatie vandaan heb.' Hij keek me aan. 'Ik kan je erbuiten houden, Pete. Maar dan moet je me helpen, en wel nu. We zijn nog niet met een moordonderzoek bezig, maar het ziet er niet al te best uit. En zodra de boel in beweging komt… nou, dan zal ik niet meer veel voor je kunnen doen.'

'Waarom wil je mij erbuiten houden?'

'Waarom?' zei hij, terwijl hij zijn wenkbrauwen fronste. 'Waarom denk je? Ik ken je vader al jaren, daarom. We zijn vrienden, we zorgen voor elkaar. Daar zijn vrienden voor.' Hij staarde me met samengeknepen ogen aan. 'En je bent toch nergens schuldig aan, Pete? Ik denk dat je misschien iets weet, maar het enige waar je schuldig aan bent is dat je het voor je houdt.'

'Waarom zou ik dat doen?'

'Jij mag het zeggen.' Hij keek me aan. 'Ben je ergens bang voor?'

'Wat?'

'Word je door iemand bedreigd?'

'Niemand bedreigt me.'

'Waarom wil je het ons dan niet vertellen?'

'Dat doe ik toch…'

'Probeer je iemand te beschermen?'

'Nee.'

'Hoe zit het met Raymond?'

'Hoezo, Raymond?'

'Kijk, ik weet dat hij een vriend van je is en ik weet dat je voor hem wilt zorgen…'

'Daar zijn vrienden toch voor?'

Kesey lachte. 'Het beste wat je op dit moment voor Raymond kan doen is ons alles vertellen wat je weet. Als hij ook maar iets met Stella te maken heeft…'

'Dat heeft hij niet.'

'Weet je het zeker?'

'Raymond zou nooit iemand kwaad doen.'

'Mensen doen rare dingen, Pete. Vooral als ze…'

'Als ze wat?' zei ik kwaad. 'Er is niks mis met Raymond…'

'Dat zei ik ook niet…'

'Hij is godverdomme niet abnormaal…'

'Pete!' snauwde pap.

Ik lette niet op hem en keek woedend naar Kesey. 'Daar is het jullie allemaal om te doen, hè? Al die bezorgdheid om mij, en dat iedereen me wil helpen… allemaal flauwekul. Jullie proberen gewoon via mij Raymond te pakken.'

'Dat is niet waar…'

'O, jawel. Jullie hebben je oordeel al klaar over hem, of niet soms? Het is een beetje een rare snuiter, hij is rond dezelfde tijd vermist als Stella, dus zal hij haar wel iets gedaan hebben. Zo zit het toch? Simpel als wat.'

'Niets is simpel…'

'Als je dat verdomme maar weet,' zei ik.

Pap sprong op uit zijn stoel en stoof op me af, en ik wist dat ik nu te ver was gegaan, en dat hij tegen me zou gaan schreeuwen… maar toen ik hem aankeek, zag ik tot mijn verrassing dat hij helemaal niet boos keek. Hij zag er alleen maar heel bezorgd uit, en een beetje bang. En toen besefte ik dat ik huilde. En toen werd ik zelf ook behoorlijk bang, omdat ik nog nooit zo had gehuild. Ik schokte of beefde niet of zo, ik zat gewoon volkomen stil, terwijl de tranen letterlijk over mijn gezicht stroomden…

En ik kwam er niet achter of ze nou koud of warm aanvoelden.

Als bloed of zweet.

En ik begreep niet waarom dat iets uitmaakte.

Maar dat deed het wel.

En dat joeg me de stuipen op het lijf.

Pap besloot die avond niet naar zijn werk te gaan. Ik zei dat met mij alles in orde was, dat hij voor mij niet thuis hoefde te blijven, maar hij zei dat hij het niet alleen voor mij deed, dat hij toch een aantal dingen met mam moest bespreken... wat misschien ook zo was, of misschien ook niet. Maar het was niet de moeite om ertegenin te gaan.

Hoe dan ook, hij belde naar het bureau om te zeggen dat hij niet kwam en het merendeel van de rest van de avond bleef hij in de huiskamer bij mam. Ik bleef een tijdje bij ze zitten, dronk thee en knabbelde halfslachtig wat aan een boterham, excuseerde me toen en ging naar mijn kamer.

Ik zette de tv aan, ging op bed liggen en keek naar Sky News.

De enige nieuwe informatie die ze over Stella hadden was dat ze op zondagmorgen met haar ouders naar Barbados had moeten vliegen om hun twintigjarig huwelijksfeest te vieren, en daarom hadden die zo snel aangifte van vermissing gedaan. Ze hadden de vlucht van negen uur geboekt en waren van plan geweest om om zes uur die ochtend van huis te vertrekken. Dus toen Stella om vijf uur nog niet terug was hadden haar ouders geprobeerd haar op haar mobiel te bellen en gemerkt dat de lijn dood was: geen antwoord, geen kiestoon, geen voicemail, helemaal niks. Toen waren ze rond gaan bellen naar iedereen van wie ze dachten dat die misschien wist waar Stella was, en na een tijdje was het duidelijk geworden dat niemand haar sinds de vroege ochtenduren meer had gezien. En toen hadden ze de politie gebeld.

Behalve dat, en het feit dat er een aantal kledingstukken bij een rivier in St. Leonard's was gevonden, en dat de politie het gebied nog steeds afspeurde, bestond de rest van het nieuws alleen uit een samenvatting van dezelfde ouwe troep. Geen bevestiging dat de kleren van Stella waren, niks over bloed, dus ik vermoedde dat de politie zo veel mogelijk informatie voor zich hield. Niet dat de verslaggevers niet bleven speculeren, natuurlijk. Er werd gespeculeerd

over dit, gespeculeerd over dat… meningen van experts, onbeves-
tigde berichten, discussies, visies, theorieën, ideeën, en kilometers
film van Stella's huis, de kermis, het recreatiepark, de omgeving bij
het eind van Hythe Street…

Raymond werd niet genoemd.

Niets over een vermiste tienerjongen.

En ik vroeg me af of dat ook iets was wat de politie geheim wilde
houden. Of misschien was Raymond geen nieuws, zoals pap had
toegegeven: Raymond was gewoon geen nieuws. Maar volgens mij
zou dat niet lang meer duren.

Rond negen uur ging mijn telefoon. Ik lag nog steeds op bed, keek
naar de tv, en probeerde nog steeds er iets van te snappen…

Ik klapte mijn telefoon open en hield hem aan mijn oor. 'Hallo?'

'Pete?'

'Ja.'

'Eric hier. Kun je praten?'

'Sorry?'

'Kun je veilig praten? Ik bedoel, is je vader in de buurt?'

'Nee, ik ben alleen.'

'Perfect. Luister, ik wilde het even met je over zaterdagavond
hebben, je weet wel… al dat gedoe om Stella? Shit… heb je gezien
wat ze op het nieuws zeiden? Ze denken dat ze wat van haar kleren
hebben gevonden bij de rivier…'

'Ja, weet ik.'

'Shit,' zei hij weer. 'Ik kan het gewoon niet geloven. Ik bedoel, je
weet dat dit soort dingen gebeuren, maar als het om iemand gaat
die je kent en het zo dichtbij gebeurt… ik bedoel, de rivier, godbetert. Jij kunt van jou uit de rivier bijna zien…'

'Ja, weet ik.'

'Ja, ja… natuurlijk weet je dat.' Ik hoorde hem een sigaret opsteken. 'Denk je dat ze nog meer hebben gevonden?'

'Zoals?'

'Geen idee… ik dacht gewoon dat jij misschien iets had gehoord. Je weet wel, van je vader…'

Ik zei niets.

Eric schraapte zijn keel. 'Ik bedoel, is je vader, je weet wel…? Heeft hij er met jou over gesproken?'

'Waarom wil je dat weten?'

'Toe nou, Pete,' zei hij, licht geïrriteerd. 'Luister, sorry dat ik tegen je heb gelogen over zaterdagnacht, oké? Maar dat had niets te betekenen. Ik was alleen…'

'Ja, ik weet het,' zei ik. 'Nic heeft alles al uitgelegd. Dat zit wel goed, Eric. Je hoeft je niet te verontschuldigen.'

'Ja, nou… het is gewoon een beetje gênant. Je weet hoe het gaat als je een beetje aangeschoten bent…'

'Ja.'

'Hoe dan ook, waar het om gaat is… nou, alleen dat het nu voor mij een beetje vervelend zou kunnen worden. Wat ik wil zeggen, de politie zal ons waarschijnlijk over Stella willen spreken, denk je niet?'

Ik zweeg en wachtte tot hij door zou gaan.

'Denk jij dat ze ons zullen willen spreken?' vroeg hij.

'Waarschijnlijk wel.'

'Ja, ze zullen wel moeten, denk je niet? Wij hebben haar allemaal gekend, en we waren er allemaal bij… en ze hebben dat stuk video waar ze Nic negeert…'

'En jij ging vroeger met haar om.'

'Wat?'

'Jij ging vroeger met Stella om.'

'Ja, maar…'

'Waarschijnlijk zullen ze met al haar vroegere vriendjes willen praten.'

'Ja, dat zal wel…' Hij schraapte weer zenuwachtig zijn keel.

'Maar dat bedoel ik juist te zeggen, Pete. Als de politie erachter komt dat ik tegen jou gelogen heb over waar ik zaterdagnacht was… zou dat voor mij een beetje lastig kunnen worden. Dus, snap je, ik moet weten…'

'Je wilt weten met wie ik het erover heb gehad. Is dat het?'

'Ja.'

'Dacht je dat ik misschien aan de politie had verteld dat je tegen me gelogen had?'

'Dat weet ik toch niet? Luister, ik zeg niet dat je het met opzet zou hebben gedaan of zo… ik bedoel, ik weet sowieso niet eens of je al met de politie hebt gesproken.'

'Ja.'

'Echt?'

'Ja.'

'Wat heb je gezegd?'

Daar moest ik over nadenken. Ik moest even precies bij mezelf nagaan wat ik allemaal aan pap en John Kesey over zaterdagnacht had verteld… en ook wat ik allemaal niet had verteld. Ik moest in mijn geheugen graven, en om een of andere reden voelde dat alsof ik mezelf van een afstandje bekeek. Alsof ik naar een heleboel verschillende Pete Bolands keek. Er was een Pete Boland die na het zien van de kop van Zwartkonijn aan de poort met pap in de keuken had gepraat. Een Pete Boland die officieel met John Kesey had gepraat, een Pete Boland die onofficieel met hem had gepraat. En de Pete Boland die het zich nu allemaal probeerde te herinneren.

'Pete?' vroeg Eric. 'Ben je er nog?'

'Ja, wacht even, ik moet even denken…'

'Waarom moet je daarover nadenken?' zei hij agressief.

'Wil je nou dat ik het je vertel of niet?' beet ik terug.

'Ja,' zei hij, 'ja… sorry. Ik ben gewoon een beetje…'

'Ik heb ze de waarheid verteld, Eric. Meer niet. Ik heb ze verteld dat ik na de kermis bij jou ben langsgegaan, dat er niemand thuis was, en dat ik op de stoep in slaap ben gevallen.'

'Dus ze weten dat ik niet naar huis ben gegaan?'

'Ja.'

'Maar niet dat ik er tegen jou over gelogen heb?'

'Nee.'

'Dankjewel, Pete,' zei hij met een zucht. 'God… een pak van mijn hart.'

Er was zo veel wat ik toen tegen hem had willen zeggen – hou je bedankje maar voor je, Eric… ik weet dat je nog steeds staat te liegen… het valt me op dat je het niet eens over Raymond hebt gehad… en tussen twee haakjes, heb je kortgeleden nog iets van Wes Campbell gehoord? – maar ik hoorde weer die onzichtbare stem, dat onbekende gefluister achter in mijn hoofd, en die zei dat ik mijn mening voor me moest houden.

En bovendien had ik pap net de trap op horen komen.

Dus zei ik alleen: 'Ik moet gaan, Eric,' en voor hij antwoord kon geven verbrak ik snel de verbinding.

Achttien

'Hoe voel je je?' vroeg pap.

'Goed. Alleen een beetje… je weet wel…'

Hij keek me aan en knikte. Hij zat aan mijn bureau aan het andere eind van de kamer en ik zat nog steeds op mijn bed. Hij zag er moe uit.

'Mam maakt zich ernstig zorgen over jou,' zei hij. 'Ze zegt dat je je de laatste tijd een beetje down voelt en nu is ze bang dat al die stress en zo je misschien te veel zullen worden.'

'Ze piekert te veel,' zei ik.

Pap glimlachte. 'Dat zei ik ook. Maar dat zeg ik altijd tegen haar, en het is bijna nooit waar.' Zijn glimlach verflauwde. 'Moet je horen, Pete, ik ga niet net doen alsof ik weet hoe je je voelt, want dat weet ik niet. Maar ik weet wel wat zoiets met je kan doen. Ik weet hoe je ervan in de war kan raken. Maar als er nog iets meer aan de hand is – en ik zal je niet vragen wat het is – maar als er nog iets is, wat voor probleem ook, of wat je ook maar dwars zit… zeg het, oké? We hoeven het nu niet op te lossen, we hoeven er zelfs niet over te praten als je dat niet wilt, maar als mam gelijk heeft, en er is nog iets waar je je zorgen over maakt, dan wil ik het weten.'

Ik keek hem aan en vroeg me heel even af wat hij zou zeggen als ik hem de waarheid zou vertellen… nou, pap, eigenlijk, denk ik dat ik misschien een beetje gek aan het worden ben… ik bedoel, ik weet dat ik niet gek aan het worden ben, maar ik blijf dingen doen, horen en zien die nergens op slaan…

'Er is niks, pap,' zei ik. 'Eerlijk waar niet… het gaat prima.'

'Serieus?'

'Nou, nee… Het gaat niet prima. Ik bedoel, ik vind het vreselijk van Raymond en Stella en zo, je snapt me wel… maar behalve dat…'

'Voel je je prima?'

Ik haalde mijn schouders op. 'Ja…'

Hij knikte langzaam terwijl hij me lang en indringend aankeek. Het was zo'n blik die je gewoon uit moet zitten. Dus deed ik dat. Ik bleef gewoon zitten en beantwoordde zijn blik in de hoop dat hij niet zag – of niet wilde zien – dat ik zat te liegen.

'Nou, goed dan,' zei hij na een poosje, 'maar ik denk dat je er even met mam over moet praten… en moet proberen haar gerust te stellen.'

'Ja, zal ik doen.'

Hij zweeg even en keek peinzend mijn kamer rond, maar ik wist dat hij nergens echt naar keek. Hij zat zich gewoon voor te bereiden, dacht na over wat hij nu ging zeggen. Ik vermoedde dat het iets zou zijn wat met zaterdagnacht te maken had, iets over Raymond of Stella, maar toen hij weer naar mij keek, was er iets in zijn ogen waardoor ik wist dat ik maar voor een deel gelijk had.

En dat was ook zo.

'Je hebt zeker geen hoge pet op van Kesey?' vroeg hij.

Een beetje overdonderd keek ik hem aan, niet zeker wat ik moest zeggen.

'Het geeft niet,' zei pap. 'Ik ben eraan gewend dat mensen John niet mogen. Je moeder kan hem niet uitstaan.' Hij glimlachte naar me. 'Je hoeft niet net te doen alsof je hem mag alleen omdat hij mijn vriend is.'

Ik haalde mijn schouders op. 'Ik ken hem eigenlijk niet goed genoeg om te weten of ik hem wel of niet mag.'

'Maar wat je wel van hem weet bevalt je zeker niet?'

'Weet ik niet,' zei ik, terwijl ik weer mijn schouders ophaalde. 'Ik bedoel, ik snap niet goed wat dat voor verschil maakt.'

Pap glimlachte. 'John is een goeie smeris, Pete. Het is een goed mens, en de afgelopen jaren is hij een heel goede vriend voor me geweest. Ik zeg niet dat hij volmaakt is of zo… Ik bedoel, hij heeft zo zijn problemen. Nou, eigenlijk één probleem. Hij drinkt te veel.' Pap keek me aan. 'De meeste tijd zit dat zijn werk niet in de weg, maar soms… nou ja, soms heeft hij een beetje hulp nodig. Snap je, moet er op hem gelet worden.'

'Mag mam hem daarom niet?'

Pap knikte. 'Ze vindt dat hij het niet waard is. Ze vindt dat ik mijn baan in gevaar breng.'

Daarna zeiden we een poosje geen van tweeën iets. Pap zat daar gewoon, diep in gedachten en ik staarde niets ziend naar het flikkerende licht van de tv zonder geluid. De zon was nu onder, en buiten ging de schemer langzaam over in het donker. De kamer was halfduister. De tv lichtte fel op. Ik kon mijn ogen er niet van afhouden. De gezichten, de mensen, de kleuren, de vormen…'

Het zei me allemaal niks.

'Hoor eens, Pete,' zei pap, 'de reden waarom ik je dit allemaal vertel…'

'Je hoeft het niet uit te leggen, pap.'

'Ja, dat moet ik wel.'

Ik keek hem aan. Zijn gezicht lichtte spookachtig op in het licht van de tv, en een moment lang – een eigenaardig kort momentje – was hij plotseling iemand anders, iemand die ik nog nooit had gezien. Hij was nog wel mijn vader, maar het leek alsof ik hem niet meer kende. Het was best even eng, maar toen ik in mijn ogen wreef en naar hem keek, flakkerde het licht van de tv, werd heller en werd de onbekende vader plotseling weer mijn eigen vader.

'Wat is er?' vroeg hij. 'Voel je je wel goed?'

Ik knikte.

Hij keek me oplettend aan. 'Weet je het zeker?'

'Ja,' zei ik. 'Ik ben alleen maar moe.'

Hij bleef me een tijdje met ogen vol twijfel aankijken, maar er was niets meer aan mij te zien. Ik wreef niet in mijn ogen, ik zag geen dingen die er niet waren. Ik zat gewoon op mijn bed, zag er een beetje moe uit, en wachtte tot hij door zou gaan. Er was niets met me aan de hand.

'Goed, luister,' zei hij uiteindelijk. 'Om te beginnen moet je goed begrijpen dat John Kesey je echt alleen maar probeert te helpen. Ik bedoel, hij mag het dan voor mij doen, omdat hij denkt dat hij bij mij in het krijt staat, en hij mag het dan niet zo nauw nemen met de voorschriften... maar zo gaat het soms nou eenmaal. Je doet wat je denkt dat nodig is. Je moet doen wat je denkt dat juist is.' Hij lachte naar me. 'Je kunt hem vertrouwen, Pete. Dat wil ik alleen maar zeggen. Hij wil je helpen, hij wil ons allebei helpen.'

'Ja,' zei ik, 'maar ik snap niet hoe...'

'Alleen maar even naar me luisteren,' zei pap. 'Oké? Alleen luisteren...' Hij zuchtte. 'Kijk, ik ben een politieagent, Pete. Het is mijn werk om te zorgen dat er geen slechte dingen gebeuren. En als die dan toch gebeuren, moet ik uitzoeken wie het heeft gedaan en ervoor zorgen dat het niet nog een keer gebeurt.' Hij leunde naar voren en keek me doordringend aan. 'Dat is mijn werk, Pete. En ik doe het omdat... nou, omdat ik er echt in geloof. Kun je me volgen?'

'Ja.'

'Het is meer dan zomaar een baan, weet je... het is iets bijzonders. Het betekent iets voor me.' Hij zweeg even en keek naar de vloer, toen haalde hij diep adem en keek me weer aan. 'Maar ik ben ook je vader, Pete. Jij bent mijn zoon. En dat betekent meer voor me dan wat ook ter wereld.'

Daarna keken we elkaar aan en wisten geen van beiden wat we moesten zeggen; we voelden ons alle twee stompzinnig verlegen. Maar het was goed zo, we hoefden niets te zeggen. We hoefden elkaar alleen maar aan te kijken.

Maar dat viel nog niet eens zo mee, en na een tijdje snoof pap een paar keer en schraapte zijn keel, en ik zat maar zo'n beetje te knikken, alsof ik het op de een of andere manier met hem eens was.

'Dus, hoe dan ook,' zei hij terwijl hij zijn best deed om weer nonchalant te klinken, 'ik geloof dat ik alleen maar probeer te zeggen… nou, je snapt me wel… ik probeer alleen maar uit te leggen waar ik in dit alles sta, of misschien waar ik wil staan.' Hij schudde zijn hoofd en grijnsde naar me. 'Maar ik bak er geloof ik niet veel van, is het wel?'

'Je doet het prima,' zei ik.

Hij zweeg even, met een snelle dankbare glimlach naar mij, en ging toen door. 'Ik wil alleen maar weten wat er gebeurd is, Pete. Daar komt het gewoon op neer. Ik wil erachter komen wat er met Raymond en Stella is gebeurd. En als politieagent weet ik dat jij me daarbij kunt helpen. Ook al denk je zelf dat je niets zinnigs weet, je was erbij. Je was samen met Raymond. Je kent hem. En Stella ken je ook. En je kent ook de mensen die hen alle twee kennen.' Hij keek me aan. 'Als ik deel uitmaakte van dit onderzoek zou jij de eerste zijn met wie ik zou willen praten.'

'Maar je maakt er geen deel van uit,' zei ik zacht.

'Nee, dat klopt. Maar ik weet wat er gaat gebeuren. Ik weet hoe het allemaal in zijn werk gaat. En ik weet dat ze je flink op je huid zullen zitten. En als je vader zal ik dat in geen geval laten gebeuren zonder je daarbij zoveel mogelijk te helpen.'

'Wat wil je daarmee zeggen?' vroeg ik.

Hij haalde zijn schouders op. 'We vertellen elkaar wat we weten.'

'Maar ik dacht dat je zei…'

'Ja, weet ik. Ik mag je niks over Raymond en Stella vertellen. Maar zoals ik daarnet zei, soms moet je gewoon doen wat je denkt dat nodig is. Je moet doen wat je denkt dat juist is.'

'Juist voor wie?'

'Voor mij, voor jou, voor je moeder… voor Raymond en Stella…' Hij schudde zijn hoofd. 'Ik kan niet achterover leunen en niets doen, Pete. Het is allemaal te dichtbij. Het betekent te veel.'

'Ja, maar wat kun je doen?' vroeg ik. 'Ik bedoel, als je niet bij het onderzoek betrokken bent, en niet weet wat er aan de hand is…'

'Ik weet wel wat er aan de hand is.'

'Hoe dan?'

'John houdt me op de hoogte. Ik weet precies wat er aan de hand is, en zo gauw er weer iets gebeurt, kom ik dat ook te weten. En jij ook.'

'Ik?'

Pap knikte. 'Als je het wilt weten… vertel ik het je.'

'Maar is dat niet…'

'Niet correct? Ja, dat is het zeker. En als jij me iets wilt vertellen en ik geef dat door aan John, is dat ook absoluut incorrect. En als iemand erachter komt, zitten we allemaal in de puree. Maar dat risico durf ik wel te nemen als jij het ook doet.'

'Waarom?' vroeg ik.

'Ik ben politieagent,' zei hij eenvoudig. 'Ik geloof in wat ik doe.' Hij keek me aan. 'En jij bent mijn zoon, en ik geloof ook in jou.'

Zowat het hele volgende uur vertelde pap me alles wat hij wist over het onderzoek tot nu toe. Hij legde uit dat Stella's kleren, de kleren die ze aan had gehad op de kermis, op dit moment forensisch werden onderzocht en dat de bloedvlekken al met haar bloedgroep waren vergeleken. Verdere tests op DNA en eventuele andere sporen zou iets langer duren. De politie speurde nog steeds de hele omgeving van de rivieroever af, vertelde hij, ze kammen het bos uit, het talud en alle kleine paadjes, en een duikersteam was aan een nauwgezet onderzoek van de rivier zelf begonnen, maar van het lichaam was nog steeds geen spoor. Officieel hield de politie nog overal rekening mee en werd het onderzoek nog steeds behandeld als het onderzoek naar een vermist persoon, maar algemeen werd aangenomen dat het slechts een kwestie van tijd was voor Stella's lichaam op zou duiken.

'En Raymond?' vroeg ik. 'Wordt die nog steeds als alleen maar vermist behandeld?'

Pap keek me aan. 'Ik weet dat het een zware dobber voor je is, Pete, maar je zult moeten beginnen te accepteren dat Raymonds verdwijning niet zomaar afgedaan kan worden als iets toevalligs. Hij wordt vermist, Stella wordt vermist, ze waren alle twee op de kermis...'

'Ja, natuurlijk,' zei ik sarcastisch. 'Dan moet Raymond haar wel vermoord hebben.'

'Dat zei ik niet.'

'Nee, maar dat zal iedereen denken.'

'We moeten alles onder de loep nemen, Pete. Als Raymond labiel is...'

'Hij is niet labiel. Hij is net zo min labiel als ik.'

Pap schudde zijn hoofd. 'Dat is niet waar.'

'O nee?'

'Zijn huis is een puinhoop, zijn ouders zijn een puinhoop, hij is zijn hele leven gepest en lastiggevallen.' Pap keek me aan. 'Misschien dat jij nu een moeilijke tijd doormaakt, Pete, maar wat je problemen ook zijn, ze stellen niets voor vergeleken met die van Raymond op dit moment. Hij had al heel lang geleden hulp moeten hebben.'

'Ik heb hem geholpen.'

'Ja, ik weet dat je dat hebt gedaan... je hielp hem vanwege zijn problemen.'

'Ja, dat is waar,' gaf ik toe, 'hij heeft wel wat problemen. Maar dat wil nog niet zeggen dat hij iets verkeerds heeft gedaan.'

'Maar ook niet dat hij het niet heeft gedaan. Mensen met problemen zijn tot van alles in staat. Geloof me maar, Pete, ik heb daar bewijzen van gezien. Ik weet wat een gekwelde geest met iemand kan doen.'

Daar moest ik even over nadenken en ik probeerde me Raymonds gemoedstoestand voor te stellen, en wat die met hem kon doen, waar die hem toe aan kon zetten... en ik was verbaasd om te merken dat ik het me inderdaad kon indenken. Ik kon hem duistere dingen zien doen, slechte, verkeerde dingen... maar dat klopte niet. Dat was Raymond niet, het was een denkbeeldige Raymond. Een Raymond uit een nachtmerrie. En zo wilde ik niet over hem denken.

Ik streek met een hand over mijn gezicht, veegde die gedachte weg, en keek pap aan. 'Weet de politie iets wat erop wijst dat Raymond iets met Stella te maken heeft?'

'Voor zover ik weet niet. Maar ze gaan huiszoeking doen, zijn achtergrond doorlichten, kijken of ze iets kunnen vinden. Ze zijn al begonnen het dode konijn en het hok en al die dingen te onderzoeken. Het is daar allemaal nogal een troep na de regen, dus zullen ze niet veel vinden aan voetsporen, of zo, maar misschien levert het konijn iets op...'

'Mijn rugzak ligt daar nog,' zei ik, toen ik het me plotseling herinnerde.

'Wat?'

'Mijn rugzak... die heb ik in Raymonds schuur gelegd voor we naar de kermis gingen.'

'Waarom?'

'Waarom wat?'

Pap zuchtte. 'Waarom heb je je rugzak in Raymonds schuur laten liggen? Wat zat erin?'

'De wijnfles,' zei ik, terwijl ik me behoorlijk stom voelde. 'Je weet wel, die ik van jou heb gepikt... toen ik wegging heb ik hem in mijn rugzak gedaan, zodat mam het niet zou zien.'

Pap grinnikte. 'Dacht je dat ik het niet zou merken?'

'Ja, ik dacht...'

Hij knikte. 'Heb je ervan genoten?'

'Niet echt…' Ik keek hem aan. 'Sorry, pap.'

Hij glimlachte naar me. 'Het doet er niet toe.'

Het doet er niet toe.

De gefluisterde echo kwam van boven op de ladekast.

'Wat?' mompelde ik en ik wierp snel een blik op het porseleinen konijn.

'Wat?' zei pap.

Ik keek hem aan. 'Wat?'

Hij keek even naar het konijn en toen weer naar mij. 'Wat doe je?'

'Niks… ik dacht dat ik iets hoorde. Een muis of zo… achter de ladekast.'

Pap kneep zijn ogen tot spleetjes toen hij weer naar het konijn keek, en ik zag een zweem van achterdocht in zijn ogen opkomen.

'Waar hebben ze Stella's kleren gevonden?' vroeg ik in een poging om hem af te leiden.

'Wat?'

'Stella's kleren… pap?'

'Bij de rivier,' zei hij terwijl hij aandachtig naar het konijn bleef kijken.

'Ja, dat weet ik… maar waar ergens bij de rivier?'

Eindelijk maakte hij zijn blik los van het konijn en draaide zijn gezicht naar mij. 'Ze lagen in een stel struiken onder aan het talud, net achter die caravan.'

'Bij de caravan?'

Hij knikte. 'Er zat ook bloed op de caravan. Aan de achterkant… aan dezelfde kant als de struiken. De Forensische Opsporing is het aan het testen. De caravan wordt onderzocht en de eigenaar verhoord.'

'Raymond kent hem,' zei ik en ik ging rechtop zitten.

'Wie?'

'De jongen die in de caravan woont… we kwamen hem zaterdagavond tegen aan het eind van de straat toen we naar de kermis gingen. Hij klom over het hek. Raymond knikte hem gedag, je weet wel… alsof hij hem kende. En die jongen knikte terug. Toen ik aan Raymond vroeg wie dat was, zei die dat hij het niet wist, maar dat hij hem gewoon een paar keer bij de rivier had gezien.'

'Hij heet Tom Noyce,' vertelde pap. 'Hij is eerder op de dag naar het bureau gebracht voor ondervraging. Zijn moeder werkt op de kermis. Ze is waarzegster…'

'Ze is wát?'

'Waarzegster. Je weet wel… Tarotkaarten, kristallen bollen, dat soort dingen. Ze noemt zich Madame Baptiste, maar haar echte naam is Lottie Noyce. Voor zover we weten helpt haar zoon haar soms, en lijkt die rond te reizen met de rest van de kermis, maar om een of andere reden gaat hij met zijn caravan altijd een stuk bij de andere wagens vandaan staan…'

Ik probeerde te luisteren terwijl pap doorpraatte, maar mijn hoofd raakte weer vol vliegen. Losse vliegen, samenhangende vliegen, oude vliegen en nieuwe vliegen. De oude vliegen zaten er nog en zoemden als gekken – Campbell en Pauly, Pauly en Eric, Eric en Campbell, Stella en Raymond, Nicole en ik – maar nu zat er ook een heel stel nieuwe. Tom Noyce en Raymond, Tom en zijn moeder, Lottie Noyce, Madame Baptiste, Raymond en Madame Baptiste…

Het is jouw lot, Raymond.

Leven bestaat bij gratie van de dood.

Schoppenaas…

Vliegen.

'Pete?'

Ik kon niets met elkaar in verband brengen.

'Pete?'

Er waren te veel vliegen.

'Luister je, Pete?'

Ik keek naar pap. 'Wat?'

'Ik zei dat ik het John Kesey zal laten weten over Raymond en Tom Noyce. John is zelf niet bij de ondervraging van Noyce betrokken, maar hij vindt wel een manier om de informatie door te geven zonder dat iemand te weten komt dat het bij ons vandaan komt.' Hij keek me aan. 'Was dat de enige keer dat je Tom Noyce op zaterdag hebt gezien?'

'Ja.'

'Je hebt hem niet op de kermis gezien?'

Ik schudde mijn hoofd. 'Denk je dat hij er iets mee te maken heeft?'

Pap haalde zijn schouders op. 'Wie weet?'

Misschien weet zijn moeder het, dacht ik bij mezelf. Misschien weet zij het.

Maar ik zei niets.

Daarna zei ik eigenlijk helemaal niets meer, maar luisterde alleen terwijl pap me probeerde te vertellen wat we de komende dagen konden verwachten. John Kesey had hem nog geen nadere bijzonderheden kunnen verschaffen, maar ze waren er alle twee vrij zeker van dat de politie binnenkort getuigenverklaringen zou gaan afnemen en dat ik waarschijnlijk als een van de eersten op hun lijstje stond.

'Ze zullen met iedereen willen praten die die avond bij Raymond was,' legde pap uit, 'en ook met iedereen die bij Stella was. Deze keer wordt het een officieel verhoor, dus zullen ze je meenemen naar het bureau en een schriftelijke verklaring van je willen. Ik heb het er met je moeder over gehad en die gaat met je mee…'

'Kan ik er niet in mijn eentje naartoe?' vroeg ik.

'Nee.'

'Waarom niet?'

'Daarom niet,' zei pap vastbesloten. 'Je moet iemand bij je hebben, en ik kan het niet doen, dus blijft een advocaat of je moeder over. En in dit stadium hou ik de advocaten er liever nog even buiten. Dus gaat je moeder met je mee of je dat nou leuk vindt of niet. Oké?'

'Ja, ik denk van…'

'John zal proberen me te laten weten wanneer ze je komen halen, maar misschien is hij niet bij machte om erachter te komen.'

'Waarom niet?'

'Nou, het is ingewikkeld… ik bedoel, het zou kunnen dat ze het ons op voorhand laten weten, maar het is een ongebruikelijke situatie, en ook al mag ik geen dingen met jou bespreken, waarschijnlijk weten ze dat ik dat wel doe, dus misschien staan ze ineens zonder waarschuwing voor onze neus. Daarom vertel ik je dit nu allemaal.'

Hij ging door met uitleggen wat er tijdens het verhoor zou gebeuren, hoe ze tegen me zouden praten, wat voor dingen ze zouden vragen, wat ik moest doen. Blijkbaar hoefde ik alleen maar kalm te blijven en de waarheid te vertellen, dan zou alles in orde komen.

Niets om je druk over te maken.

Geen enkel probleem.

Zo simpel als wat.

Alleen maar de waarheid vertellen…

En alles zou in orde komen.

Die nacht was het te warm om te slapen en terwijl ik in bed over dingen na probeerde te denken – erachter probeerde te komen waarom alles niet zo simpel was – voelde ik me steeds naar het porseleinen konijn op mijn ladekast toe getrokken. Elke keer dat ik ernaar keek zag ik zijn ogen flikkeren in het donker en leek de lucht te fluisteren over de komst van een stem… en elke keer dat ik mijn ogen afwendde, stopte het geruisloze gefluister. Ik wist niet wat ik moest doen. Als ik mijn ogen dichtdeed zag ik akelige dingen – duistere dingen, hersenspinsels, verwarrende beelden, flitslichten – maar als ik ze openhield begon ik andere dingen te zien: kermislichten, carrousels, konijnenkoppen, reuzen. En de hele tijd hoorde ik ergens achter in mijn hoofd het gezoem van vliegen.

Ik lag stil, zoog de warmte van de nacht in me op en stelde me voor dat ik verbrandde. Ik spreidde mijn armen uit, stelde me de hitte voor, verbeeldde me hoe mijn poriën zich zouden openen, het zweet naar buiten zou stromen, en de vliegen mee naar buiten zou nemen… en ik wist dat het allemaal belachelijk was – om daar midden in de nacht uitgespreid als een van zweet doordrenkte jezusfiguur op mijn bed te liggen – maar hoe langer ik daar lag hoe minder belachelijk het leek, en na een tijdje begon ik te voelen dat er iets gebeurde.

Mijn hoofd stroomde leeg.

De vliegen gingen weg.

Ik weet niet waar ze naartoe gingen, maar in nog geen halfuur tijd of zo wist ik dat de meeste weg waren. En toen ik bij mezelf naar binnen keek, was alles wat ervan over was een paar simpele lijntjes, de contouren van twee zwarte vliegen. Maar die waren nu in hun eentje en bewogen niet, waardoor ik ze kon zien voor wat ze werkelijk waren.

Een van hen was de herinnering aan een geluid, een stem… een stem aan de telefoon eerder op de avond. Het was Erics stem die vroeg of ik dacht dat de politie ons zou willen spreken over Stella. En toen ik had gezegd dat dat waarschijnlijk wel het geval zou zijn, had hij gezegd: Ja, ze moeten wel, hè? We kenden haar allemaal…

We kenden haar allemaal.

Niet, we kénnen haar allemaal.

We kenden haar allemaal.

Het tweede dat in mijn hoofd was achtergebleven was de herinnering aan een geur, een parfum… een herinnering die ik al eerder thuis had kunnen brengen, maar had geprobeerd te verdringen. Het was het parfum dat ik bij Wes Campbell had geroken toen hij me halfdood kneep beneden bij de gastorens, die donkere zoete geur waarvan ik me had afgevraagd waar ik die eerder had geroken... en nu wist ik het.

Het was hetzelfde parfum dat Nic zaterdagavond op had gehad.

Negentien

Pap had gelijk dat de politie zonder waarschuwing op zou duiken, maar ook dat John Kesey het ons zou laten weten. Dus toen de politieauto zonder uiterlijke kenmerken de andere ochtend om tien uur voor ons huis stilhield, hadden we er niet alleen al bijna een uur op zitten wachten, maar wisten we ook wie erin zat en wie me op het bureau zou ondervragen.

Toen de bel ging en pap opendeed, ging ik met mam naar de keuken samen aan tafel zitten.

'Moet een van ons niet ergens mee bezig zijn?' vroeg ik.

'Zoals?'

'Weet ik niet… geeft niet wat. Pap zei toch dat we gewoon moesten doen? Doen alsof we niemand verwachten.' Ik keek naar haar zoals ze daar stijf rechtop tegenover me zat en ik moest onwillekeurig lachen. 'Als we ons best erop hadden gedaan hadden we er niet abnormaler uit kunnen zien.'

'Hoor wie het zegt,' zei ze.

Toen hoorde ik de voordeur dichtgaan. Gemompel van stemmen in de gang. Voetstappen die naar de keuken kwamen…

'Toe dan,' fluisterde mam, 'zeg iets.'

'Waarover?'

'Om het even… doe alsof we gezellig zitten te kletsen.'

'Gezellig kletsen?'

Ze lachte heel geforceerd gezellig. 'Ja, een gezellig babbeltje… je weet wel, een praatje, een gesprek.'

Ik lachte terug. 'Waar wil je het over hebben?'

Voor ze antwoord kon geven ging de keukendeur open en liet

pap twee mannen binnen. Een van hen was hoofdinspecteur Barry, de ander was een jongere man met een haviksneus en een zwarte haardos met krullen.

'Ik denk dat jullie George Barry wel kennen,' zei pap tegen mam en mij.

We knikten alle twee.

Barry knikte terug.

Pap gebaarde naar de jongere man. 'En dit is rechercheur Gallagher.'

Nog meer geknik.

'Ze willen met Pete over Raymond praten,' legde pap uit aan mam. 'Hij moet met ze mee naar het bureau.'

'Waarom?' vroeg mam en ze keek naar Barry, 'waarom kunt u niet hier met hem praten?'

Barry keek naar pap.

Pap zei: 'Het is oké, schat. Gewoon de standaardprocedure. Ze moeten Pete's vingerafdrukken hebben en het gesprek opnemen. Niks om je zorgen over te maken.'

Barry zei: 'Het staat u geheel vrij uw zoon te vergezellen als u wilt, mevrouw Boland.'

Mam keek hem aan. 'Vraagt u hem om mee te gaan? Of is het een bevel?'

Barry lachte vermoeid alsof hij het allemaal al eens eerder had gehoord. 'In dit stadium vragen we het alleen.' Toen keek hij voor het eerst naar mij. 'Oké, Peter?'

Ik keek naar pap.

Die knikte.

Ik keek weer naar Barry. 'Hebt u Raymond al gevonden?'

'Daar kunnen we het op het bureau over hebben.'

Op straat was het nogal rustig toen we van huis weggingen en achter Barry en Gallagher aan naar de auto liepen. Het einde van de straat was nog steeds afgezet en op het pad naar de rivier waren onderzoeksteams en mensen van de Forensische Opsporing rustig bezig met hun werk. Bij Raymonds huis stonden twee politiebusjes en terwijl ik achter mam aan achter in de auto van hoofdinspecteur Barry klom, zag ik een gestalte in het wit uit Raymonds voordeur komen met een computer in een doorzichtige plastic zak.

De verhoorkamer op het politiebureau was niet zo kaal en angstaanjagend als de verhoorkamers die je op tv ziet, maar afgezien daarvan zag het er precies zo uit: effen witte muren, een donker vloerkleed en een tafel met vier stoelen. In een kast in de hoek stond een dubbele taperecorder en op een tafel achterin tegen de muur lag een stapel videospullen.

Ik zat naast mam, met Barry en Gallagher tegenover ons. Terwijl Gallagher de bandrecorder aanzette en Barry van alles en nog wat begon uit te leggen over waarom ik daar was en dat ik elk moment vrij was om te gaan, keek ik naar mijn pasgewassen handen en wreef over de restjes inktsporen van de vingerafdrukken. Kort na onze aankomst op het bureau hadden ze mijn vingerafdrukken genomen. Ik had kunnen weigeren, net zoals ik had kunnen weigeren om iets van mijn DNA af te staan, maar ze hadden gezegd dat het alleen om uitsluiting ging en dat het misschien zou helpen om het onderzoek naar Raymond sneller te laten verlopen… dus had ik niet veel keus.

Ik wreef weer over de inkt op mijn vingers en bestudeerde de zwakke lijnen op mijn vingertoppen – de spiralen en lussen, eilandjes en kliffen – en even zag ik ze als lijnen op een landkaart en was het alsof ik hoog uit de lucht neerkeek op een landschap van bergen en heuvels…

'Oké, Peter?'

Ik keek op naar hoofdinspecteur Barry. 'Sorry?'

'Begrijp je wat ik je net heb verteld?'

'Ja.'

'Zeker weten?'

'Ja, ik heb het begrepen.'

'Goed.' Hij produceerde een strak glimlachje. 'Nou, laten we dan maar beginnen.'

Ongeveer de eerste tien minuten ging alles vrij probleemloos. Hoofdinspecteur Barry vroeg me wat er op zaterdagavond was gebeurd, ik begon het te vertellen, en agent Gallagher schreef het allemaal op. Af en toe onderbrak Barry me kort en vroeg om een toelichting – hoe laat het was, of een klein dingetje over iets – maar de meeste tijd zei hij helemaal niets. Hij zat gewoon naar me te kijken en luisterde aandachtig naar alles wat ik zei.

Maar toen, net nadat ik hem had verteld dat we Tom Noyce waren tegengekomen en dat Raymond hem scheen te kennen, stelde Barry plotseling een vraag waar ik niet op bedacht was.

'Vertel eens over Raymond,' zei hij.

'Wat bedoelt u?'

Barry glimlachte. 'Ken je hem al lang?'

'Ja, vanaf dat we klein waren.'

'Wat is het voor iemand?'

'Wat bedoelt u?'

'Nou, hoe zou je hem omschrijven?'

Ik haalde mijn schouders op. 'Aan de kleine kant, donker haar…'

'Nee,' zei Barry. 'Ik bedoel niet uiterlijk, ik bedoel wat voor persoon is het?'

'Wat voor persoon?'

Barry knikte. 'Is het een rustig iemand? Lawaaierig? Verlegen? Makkelijk in de omgang? Kan hij het goed met anderen vinden?'

'Hij is vrij rustig,' zei ik. 'Ik kan niet zeggen dat hij nou zo makkelijk in de omgang is.'

'Waarom niet?'

'Ik weet niet, hij is gewoon een beetje…'

'Een beetje wat?'

Ik keek naar mam.

Ze zei tegen Barry: 'Raymond is altijd een beetje een…'

'Neem me niet kwalijk, mevrouw Boland,' zei Barry terwijl hij zijn hand ophield. 'Ik hoor het liever van Peter, als u het niet erg vindt.' Hij wierp haar een snel glimlachje toe en keek toen weer naar mij. 'Wat ging je zeggen?'

Ik bleef hem even aankijken, geïrriteerd door dat minzame glimlachje, maar herinnerde me toen wat pap had gezegd – blijf kalm – en ik haalde diep adem en ging door. 'Raymond is gewoon een beetje anders,' zei ik. 'Ik denk dat hij veel problemen heeft gehad…'

'Wat voor problemen?'

'Gepest worden, problemen thuis… dat soort dingen.'

'Zou je hem introvert kunnen noemen?'

'Ik denk van wel, maar niet op een…'

'Is hij opvliegend?'

'Nee.'

'Heeft hij zich weleens vreemd gedragen?'

'Zoals?'

'Alles wat buiten het normale valt…'

'We doen allemaal weleens gekke dingen zo nu en dan.'

Barry lachte. 'Dat is zo. Maar dit gaat niet over ons. Dit gaat over Raymond. Heeft hij ooit gewelddadig gedrag vertoond?'

'Nee,' zei ik beslist. 'Nooit.'

'Heeft hij nooit wraak genomen op een pesterij of zo?'

'Nee.'

'Heeft hij een vriendinnetje?'

'Wat heeft dat ermee te maken?'

'Geef gewoon antwoord, alsjeblieft. Heeft Raymond een vriendinnetje?'

'Niet dat ik weet.'

'Heeft hij er ooit een gehad?'

'Weet ik niet…'

'Vriendje?'

'Hij is niet homoseksueel…'

'Vriendin dan.'

'Dat heb ik al gezegd. Ik weet niet of hij ooit een vriendinnetje heeft gehad.'

Barry fronste zijn voorhoofd. 'Hij is toch je vriend?'

'Ja.'

'Een goede vriend?'

'Ja.'

'Nou, dan zou je het toch wel weten als hij ooit een vriendinnetje heeft gehad?'

'Hij vertelt me niet alles.'

'Vertelt hij je hoe hij over dingen denkt?'

'Wat voor dingen?'

'Meisjes, seks…' Hij glimlachte. 'Het soort dingen waar jongens meestal over praten.'

'Neem me niet kwalijk,' kwam mam ertussen, 'maar is dit echt allemaal nodig?'

Barry keek haar aan. 'Anders zou ik het niet vragen.'

'Ja, maar toch zeker…'

'Alstublieft, mevrouw Boland,' zei hij terwijl hij zijn hand weer ophield. 'Ik begrijp uw bezorgdheid, maar wilt u alstublieft Peter antwoord laten geven op mijn vragen?'

Mam schudde haar hoofd en liet haar ongenoegen blijken, maar onthield zich verder van commentaar.

Barry wendde zich weer naar mij. 'Hoor eens, Peter,' zei hij, 'ik probeer alleen maar een beeld te krijgen van Raymonds karakter. Van zijn persoonlijkheid. Begrijp je? Als ik me in hem kan verplaatsen…'

'Ik weet heel goed wat u aan het doen bent,' zei ik. 'U probeert erachter te komen of Raymond een of ander geschift pervers type is of iets in die richting. U wilt weten of hij zover van de pot is gerukt dat hij gekke dingen gaat doen en…'

'Pete!' snauwde mam. 'Gedraag je een beetje!'

'Ja, maar…'

'Ik begrijp dat je geschrokken bent,' zei ze streng, 'maar dat is geen reden om zulke taal te gebruiken.'

'Nou ja,' zei ik nors terwijl ik naar Barry keek. 'Het is toch zeker waar? Dat probeert u toch te doen?'

'Ik probeer gewoon mijn werk te doen, Peter,' zei hij. 'Meer niet. Ik probeer erachter te komen of Raymonds verdwijning iets met die van Stella te maken heeft.'

'Ja, maar wat als dat niet zo is?'

'Nou, als dat het geval zou blijken…'

'U houdt er niet eens rekening mee, wel? U gaat er gewoon van uit dat Raymond er iets mee te maken heeft, wat er ook met Stella gebeurd is.'

'Wij gaan nergens van uit…'

'O nee?'

Daarna bleef Barry me een tijdje met koude, harde ogen aankijken, en het was wel duidelijk dat hij kwaad op me begon te worden. Ik trok zijn onkreukbaarheid in twijfel. Ik beschuldigde hem van overhaast conclusies trekken. Ik gedroeg me onuitstaanbaar. En dat beviel hem helemaal niet.

'Oké, Terry,' zei hij kalm tegen agent Gallagher. 'Ik geloof dat we beter eens naar de video kunnen kijken.'

Ik keek nieuwsgierig toe toen Gallagher een videoband uit een tas bij zijn voeten haalde en die meenam naar de videorecorder. Hij stopte hem erin, pakte een afstandsbediening en kwam terug naar de tafel. Ik keek naar Barry. Er was niets op zijn gezicht af te lezen, maar ik zag aan zijn ogen dat ik iets te zien zou krijgen wat ik liever niet zou zien.

Het was niet zo moeilijk om te raden wat het was.

Barry knikte naar Gallagher. Gallagher richtte de afstandsbediening op de videorecorder en drukte op play. Toen het scherm schokkend tot leven kwam, herkende ik de eerste beelden onmiddellijk: Stella op de kermis, haar lachende gezicht, met een dreigend kijkende Nicole op de achtergrond. Het was hetzelfde videofragment dat Sky News de afgelopen dagen had laten zien, maar nu zat er geluid bij. Ik kon Stella's gelach horen, het kabaal en gedreun van de attracties op de achtergrond, de muziek, de menigte, de opgewonden stemmen…

'Dit heb je vast al eerder gezien,' was Barry's commentaar. 'De film is opgenomen door een onafhankelijke filmmaker, ene Jonathan Lomax. De laatste paar maanden is hij bezig geweest met een documentaire over Stella, heeft met haar rondgereisd en haar overal gefilmd… je kent het wel.' Hij zweeg even, keek naar het scherm, naar het stukje waar Stella Nicole negeert, draaide zich toen om naar mij en ging door: 'Helaas voor ons was meneer Lomax bezig om zijn film te verkopen aan de tv-maatschappijen, waardoor het ons wat tijd heeft gekost hem over te halen om ons de rest te laten zien.' Barry keek me veelbetekenend aan. 'Maar nu hebben we hem zover gekregen. En dat bleek heel interessant te zijn.' Hij knikte naar Gallagher. Gallagher drukte op fast forward en ik keek in hopeloze stilte toe hoe de over elkaar tuimelende beelden onontkoombaar naar mijn ontmoeting met Stella en Raymond snelden.

Mam keek naar mij. 'Weet jij waar dit over gaat, Pete?'

Ik haalde mijn schouders op, niet in staat om iets te zeggen.

Ik hoorde een klik toen Gallagher de tape stopte, en nog een toen hij weer op play drukte. De film begon, de soundtrack vulde de kamer, en gedurende zo'n vijf minuten daarop zei niemand iets. We zaten daar alleen maar te kijken en te luisteren terwijl de kermislichten flitsten, de muziek schalde, het slagwerk dreunde… en na een poosje kreeg ik het gevoel dat ik daar weer was. Ik voelde het

vanbinnen allemaal weer rondbonken – *NIEUWE RONDE!*
NIEUWE KANSEN! ALLEEN MAAR WINNAARS!... FAN-N-
TAS-S-S-T-I-I-I-SCH! – de lichten die in mijn ogen brandden, het
lawaai van de attracties dat om me heen deinde en raasde – TER-
MINATOR! METEOR! TWISTER! FUNHOUSE! – en waanzin de
lucht in slingerde.

De film ging verder.

Eerst was Stella moeilijk te onderscheiden. Er waren zo veel
mensen – duwend en dringend, lachend en schreeuwend – en de
camera wiebelde als een idioot in het rond, schokte, zoomde in en
uit, met scherpe en onscherpe beelden... maar toen verscheen er
plotseling een close-up van Stella's gezicht, ging de camera over op
panoramabeeld, en zag ik haar ineens heel duidelijk. Huppelend,
lachend en zwaaiend, omgeven door haar aanhang en massa's
nieuwsgierige toeschouwers. Ze had haar arm om Raymonds
schouders, nu omhelsde ze hem, praatte tegen hem en lachte al
haar stralendwitte tanden bloot tegen hem.

Hij lachte ook.

En ik was bijna in tranen.

Toen zei ik bijna tegen Barry dat hij de tape moest stopzetten. Ik
verdroeg het niet. De beelden van Raymond en Stella, hun glimlach, hun ogen... het leek op kijken naar foto's van dode mensen.

Ken je dat gevoel wat je krijgt als er iemand gestorven is en je ziet
hun foto op tv of in de krant, en ook al leefden ze nog toen de foto
genomen werd, je op de een of ander manier gewoon weet dat ze
niet meer leven? Nou zo'n gevoel kreeg ik toen ik naar Raymond
en Stella op het scherm zat te kijken. Er was iets mee – een leegte,
een afstand... er was iets niet. Iets wat me zei dat ze er niet meer
waren.

Alsof ik naar geesten zat te kijken.

En ik wilde niet naar geesten kijken.

Maar ik wist dat hoofdinspecteur Barry de tape niet zou stoppen en zelfs als ik mijn ogen dicht zou doen, zou ik het nog steeds kunnen horen. En als ik het binnen in de duisternis van mijn hoofd zou horen werd het misschien alleen nog maar erger. Dus zei ik niks, hield mijn ogen open, slikte mijn tranen in en bleef kijken.

De Stella op het scherm kuste Raymond nu... hield hem tegen zich aan en drukte haar felrode lippen op zijn wang. Maar ze keek hem niet aan. Haar ogen grijnsden naar de camera. En toen ze hem weer kuste en lippenstift over zijn hele gezicht heen smeerde, zag ik alle mensen om haar heen naar elkaar lachen en schateren bij het zien van de *beauty* die met het *beast* speelde...

Hem plaagde zoals je een hond plaagt.

En Raymond deed er gewoon aan mee, en lachte opgewonden met wijd open ogen naar Stella, grinnikte, terwijl iedereen hem uitlachte...

Ik begreep het nog steeds niet.

Raymond was niet dom.

Hij moest geweten hebben wat er gebeurde.

Ik keek, nauwelijks ademhalend, toe hoe de camera uitzoomde op Raymond en scherp stelde op een vertrouwd uitziend figuur die door de menigte naar Stella toe schuifelde en terwijl mijn gezicht voor het eerst verscheen, en de twee bewakers dwars door het beeld liepen om me de weg te versperren, hoorde ik mam geschrokken haar adem inhouden.

Ik keek haar niet aan.

Ik kon het niet.

Mijn ogen zaten aan het scherm geplakt.

Ik hoorde mezelf op het scherm roepen: Raymond! Hé, Raymond! en al liet de camera Raymonds reactie niet zien, ik wist nog dat hij me toe grijnsde en zijn duim opstak. Mijn stem klonk vreemd, als de stem van iemand anders en toen de camera op me inzoomde, besefte ik dat ik niet alleen behoorlijk vreemd klónk, maar er ook behoorlijk vreemd uitzag. Mijn ogen puilden uit, als twee zwarte knikkers, en knipperden nauwelijks. Ik zweette, zag bleek, was zo gespannen als een veer. En nu begreep ik waarom de veiligheidsjongens zo bezorgd waren geweest. Ik leek op iets uit de hel.

'Het is goed,' hoorde ik mezelf tegen hen zeggen, 'ik ben een vriend…'

'Achteruit.'

'Ik wil alleen maar…'

'Achteruit!'

Een van hen pakte me bij mijn schouder en begon me achteruit te dwingen, en toen hoorde ik Stella roepen.

'Het is goed, Tony! Hij is een vriend. Laat hem maar door.'

Grote Tony haalde zijn hand weg en deed een stap opzij.

'Hé, Pete!' riep Stella. 'Jij bent toch Pete? Pete Boland?'

Ik zag mezelf naar Stella en Raymond toelopen. De camera volgde me. Toen ik voor hen stilhield, ging de camera een stukje achteruit en nu waren we alle drie in beeld. Stella met haar arm om Raymonds schouder, Raymond die naar me lachte…

'Sorry, hoor Pete,' zei Stella en ze knikte naar de lijfwacht. 'Ik wist niet dat jij het was.' Ze schudde haar perfect zittende blonde haar naar achteren en glimlachte weer. 'Hoe is het trouwens met jou? Je ziet er gewéldig uit… Mijn god, ik heb jou ik weet niet hoe…'

'Raymond?' vroeg ik terwijl ik hem in zijn ogen keek. 'Alles goed met jou?'

Hij knikte.

'Kom op,' zei ik tegen hem. 'Wegwezen hier.'

'Ho even,' zei Stella, 'waar denk jij dat je mee bezig bent?'

Ik keek haar alleen maar aan.

Ze keek even naar Raymond, gaf hem een kneepje en keek toen weer naar mij. 'Raymond is vanavond met mij,' zei ze met een glimlach. 'Ik laat hem zien hoe je lol kunt hebben. Je mag ook mee, als je wilt.'

'Nee, dankjewel.'

Raymond begon er nu wat ongemakkelijk uit te zien. Ik zag de groeiende angst, ongerustheid en verwarring in zijn ogen. Alsof hij zich net had gerealiseerd waar hij was en waar hij mee bezig was.

'Kom op, Raymond,' zei ik kalm. 'Ik trakteer je op een hotdog.'

Hij wierp een snelle blik op Stella en begon toen bij haar vandaan te schuiven. Ze verstevigde haar greep om zijn schouder en trok hem terug.

'Wat is er?' vroeg ze pruilend. 'Vind je me niet meer leuk?'

Hij grijnsde ongemakkelijk naar haar.

Ze glimlachte naar me.

Op dat moment had ik naar de jongens met de camera en de microfoon gekeken, en nu ik naar mezelf keek, was dat een verontrustende ervaring. Heel even, toen mijn ogen recht in de camera keken, zag ik mezelf naar mezelf kijken. De Pete Boland van de kermis; de Pete Boland in de verhoorkamer. Iets wits. Toen en nu. Iets verdrietigs. Samengevoegd. In en buiten de tijd…

En plotseling hoorde ik Raymonds stem in mijn hoofd.

Ik bedoel, we leven toch niet in het verleden? En ook niet in de toekomst. Dus blijft alleen het nu over. Maar wanneer is dat? Wanneer is nu? Hoe lang duurt het? Een seconde, een halve seconde… een miljoenste van een seconde? Je kunt toch niet maar een miljoenste van een seconde leven? Ik begrijp het niet.

Ik begreep er helemaal niks van.

Ik richtte mijn aandacht weer op het scherm en zag mezelf op Stella toelopen en vlak voor haar stilhouden. Ik keek haar een moment aan, boog me toen naar voren en zei zachtjes iets in haar oor, zodat niemand anders het kon horen.

En dat was ook zo.

'Harder, Terry,' zei hoofdinspecteur Barry tegen Gallagher terwijl hij zich dichter naar het scherm boog toen Stella iets terug fluisterde.

Gallagher drukte op de volumeknop, maar Stella was al uitgefluisterd, en we stonden daar alleen maar, terwijl Stella kil naar me glimlachte en ik alleen maar terug keek. Toen ik ons naar elkaar zag kijken – in het geknetter van een stilte op maximale geluidssterkte – zag ik weer de spottende leegte in Stella's vreugdeloze ogen. Het was de blik van een meisje dat werkelijk dacht dat zij als enige de moeite waard was.

Na een of twee seconden, begon de Stella op het scherm weer te praten, haar stem dreunde veel te luid door de speakers.

'HIER KRIJG JE SPIJT VAN.'

'O, JA?' hoorde ik mezelf bulderen.

Ze glimlachte. 'JE HEBT GEEN IDEE…'

Gallagher drukte weer op de volumeknop om het geluid zachter te krijgen, maar hij had zeker op de verkeerde knop gedrukt of zoiets, want ineens maakten de speakers een vreselijk knetterend geluid, en even werd de soundtrack vreemd misvormd. Het achtergrondlawaai van de kermis werd luider en omfloerster, dreunde dof als bij een onderwaterexplosie, en het kwebbelende gesnater van de menigte leek onafhankelijk van de tijd nu eens sneller en dan weer langzamer te gaan, als een koor uit een nachtmerrie. Ik keek gefascineerd toe terwijl het scherm flikkerde, het beeld zwakker werd, de helderheid afnam… en toen knetterde er weer iets keihard in de speakers – een oorverdovend geluid – en alles was weer normaal. De muziek, de lichten, de menigte, de attracties…

Stella en Raymond.

Ik zag hoe ze lachte en haar arm van zijn schouder afhaalde. 'Ik heb alleen maar op hem gepast voor je,' zei ze. 'Je mag hem nu weer hebben.' Ze keek even naar Raymond. 'Goed?'

Hij knikte.

'Vooruit,' zei ze. 'Ga maar een hotdog halen.'

Toen ik Raymond naar me zag kijken, voelde ik me plotseling weer heel moe. Ik had het te warm en voelde me zweterig. Mijn lijf deed overal pijn, mijn hoofd gonsde van het teveel van alles. Ik wilde mijn hand uitstrekken naar het scherm en iets tegen Raymond zeggen, maar ik wist dat het geen zin had. Hij was er niet meer. Hij was niet daar, niet hier…

Ik zag mezelf naar Raymond toe stappen en hem bij zijn arm pakken. De camera bleef een tijdje op ons gericht terwijl ik hem zachtjes wegvoerde, en daarna was hij niet meer in ons geïnteresseerd, schoot weg over de menigte, veranderde de flitslichten in strepen tegen de donkere lucht, voor hij eindelijk weer focuste op Stella. Ze keek ons na, zag ons gaan; haar ogen waren kil, haar mond wreed en lelijk, haar kaken opeen geklemd.

Gallagher stopte de tape.

De stilte was een moment overweldigend, en ik kon alleen maar naar Stella's gezicht op het scherm kijken, bevroren in zijn wreedheid en me afvragen wat er in haar hoofd omging. Wat dacht ze in die miljoenste van een seconde. Wat dacht ik? Wat dacht Raymond?

'Wat zei je tegen haar?' vroeg Barry kalm.

Ik keek hem aan. 'Wat?'

'Tegen Stella… toen je iets in haar oor fluisterde. Wat zei je?'

'Ik zei dat ze niet met Raymond moest rotzooien.'

Barry knikte. 'Vond je dat ze dat deed, met hem rotzooien?'

'Ik weet dat ze dat deed.' Ik keek hem aan. 'Dat is toch duidelijk? U hebt haar net gezien, ze speelde met hem, lachte hem uit…'

'Hoe denk je dat Raymond zich daaronder voelde?'

'Hij zei nadien dat het hem niet kon schelen. Dat hij wist dat ze hem voor de gek hield, maar daar zat hij niet echt mee.'

'Geloofde je dat?'

'Waarom zou ik niet?'

Barry haalde zijn schouders op. 'Jij scheen er anders wel behoorlijk mee te zitten.'

'Nou en?'

Hij glimlachte. 'Het is geen kritiek, Peter. Ik denk dat je waarschijnlijk gelijk hebt. Ik denk dat ze wel degelijk met hem rotzooide. En ik vind dat je in je volste recht stond om daar kwaad om te worden. Ik zou ook kwaad zijn geworden. En als ik Raymond was zou ik denk ik heel erg kwaad zijn geweest.'

'Ja,' zei ik, 'maar u bent Raymond niet.'

Toen bleef hij me een hele tijd aankijken en staarde nadenkend in mijn ogen, maar ik was te moe om er iets tegen te doen. Ik keek gewoon terug en liet hem denken wat hij wilde. Op het laatst haalde hij diep adem, keek naar de tafel en bijna onmiddellijk weer op naar mij. 'Wat zei Stella tegen je toen je haar zei dat ze niet met Raymond moest rotzooien?'

'En anders?'

'Sorry?'

'Dat zei ze: En anders?'

'Wat denk je dat ze daarmee bedoelde?'

'Geen idee.'

'Denk je dat ze je bedreigde?'

'Ik dacht helemaal niks.'

Barry wierp een blik op Stella's gezicht, nog steeds bevroren op het scherm. 'Ze ziet er niet erg gelukkig uit, hè?'

Ik zei niets.

Barry keek weer naar mij. 'Waarom heb je dit niet eerder verteld?'

'Ik heb tegen mijn vader gezegd dat ik Stella had gesproken.'

'Maar je hebt hem niet verteld dat je haar met Raymond had gezien. En toen rechercheur Kesey met je heeft gesproken heb je er ook niets over gezegd.'

'Kesey heeft me er niet naar gevraagd.'

Barry schudde zijn hoofd. 'Dacht je niet dat het misschien belangrijk zou zijn? Raymond is vermist, Stella is vermist, haar kleren zijn gevonden, met bloedvlekken erop... en jij probeert me te vertellen dat je niets over je ontmoeting op de kermis met die twee samen hebt gezegd omdat niemand je ernaar vroeg?' Hij keek me beschuldigend aan. 'Dat is een behoorlijk lam excuus, Peter.'

Hij had natuurlijk gelijk. Het was een lam excuus, en ik wist er weinig tegen in te brengen. Dus zei ik maar niets.

Barry keek me een tijdje aan, toen deed hij weer zijn omlaag-kij-ken-en-meteen-weer-opkijken-truc. Ik wist niet precies wat hij daarmee dacht te bereiken, maar ik ging ervan uit dat hij wist wat hij deed.

'Had je gedronken?' vroeg hij.

'Wanneer?'

'Voor je Stella ontmoette.'

'Ja, een beetje.'

'Hoeveel is een beetje?'

'Geen idee... ik geloof dat ik een beetje aangeschoten was.'

Barry glimlachte. 'Beetje aangeschoten?'

'Ja.'

'En Raymond? Was die ook "een beetje aangeschoten"?'

Ik schudde mij hoofd. 'Hij heeft niet veel gedronken.'

'En drugs?' vroeg Barry. 'Heeft een van jullie drugs gebruikt?'

Nu was ik me heel erg bewust van mam naast me, en ik wilde heel erg graag nee zeggen – nee, natuurlijk hebben we geen drugs gebruikt, absoluut niet – maar er was iets in de manier waarop Barry naar me keek waardoor ik dacht dat hij het al wist. Hij wist dat we hadden gedronken, en ook dat we wiet hadden gerookt. En ik wilde beslist niet dat hij me op nog meer leugens zou betrappen.

Dus dwong ik mezelf om niet naar mam te kijken en zei: 'Ik heb wat trekjes van een joint genomen, meer niet. Maar Raymond heeft het niet aangeraakt.'

'Een paar trekjes?'

'Ja.'

'Meer niet?'

'Nee.'

'Niks sterkers?'

'Nee.'

'Wie had de wiet bij zich? Ik bedoel waar kwam het vandaan?'

'Weet ik niet…'

'Kwam het van jou?'

'Nee.'

'Van wie was het dan?'

'Weet ik niet… een van de anderen moet het bij zich hebben gehad. Ik weet het niet meer.'

'Een van de anderen?'

'Ja.'

'Dus dat moet dan of Paul Gilpin, Eric Leigh of Nicole Leigh zijn. Klopt dat?'

Ik haalde mijn schouders op.

Hij keek me aan en knikte. 'Goed… nou, daar gaan we het nu verder niet over hebben. Maar ik denk…'

'Gaat dit nog lang duren?' vroeg mam plotseling.

Barry keek haar aan. 'We zijn nog maar net begonnen, mevrouw Boland.'

'In dat geval denk ik dat Pete even moet pauzeren. Hij heeft het de afgelopen dagen niet makkelijk gehad, en is niet aan veel slaap toe gekomen. Kunnen we hier ergens een kopje thee krijgen?'

Barry keek naar mij. 'Wil je even pauzeren, Peter?'

Ik wilde niets liever, maar ik wist dat ik dan met mam over dingen zou moeten praten, en daar had ik nu echt even geen behoefte aan.

'Ik voel me prima, mam,' zei ik. 'Ik heb het liever allemaal eerst achter de rug, als je dat niet erg vindt.'

'Weet je het zeker?'

'Ja.'

'Wil je dat ze je iets te drinken brengen, of zo?'

'Nee, ik hoef niks. Maar als jij een kopje thee wilt…'

Ze schudde haar hoofd.

Barry zei: 'Dus we zijn het er allemaal over eens dat we doorgaan?'

Mam knikte.

Barry keek naar mij. 'Peter?'

Ik knikte.

'Goed.' Hij draaide zich naar Gallagher en knikte. Gallagher boog naar de tas bij zijn voeten en haalde er een grote doorzichtige plastic zak met bewijsmateriaal uit. Hij legde de zak voor me op tafel. 'Even voor de band,' zei Barry, 'ik laat de getuige een gele rugzak zien die in de achtertuin van Raymond Daggett is gevonden.' Hij keek naar mij. 'Herken je dit, Peter?'

'Ja, die is van mij.'

'Kun je me vertellen wat die in Raymonds achtertuin deed?'

'Ik heb hem daar op zaterdagavond laten liggen, voor we naar de kermis gingen.'

'Waarom?'

'De fles wijn zat erin, de fles die ik van pap had gepikt. Ik wilde niet dat mam hem zou zien toen ik van huis wegging, dus heb ik hem in de rugzak gestopt. Toen ik bij Raymond kwam, heb ik de rugzak in de schuur achtergelaten.'

'Daar lag hij niet toen we hem vonden.'

'Weet ik…'

'Hoe laat was je zondagochtend bij Raymond?'

'Rond halfzeven…'

'En wat zag je toen je daar kwam?'

Mijn stem trilde een beetje toen ik vertelde wat ik had gezien – het bloed op de grond, de kop van Zwartkonijn op de poort gespietst, het in elkaar getrapte konijnenhok in de tuin, de stukken en brokken die rond de schuurdeur verspreid lagen, het overschot van Zwartkonijn zonder kop…

'Dat moet heel naar voor je zijn geweest,' zei Barry.

'Ja, dat was het ook.'

'Heb je enig idee wie het gedaan kan hebben?'

'Nee.'

Hij knikte. 'Heb je iets aangeraakt toen je daar was?"

'Ja, de poort. Ik heb de poort opengedaan. Maar met mijn elleboog.'

'Niets anders aangeraakt?'

'Nee… ik was misselijk voor ik de poort door ging.'

'Misselijk?'

'Ik heb overgegeven.'

'Juist… maar toen je eenmaal de poort door was heb je niets meer aangeraakt of verschoven?'

'Nee.'

'Oké.' Hij wendde zich weer naar Gallagher en stak zijn hand uit. Gallagher bukte naar de tas en haalde er nog twee zakken met bewijsmateriaal uit, kleinere deze keer. Hij gaf ze aan Barry en haalde de rugzak weg. Barry legde de twee doorzichtige mappen voor me op tafel. 'Even voor de band,' herhaalde hij, 'ik laat de getuige nu twee dingen zien die zijn aangetroffen in een onlangs gevonden kledingstuk, waarvan wordt aangenomen dat het van Stella Ross is.' Hij keek naar mij. 'Heb je een van deze dingen ooit eerder gezien, Peter?'

Ik was een van de voorwerpen die voor me lagen al aan het bestuderen. Eigenlijk was het meer dan dat, het fascineerde me. Het was een kiezelsteen, een glanzende zwarte kiezelsteen. Rond en plat, ongeveer zo groot als een tweepondsstuk, het ideale formaat om mee over rivieren te keilen. Het was een prachtexemplaar – glimmend glad, glanzend zwart – maar het meest verbazingwekkende, en waarom ik mijn ogen er niet vanaf kon houden, was het vreemde stakerige figuurtje dat er zorgvuldig in was gekrast. Het was de afbeelding van een konijn. De ruwe eenvoud van de tekening gaf de natuurlijke perfectie van de steen op de een of andere manier een vreemd soort extra dimensie, een extra schoonheid, en ook al had ik Raymond nooit een tekening op een kiezelsteen zien krassen, wist ik gewoon dat het iets was wat hij zou doen. Een kiezelsteen vinden, die schoonwrijven, en er een tekeningetje op krassen…

Ik slikte moeizaam en richtte toen mijn aandacht op het andere voorwerp.

Dat was niet zo fascinerend als de kiezelsteen, gewoon een stukje fijne gouden ketting, een halsketting. Een gebroken halsketting. Er was niets bijzonders aan te zien – geen bedeltjes, geen merkje – maar op de een of andere manier kwam het me vaag bekend voor. Ik wist niet waarom. Het had iets, iets dat me ergens aan herinnerde…

'En?' vroeg Barry.

'Wat?' zei ik halfluid, terwijl ik weer naar de kiezelsteen keek.

'Heb je dit eerder gezien?' vroeg Barry.

'Nee…'

'Weet je het zeker?'

Ik knikte. 'Wat zijn het?'

'Ze zaten in een klein voorzakje van Stella's korte broek. Weet je heel zeker dat je ze nooit gezien hebt?'

'Ik heb ze nooit gezien.'

'Ben je ooit in Raymonds slaapkamer geweest?'

Ik keek op. 'Wat?'

'Zijn kamer. Raymonds kamer. Ben je daar ooit geweest?'

'Waarom?'

'Geef gewoon antwoord op de vraag, Peter.'

'Nou, ja… daar ben ik wel geweest. Maar niet kortgeleden…'

'Wanneer voor het laatst?'

'Weet ik niet… jaren geleden, toen we klein waren.'

'Hoe klein?'

Ik haalde mijn schouders op. 'Zes, zeven jaar oud… in die buurt. Raymonds ouders begonnen rond die tijd een beetje vreemd te doen… ze vonden het niet prettig als er andere mensen in huis waren. Dus elke keer dat ik daarna bij Raymond langsging zaten we meestal in de tuin.' Ik keek weer even naar de kiezelsteen en toen naar Barry. 'Waar heeft dit mee te maken?'

'Deze kiezelsteen,' zei hij, terwijl hij op de plastic map tikte, 'lijkt heel veel op een aantal andere kiezelstenen die we in Raymonds kamer hebben gevonden. Dezelfde kleur, hetzelfde formaat, dezelfde tekening.' Hij keek me aan.

'Daarbij zitten Raymonds vingerafdrukken erop.'

Daarna had ik moeite om mijn aandacht erbij te houden. Inspecteur Barry zei verder niets over de kiezelsteen of over de halsketting, hij begon gewoon weer van alles over zaterdagavond te vragen, en ik vertelde wat hij wilde weten… maar ik was me maar half bewust van wat ik zei. Een deel van mij deed zijn mond open en liet de woorden eruit komen – ik deed dit, wij deden dat, weet ik niet, ja, ik denk van wel – terwijl het andere deel, vanbinnen, over Raymonds kiezelstenen nadacht. Waarom wist ik daar niets van? Waarom had hij me er niets over gezegd? En waarom had hij er een aan Stella gegeven? Ik bedoel, ik kon het hem zien doen… met een verlegen lachje, terwijl hij onhandig stond te mompelen… je hoeft het niet te houden als je niet wilt… ik bedoel, ik weet dat het een beetje… nou, ja, je weet wel… ik bedoel, als je het niet leuk vindt… en ik kon me Stella goed voorstellen terwijl ze de kiezelsteen van hem aanpakte… ernaar keek, er misschien om lachte, en hem daarna onverschillig in haar zak stak.

Maar waarom?

En waarom had hij er mij geen gegeven?

Ik had best een van die kiezelstenen willen hebben… dan had ik hem boven op de ladekast bij mijn porseleinen konijn kunnen leggen. Maar, dacht ik, het zou ook kunnen dat Raymond de konijnenkiezels alleen gaf aan mensen die hij niet mocht. Misschien was het een soort ongeluksamulet, wat hij aan mensen gaf op wie hij kwaad was. Of misschien...

Nee, daar wilde ik niet aan denken.

De kiezelsteen had niets te betekenen.

Net als al dat andere.

Stella betekent ster.

De ster dooft vannacht...

Stella dooft vannacht...

Niets daarvan had iets te betekenen.

Tegen de tijd dat ik Barry alles over zaterdagavond had verteld, en Gallagher het allemaal had opgeschreven, en ik had overgelezen wat hij had geschreven, en ik mam alles had zien lezen, en ik op elke bladzijde mijn handtekening had gezet... toen ik dat allemaal had gedaan, had ik het wel zo'n beetje gehad. Ik was leeg, uitgeput, spuugzat van het praten, spuugzat om in die saaie witte kamer te zitten, spuugzat van alles. Ik had Barry veel meer verteld dan ik aan iemand anders had verteld – volgens mij vooral omdat ik zo aan Raymond moest denken dat ik geen leugens kon verzinnen – maar er was nog heel veel wat ik hem niet had verteld. Over Wes Campbell bijvoorbeeld. En over Nicoles gedrag in de hut, en daarna op de kermis, en bijna alles wat Raymond die avond tegen me had gezegd. Ik had Barry over de waarzegster verteld, wat hij nogal interessant leek te vinden, maar ik was niet ingegaan op de details van wat ze had gezegd. Ik had hem zelfs over de kerel met de snor verteld. Maar toen Barry vroeg hoe hij eruitzag en waar ik hem had gezien, en waarom ik dacht dat hij de moeite van het vermelden waard was, waren mijn antwoorden zo vaag dat Barry na een paar seconden niet meer had geluisterd.

Hij wilde geen gevoelens, zei hij, alleen maar feiten.

Wat gebeurde er daarna?

Waar ging je naartoe?

Wie heb je ontmoet?

Hoe laat was dat?

Dus had ik hem die gegeven: de feiten. Tijden, plaatsen, mensen, dingen… ik bleef maar praten. Praten, praten en nog eens praten. Ik dacht dat we klaar waren toen ik bij het moment kwam dat ik meneer Daggett had wakker gemaakt nadat ik de kop van Zwartkonijn aan de poort had gevonden, maar daar vergiste ik me in. Barry had nog een kleine verrassing voor me.

Terwijl Gallagher de videoband terugspoelde, zei Barry: 'Neem me niet kwalijk dat we zoveel van je tijd in beslag hebben genomen, Peter. En van u ook mevrouw Boland. En ik zou jullie beiden willen danken voor de medewerking.' Hij lachte naar mam. Zij keek alleen maar kwaad terug. Hij keek weer naar mij en ging door: 'Voor we je verklaring gaan doornemen zou ik je iets willen laten zien als je dat goedvindt.'

'O, toe nou,' zei mam zuchtend. 'Hij heeft nu wel genoeg…'

'Het duurt maar even,' zei Barry. 'Ik wil alleen maar iets ophelderen.'

Gallagher had de videotape gestopt. Het scherm toonde een vage opname van de grond: platgetrapt gras, sigarettenpeuken, afval. Toen drukte Gallagher op play en schoot het beeld op het scherm naar boven. De camera zwaaide een tijdje doelloos rond over de kermis en vertoonde duizelingwekkende beelden van de menigte, de lichten en de attracties, tot hij plotseling weer focuste en nu wist ik waar de cameraman stond. Hij stond naast de wc-cabines. Ik zag de rijen blauwe hokken, de mensen die erin gingen en eruit kwamen… en ik zag het kale lapje grond in de schaduw aan het eind van de wc's. Er zat nu geen geluid bij de film, dus stond de microfoon zeker uit, en van Stella was ook geen spoor.

'Volgens de teller op de camera,' zei Barry, 'is dit een opname van twintig minuten na middernacht. Stella is tien minuten daarvoor voor het laatst gezien toen ze naar de wc's liep.'

Ik keek naar het scherm en volgde de camera die langzaam een panoramabeeld gaf van de kermis. Toen drukte Gallagher op de pauzeknop, het beeld bevroor, en ik keek naar een schokkerig beeld van mezelf. Ik zat op een bank met een fles wodka-orange in mijn hand en keek naar de overkant, naar het lapje grond bij de wc-cabines. Ik zag er verloren, sloom en suf uit, met duidelijk te veel op. Op de achtergrond stond nog een suffig figuurtje in haar eentje, dat me stilletjes van een afstand in de gaten hield. Haar gezicht was een beetje onscherp, en ze werd gedeeltelijk aan het zicht onttrokken door de luifel van een tent, maar je kon je niet vergissen in die zwartgemaakte ogen, die rood gestifte lippen… het glad achterover gekamde haar, de heupbroek, het dunne afgeknipte hemdje.

Het was Nicole.

Ze stond naar me te kijken.

Ik boog naar voren in mijn stoel en tuurde naar het scherm. Achter Nicole, zo'n tien meter verder, stond nog een vaag figuurtje in een tentopening. Ik herkende de tent. Het was die van de waarzegster. En daar stond ze, Madame Baptiste, Lottie Noyce, en keek naar Nicole die naar mij stond te kijken, terwijl ik naar Pauly keek, toen die achter Eric en Wes Campbell aan ging…

En nu zat ik hier en in deze stille witte kamer en keek er weer naar.

'Dat ben jij toch?' vroeg inspecteur Barry. 'Daar op die bank?'

'Ja.'

'Wat zit je daar te doen?'

Me rot voelen, dacht ik bij mezelf. Dat zit ik daar te doen. Me rot voelen. Ik ben vergeten wat ik zou moeten doen. Ik vraag me af wat er met me aan de hand is. Waarom kan ik niks goed doen? Waarom ben ik nergens toe in staat?

'Ik doe niks,' zei ik tegen Barry. 'Gewoon zitten, u weet wel… ik was moe. Ik had naar Raymond lopen zoeken. Ik rustte even uit…'

'Je was daar gewoon toevallig?' vroeg hij. 'Tien minuten nadat Stella verdwenen is, zit jij daar gewoon toevallig?'

Ik haalde mijn schouders op. 'Je moet ergens zijn.'

Barry keek me aan, niet in staat om zijn ongeloof te verbergen. Maar hij zei niets. Hij knikte alleen naar Gallagher en die drukte weer op play en ik zag mezelf op het scherm tot leven komen, naar het flesje wodka-orange in mijn hand kijken, beseffen dat ik het niet zou moeten drinken, dat het me geen goed zou doen, maar het leek wel of ik geen keus had. Ik had geen keus. Het flesje ging vanzelf naar mijn mond, kantelde en voor ik het wist was het leeg.

Ik zette het voorzichtig neer.

Liet zoet een boertje.

En sloot mijn ogen.

Het scherm ging op zwart.

Twintig

Mam zweeg in alle talen toen inspecteur Gallagher mee de verhoorkamer uitliep en ons begeleidde naar de receptie beneden. Ze keek me ook niet aan. En terwijl we achter Gallagher aan de gangen door en de trap afliepen, vroeg ik me af wat ze dacht. Was ze kwaad op me? Bezorgd? Geschokt? Teleurgesteld? Aan haar gezicht viel niets af te lezen, maar ik zou er vast gauw genoeg achterkomen. Voor we de verhoorkamer verlieten, had hoofdinspecteur Barry willen regelen dat iemand ons naar huis zou rijden, maar mam had gezegd dat hij geen moeite hoefde te doen.

'Evengoed bedankt,' had ze gezegd, 'maar we komen zelf wel thuis. We hebben trouwens eerst nog een paar dingen te doen.'

En ik was er behoorlijk zeker van dat die 'paar dingen' voornamelijk bestonden uit een ernstig gesprek met mij.

Toen we door de beveiligde deuren bij de balie kwamen, bleef Gallagher in de deuropening staan en knikte naar de uitgang.

'Als u die glazen deur door gaat en rechts afslaat,' zei hij, 'dan komt u uit bij Westway.'

Ik keek hem even aan, verbaasd over zijn piepstem, en besefte plotseling dat ik hem tot nu toe eigenlijk niet had horen praten. Hij was vanaf tien uur die ochtend met ons samen geweest, en het was nu even na tweeën. Vier uur, en hij had geen woord gezegd. Wat wil je, dacht ik bij mezelf, als ik zo'n stem had, zou ik ook niet veel zeggen.

'Oké?' piepte hij.

'Ja, dankuwel,' zei ik, terwijl ik mijn lachen probeerde in te houden.

Toen we naar de glazen deuren liepen zag ik dat mam ook moeite had haar gezicht in de plooi te houden, en even voelde alles als vanouds. Mam was weer mam, de mam die ik kende. De mam die me om dingen liet lachen waar ik niet om zou horen te lachen – zoals mannen met foute toupetjes, of vrouwen met idiote kleren, of stoer uitziende politieagenten die praatten als Mickey Mouse – en ik wist dat als ik op dat moment naar haar had gekeken, we alle twee als een stel idioten waren gaan giechelen. En dat had ik prima gevonden. Maar net toen ik haar aan wilde kijken, werd mijn aandacht door iets anders getrokken.

De glazen deuren waren opengegaan en vier mensen kwamen de receptie binnen. Twee daarvan waren agenten van de uniformdienst, de andere twee waren Eric en Nic.

Ze zagen er alle twee bleek en gespannen uit – met het hoofd omlaag en ogen bezorgd op de vloer gericht – en eerst zagen ze me geen van beiden. Ze werden naar de balie links van ons geleid, terwijl mam en ik de tegenovergestelde kant op liepen, naar de uitgang, en even leek het erop dat Eric en Nic me helemaal niet zouden zien. Wat ik best had gevonden, want ik had geen idee wat ik zou doen als ze me zagen. Moest ik iets zeggen? Mocht ik iets zeggen? Wat moest ik zeggen?

Maar op hetzelfde moment dat ik daarover nadacht, zag ik Nicole haar hoofd optillen en naar ons kijken. Haar ogen werden groot toen ze me plotseling herkende, en bijna onmiddellijk voelde Eric haar reactie en keek hij ook op. Ik lachte ongemakkelijk en knikte hen gedag. Nic lachte net zo ongemakkelijk terug, maar Eric was te gespannen om te lachen. Hij kon alleen maar naar me kijken met ogen die brandden van onuitgesproken vragen: Wat heb je ze verteld? Heb je ze over mij verteld? Heb je verteld dat ik tegen je gelogen heb? De intense blik in zijn ogen verlamde me even, en terwijl ik terugkeek, leek zijn gezicht mijn geest te gaan overheersen. Het was het enige wat ik kon zien. Erics gezicht. Het enige wat er te zien was. En terwijl ik ernaar staarde zag ik dat het weer veranderde, glinsterde, smolt... dat de verschoven lijnen die mooie lelijkheid vertroebelden tot iets anders. Maar deze keer was het niet het gezicht van Nicole dat uit de glinstering tevoorschijn kwam, het was een veel hoekiger beeld. Een mager scherp gezicht. Smalle donkere ogen, een licht scheve mond, een hoog voorhoofd met kort geschoren zwart haar...

Wes Campbell.

Ik zag sporen in de lucht...

Mijn keel zat dicht, ik kreeg geen adem.

Ik rook gas.

Iets donkerzoets.

Ik hoorde zijn stem: Jij weet niks. Je hebt niks gezien. Dit is niet gebeurd.

Ik sloot mijn ogen.

'Kom op, Pete,' hoorde ik iemand zeggen.

De stem klonk vreemd – langzaam en laag, zwaar en vervormd.

'Pete?'

Toen ik mijn ogen weer opendeed, stond mam me aan te kijken, werden Eric en Nic naar de beveiligde deuren geleid en was Erics gezicht weer helemaal dat van Eric.

'Alles goed met je?' vroeg mam.

'Ja.'

'Kom op dan,' zei ze. 'Wegwezen hier.'

Ik had gelijk dat mam een hartig woordje met me wilde wisselen over het een en ander en ze liet er geen gras over groeien. Zo gauw we het politiebureau uit waren, loodste ze me over de stoep naar een plantsoentje naast een paar kantoorgebouwen en zette me op een bank. Het was zo'n plek met bomen en bloemperkjes waar kantoorpersoneel zijn middagpauze doorbrengt, buiten in de zon zit, ijsjes eet en cola drinkt. Maar de middagpauze was al voorbij, en behalve een paar lege colablikjes en verspreide ijspapiertjes, hadden we de plek voor ons alleen.

Het was warm.

Ik zweette.

Mijn keel deed pijn.

Terwijl het verkeer op Westway in de hitte heen en weer stroom- de en de lucht met een grijze waas van uitlaatgassen vulde, begon mam te praten. Ze zei dat ze het naar vond dat ik dat allemaal had moeten doormaken, en naar vond dat ze niet meer had gedaan om me te helpen. Maar, zei ze, ze was ook heel bezorgd over een paar dingen waar ze achter was gekomen.

'Ik weet dat je er nu misschien niet over wilt praten,' zei ze, 'en ik wil dat je weet dat ik niet boos op je ben, en dat ik geen preek tegen je ga afsteken. Maar evengoed…'

Evengoed.

'Je hebt me verzekerd dat je geen drugs gebruikt, Pete,' zei ze be- droefd. 'En ik heb je geloofd.'

Ik keek haar aan. 'Ik gebruik geen drugs…'

'Ach, kom nou… je hebt het net aan hoofdinspecteur Barry toe- gegeven. Je hebt jezelf, jij en de anderen in die hut van je, het lep- lazarus zitten drinken en hasj zitten roken…'

'Het was maar een stickie, mam. En ik heb maar een paar trek- jes genomen. En we hebben ons niet het leplazarus gedronken…'

'Maar een stickie?' zei mam. 'Denk je dat dat wel oké is?'

'Nee, maar…'

'Doe je dat regelmatig?'

Ik schudde mijn hoofd. 'Het was er gewoon, weet je wel… ie- mand stak een joint op en begon het door te geven, en toen het bij mij kwam heb ik gewoon een paar trekjes genomen en het door- gegeven.' Ik haalde mijn schouders op. 'Dat komt voor, mam. Het heeft niks te betekenen. Het gebeurt zo vaak. Ik vind het niet eens lekker.'

'Maar je nam er toch maar van.'

'Ja, maar het is maar wiet, mam. Ik bedoel, we hebben geen crack of zoiets zitten roken. Het was gewoon een beetje stuff.'

'Daar gaat het niet om.'

'Heb jij het nooit geprobeerd?'

Ze aarzelde. 'We hebben het nu niet over mij…'

Ik glimlachte naar haar.

Ze fronste haar voorhoofd. 'Het is niet grappig.'

'Weet ik,' zei ik. 'Maar het is ook niet het einde van de wereld. Echt, mam… het is niks om je zorgen over te maken. Ik bedoel, ik ben niet dom; ik weet wat ik doe. Als ik op een feestje of zo ben, en iemand geeft een joint door, neem ik misschien een paar trekjes, maar daar blijft het bij. Ik zou nooit iets anders gebruiken. En ik heb nog nooit van mijn leven drugs gekocht.' Ik lachte naar haar. 'Er gaat zo al genoeg om in mijn hoofd. Ik hoef niks te nemen om me raar te voelen.'

Toen glimlachte mam en wist ik dat ze me op mijn woord geloofde, maar toen haar glimlach snel verflauwde en ze weer verdrietig keek, besefte ik dat geloven niet genoeg was. 'Het was zo angstaanjagend,' zei ze zacht. 'Toen ik je op die video zag… hoe je er uitzag… God, je zag er verschrikkelijk uit, Pete. Alsof je niet helemaal bij was.' Ze schudde haar hoofd bij de herinnering. 'Je ogen, je gezicht, alles aan je… ik weet niet. Het gaf me gewoon een heel triest gevoel.'

Ik wist niet wat ik tegen haar moest zeggen.

Wat kon ik zeggen?

'Het spijt me, mam,' zei ik.

Ze glimlachte naar me.

En deze keer bleef haar glimlach.

We bleven nog even zitten praten over Raymond en Stella en nog over het een en ander. We gingen nergens echt diep op in en ik kreeg de indruk dat mam me alleen maar aan de praat hield om mijn gemoedstoestand te peilen. Het voelde eigenlijk een beetje raar om te proberen me zo te gedragen zoals ik dacht dat zij het wilde, maar ik geloof dat ik haar ervan overtuigde dat ik het – al met al – nog niet eens zo slecht deed.

'Oké,' zei ze uiteindelijk en ze keek op haar horloge. 'Ik geloof dat we maar eens op huis aan moeten.' Ze keek naar de overkant van Westway. 'Daar is een taxistandplaats…'

'Vind je het erg als ik ga lopen?' vroeg ik.

Ze keek me aan. 'In je eentje?'

'Ja… tenminste, als je dat goed vindt.'

'Nou, ik weet niet, Pete. Ik weet niet of het nu voor jou zo'n goed idee is om alleen te zijn.'

'Alsjeblieft, mam,' zei ik. 'Ik wil alleen maar even op mezelf zijn. Je weet wel, mijn hoofd helder krijgen, dingen op een rijtje zetten…' Ik gaf haar een geruststellende blik. 'Het gaat best, echt.'

Ze fronste haar voorhoofd: 'Écht echt?'

Ik lachte. 'Ja.'

'En je gaat regelrecht naar huis?'

'Ja.'

'Nou, goed dan,' zei ze. 'Het zal wel goed zitten. Ik moet trouwens nog wat boodschappen doen. Dan loop ik naar de Sainsbury in het centrum en neem vandaar een taxi.' Ze haalde haar portemonnee uit haar tas. 'Hier,' zei ze, terwijl ze er een biljet van tien pond uit opdiepte en het aan mij gaf. 'Als je je bedenkt, of als je te moe wordt of wat ook, neem je maar een taxi.'

'Bedankt,' zei ik en ik stak het briefje in mijn zak.

'Heb je je mobieltje bij je?'

'Ja.'

'Goed dan. Nou, ik zie je straks.'

'Oké.'

Ik bleef haar nakijken terwijl ze naar het centrum liep, zwaaide toen ze lachend over haar schouder keek, en liep daarna zo gauw ze uit het zicht was haastig naar de taxistandplaats.

Het was een uur of drie toen de taxi me bij het huis van Eric en Nicole afzette. Ik betaalde, wachtte tot hij wegreed en bleef toen een tijdje naar het huis staan kijken. Er was binnen geen teken van leven. Alles voelde stil en leeg aan. En natuurlijk wist ik dat er niemand thuis was – Eric en Nicole waren op het bureau en meneer en mevrouw Leigh waren nog niet terug – maar toen ik het tuinhek opendeed en het pad opliep, bekroop me het gevoel dat er iets niet klopte met de leegheid van het huis. Ik kon het niet echt benoemen, maar het voelde alsof het huis iemand verwachtte, op iemand wachtte… en ik geloofde niet dat ik die iemand was.

En ook niet Eric en Nicole, maar dat maakte ik mezelf wijs toen ik naar de voordeur liep en op de bel drukte. Het huis wachtte op de terugkomst van Eric en Nicole, dat was het.

Niks om je zorgen over te maken.

Het verre dingdong van de bel stierf weg binnen in het huis.

Er was niemand.

Het huis was leeg.

Ik liep bij de deur vandaan naar een smeedijzeren hek aan de zijkant van het huis. Ik keek snel om me heen – wierp een blik op straat, op de ramen van het huis ernaast – deed het hek open en volgde een pad om het huis naar de achterkant. De tuin was even wild en onverzorgd als altijd: hoge bomen, doorgeschoten hagen, en een grasveld dat veel weg had van een wei. Achter in de tuin smeulde een vuurtje dat een scherpe geur verspreidde van verbrand plastic en textiel.

Ik hield stil bij de achterdeur en vroeg me af wat ik daar deed.

Nadenken viel niet mee.

Erachter komen ook niet.

Wat doe je hier?

Weet ik niet.

Waar ben je naar op zoek?

Weet ik niet.

Zoek je naar aanwijzingen?

Weet ik niet.

Hoe wil je binnenkomen?

Weet ik niet... maar ik meen me te herinneren dat Eric en Nicole meestal ergens een reservesleutel achterlaten... onder een plantenpot of zoiets.

Waarom heb je daar de vorige keer niet aan gedacht?

Weet ik niet. Ik was dronken, opgefokt... ik wist niet wat ik deed.

Wat doe je nu dan?

'Jezus, wat is het warm,' zei ik terwijl ik het zweet van mijn voorhoofd veegde.

Ik zocht nu naar een plantenpot – een pot, een steen, een tuinkabouter... alles waar mogelijk een sleutel onder kon liggen. Maar er waren massa's plantenpotten, honderden stenen en duizend mogelijke bergplaatsen... het zou me uren kosten om alles af te zoeken. En zoveel tijd had ik niet. Eric en Nic waren al meer dan een uur op het politiebureau... ze konden elk ogenblik terugkomen.

'Shit,' zei ik, terwijl ik mijn hand uitstak naar de deurklink. Het was een doelloos gebaar, het soort gebaar wat je maakt als je niks beters kunt bedenken, maar toen ik de klink vastgreep en de deur naar wat ik dacht een vergeefse zet gaf, was er helemaal geen weerstand.

De deur zwaaide open.

Hij zat niet op slot.

Ik bleef even dom naar de open deur staan kijken, stapte toen de keuken binnen en deed de deur achter me dicht.

Ik mag dan niet geweten hebben waar ik naar zocht – hoewel, als ik er nu over nadenk, geloof ik dat ik het ergens waarschijnlijk wel

wist – maar wat het ook was, en of ik het nu wel of niet wist, ik twijfelde niet aan waar ik het moest zoeken. Dus besteedde ik geen tijd
aan het doorzoeken van de kamers beneden, waarvan de meeste
trouwens vol stonden met kratten en dozen, maar liep regelrecht
de trap op, de overloop over en meteen Nicoles kamer in.

Het was niet zo heel lang geleden dat ik in Nicoles kamer was geweest – misschien twee, hoogstens drie jaar geleden – maar er was
nu niets meer wat herinneringen bij me opriep. Ik vroeg me zelfs
even af of ik wel de goede kamer had. Het gaf een raar gevoel om
daar rond te staan kijken en te proberen me te herinneren hoe de
kamer er vroeger uitzag… toen ik dertien of veertien was en hier
zat met Eric en Nic, Pauly en Raymond, of soms alleen met Nic…
alleen wij tweetjes, Nicole en ik, samen alleen in haar kamer…

In deze kamer.

Maar het was dezelfde kamer niet meer.

Het was wel degelijk Nicoles kamer, besefte ik nu. Er was geen
doos te zien, dus was ze blijkbaar nog niet begonnen met inpakken, en terwijl ik de kamer rondkeek begon ik wat dingen van haar
te herkennen: haar toilettafel, bezaaid met make-upspullen, flesjes
parfum, sieradendoosjes, haar armbanden en halskettingen die
aan haken aan de muur hingen. En de kleren, in stapeltjes op de
vloer, waren absoluut Nics kleren. En de theaterposters, de zwarte
muren, de artistieke dingetjes, de boekenplanken met rijen Shake-
speare, Tsjechov en Brecht. Het was zonder meer Nics kamer. Geen
twijfel mogelijk. Maar niet van een dertienjarige Nicole. Die kamer
was voorgoed verdwenen.

Waar ben je naar op zoek?

Ik bleef een tijdje de kamer rondkijken en probeerde niet op het
gebonk van mijn hart en het tintelende slappe gevoel van mijn
benen te letten; toen haalde ik diep adem en dwong mezelf om naar
de toilettafel te lopen. Nicole was al nooit het netste meisje van de

wereld en de chaotische troep daar verbaasde me niets. Het leek of ze naar een kofferbakverkoop was geweest, daar een doos met allerlei meisjesspullen had gekocht, terug naar huis was gereden, de doos boven haar hoofd had getild en de inhoud op tafel had gekieperd. Sommige spullen kende ik – lippenstift, mascara, oogschaduw – maar het meeste zei me niets. Het was gewoon troep: potjes, doosjes, flesjes, pakjes, zakjes, blikjes, piepkleine doosjes... alles bestrooid met dunne laagjes poeder. Wit poeder (talkpoeder?), roze poeder, glinsterend metallicachtig poeder. Ik stond ernaar te kijken en probeerde erachter te komen waar ik naar op zoek was... en ik neem aan dat ik het moet hebben geweten, want na een tijdje strekte ik mijn hand uit naar een dun glazen flesje met een platte zwarte dop. Het was een cilindervormig flesje, zo groot als een sigarettenaansteker, en van glimmend zwart glas. Aan de voorkant stond in lichtgrijs het woord *JOJANA*, dus dat moest de naam zijn van het parfum: *JOJANA*.

Ik schroefde de dop eraf, hield het flesje onder mijn neus en snoof de geur op.

Toen leek alles te veranderen. De atmosfeer van de kamer, de warmte, de stilte... het was in een klap allemaal anders. Andere tijd, andere plaats. Ander gevoel. Terwijl mijn hoofd vol stroomde met de donkere zoete geur, was ik weer even terug in de hut, alleen met Nicole... alleen in het donker, in een bel van licht... in iets wat leefde...

Wat is er met ons gebeurd, Pete?

Ik voelde het zweet van me afstromen.

En toen, terwijl ik weer aan het parfum snoof, werd de lucht zwaarder, stiller, intenser, en werd de donkere zoete geur een zoetgeurende duisternis, en rook ik weer gas, het gas van het braakliggend terrein, en zat mijn hoofd omlaag geduwd tussen Wes Campbells benen en kneep hij zo hard mijn keel dicht dat ik dacht dat mijn nek zou breken en was alles wat ik zag het ongelooflijk spierwitte van zijn spijkerbroek...

Met een klap zette ik het flesje terug op tafel.

De beelden stortten ineen.

Ik was nergens anders dan hier.

In deze kamer.

Ik was hier en nu in Nics kamer, en wist wat ik al had geweten: dat Wes Campbell naar Nicole had geroken, dat ze alle twee hetzelfde roken, en dat ik niet wist wat dat moest betekenen.

Terwijl ik door Nicoles sieraden snuffelde – haar sieradendoosjes en haar armbanden en halskettingen aan de muur – probeerde ik me voor te stellen wat Nicole en Wes Campbell voor band met elkaar konden hebben. Een indirecte band? Via Eric of Pauly? Of was het meer dan dat? Een directe band? De indirecte leek meer voor de hand te liggen, omdat Eric en Pauly beiden Wes Campbell kenden, maar ik zag het verband met het parfum niet. Voor zover ik het zag was de enige logische verklaring voor het parfumverband dat Nic en Campbell een min of meer directe relatie met elkaar onderhielden. Maar dat kon ik me gewoon niet voorstellen. Nicole had Wes Campbell nooit gemogen. Hij was alles waar zij een hekel aan had. Grof, onbeschaafd, egoïstisch. Onaangenaam. Hij was de laatste met wie ze wat te maken zou willen hebben. Dus het idee dat die samen iets hadden, iets dat op een soort intimiteit wees…

Nee.

Het klopte gewoon niet.

Toen stopte ik de gedachte weg, en dwong mezelf in plaats daarvan me te concentreren op iets waar ik de laatste paar minuten naar had staan kijken. Want dat was een stel gouden kettingen aan een haak boven Nicoles toilettafel. Het waren er veel, zeker zo'n stuk of tien, en niet allemaal hetzelfde. Ze waren verschillend van lengte, uitvoering en dikte. Er was er niet een gebroken, en ze hadden geen van alle iets bijzonders – zo'n beetje hetzelfde als elk ander gouden kettinkje – maar een paar ervan vertoonden zonder twijfel veel overeenkomst met het stukje ketting dat inspecteur Barry me op het politiebureau had laten zien… het gebroken halskettinkje dat ze in Stella's broekzak hadden gevonden. Geen twijfel mogelijk. En nu herinnerde ik me iets, tenminste ik dacht dat ik me iets herinnerde… ik wist het verschil niet meer zo goed. Of de geheugenflits die ik kreeg, een flits van Nicole op zaterdagavond met een fijn gouden kettinkje om haar hals… of die echt was, iets wat ik werkelijk had gezien, of dat ik het me maar verbeeldde.

Verbanden legde waar ze niet waren.

Een gouden ketting die glinsterde om een bleke hals.

Ik kon niet meer in Nicoles kamer blijven. Het was te verwarrend, te krankzinnig. Te veel. Ik moest weg. En terwijl ik wegliep zei ik bij mezelf dat het nu niet alleen tijd was om Nicoles kamer te verlaten, maar ook om het huis uit te gaan. Maak dat je hier wegkomt. Ga naar huis. Deze plek maakt je gek. En bovendien komen Eric en Nicole waarschijnlijk zo thuis. Wat ga je in hemelsnaam zeggen als ze je hier vinden?

Maar toen ik Nicoles kamer verliet en over de gang door bundels stoffig zonlicht liep, wist ik dat ik niet zou vertrekken. Alsof ik mezelf al voor Erics kamer had zien staan, de deur open had zien doen en me naar binnen had zien gaan. En omdat ik het mezelf al had zien doen, kon ik niets doen om het tegen te houden. Het moest gewoon. Mijn toekomst lag al vast. En je kunt toch moeilijk met je toekomst gaan rotzooien.

Erics kamer stonk naar sigarettenrook. Het rook ook naar iets anders, iets wat me ergens aan deed denken, maar de sigarettenstank was zo overweldigend dat ik er niet achter kon komen wat het was. Maar evengoed kreeg ik op de een of andere manier de indruk dat het een menselijke geur was, een lijfgeur, de geur van iemand anders, en toen ik naar Erics bed keek besefte ik dat ik waarschijnlijk gelijk had. Het was een tweepersoonsbed en het was niet opgemaakt, waardoor ik zag dat er aan elke kant twee kussens lagen, en er ook twee afzonderlijke indrukken zaten in de matras. Hier hadden twee mensen geslapen. Een van hen, die aan de rechterkant had geslapen, had een half opgerookte joint en een aangebroken blikje bier op het nachtkastje achtergelaten. Op het andere nachtkastje, aan de linkerkant, lag een paperback (*Les Fleurs du Mal*) en stond een glas water en een overvolle asbak.

Ik nam aan dat dat Erics kant was.

Ik vroeg me af van wie de afdruk aan de ander kant van het bed was. Een vaste vriend? Een scharrel voor een nacht? Een mysterieuze man van vijfentwintig, van wie Eric niet wilde dat iemand ervan wist?

Ik keek de rest van de kamer rond. Het was niet zo'n troep als in die van Nic – ook geen aanwijzing dat Eric was begonnen met inpakken – maar nog steeds behoorlijk rommelig. Er stonden een computer, heel veel boeken, een tv en een dvd-speler. Er lagen kleren op de vloer, en nog meer kleren die netjes in een open kast hingen. Aan de muur hingen ingelijste reproducties waarvan ik er enkele herkende: Matisse, Picasso, Kandinsky, en een heleboel die ik niet kende. Er stond een toilettafel, dezelfde als die van Nic. Alleen niet zo'n chaos. Deze keer wist ik wat de meeste troep voorstelde: kammen, haarborstels, tubes gel, vochtinbrengende crème, crème tegen puistjes, een telefoon, en deze keer hoefde ik er niet eerst naar te staan kijken om erachter te komen wat ik probeerde te vinden. Ik liep meteen naar de tafel en pakte de telefoon. Het was een mooie – zwart met zilver, slank en chic – en toen ik hem openklapte en hem aanzette, zag ik in mijn verbeelding de verbanden al samenklikken.

Namen en nummers.

Eric en Pauly.

Eric en Campbell.

Eric en Stella en…

'Waar dacht jij dat je mee bezig was?'

De stem kwam achter me vandaan, dreunde als een onverwachte donderslag in mijn hoofd, en toen ik me er bliksemsnel naar omdraaide en ondertussen Erics telefoon snel in mijn zak schoof, zag ik de dreigende gedaante van Wes Campbell in de deuropening. Hij keek me ijskoud met stille donkere ogen aan en had een mat zilverkleurig stanleymes in zijn hand.

'Jij luistert niet, is het wel?' zei hij zachtjes, terwijl hij de kamer binnenkwam en de deur achter zich dichtdeed. 'Jij luistert gewoon niet.'

Eenentwintig

'Dus dit noem jij je er niet mee bemoeien,' zei Campbell, terwijl hij nonchalant met het stanleymes tegen zijn been tikte.

'Ik kan het uitleggen...'

'O ja? Hoe kom je erbij dat ik wil dat je het uitlegt?' Hij glimlachte. 'Ik bedoel, ik ben alleen maar een bezorgde voorbijganger die toevallig tegen een inbraak aanloopt... dan ga ik toch niet op een uitleg zitten wachten? Wie weet ben jij wel een schietgrage gek, of zo.' Hij hield het mes omhoog. 'Niemand zal het mij kwalijk nemen als ik mezelf verdedig, wel?'

'Ik heb niet ingebroken. De achterdeur was open.'

'Ja.' Hij grijnsde. 'Dus als iemand zijn achterdeur openlaat, mag je al zijn spullen weghalen zeker? Dan mag je gewoon binnenlopen en doen waar je zin in hebt.'

Ik schudde mijn hoofd. 'Ik pak niets weg...'

'Nee?'

'Hoor eens,' zei ik, 'ik kwam alleen maar langs voor Nic en Eric, meer niet. Niemand deed de deur open toen ik aanbelde en de enige reden dat ik achterom ging was omdat ik een brandlucht rook. Ik vond dat ik beter maar even kon kijken.'

'Rook je een brandlucht?'

'Nou, ja... ik bedoel, het was maar een vuurtje, maar...'

'Ben je bij het vuur geweest?'

'Nee...'

'Waarom ben je het huis binnengegaan?'

'De achterdeur was open...'

'Hoe wist je dat die open was?'

'Hij stond wijd open…'

'Dat stond hij niet…'

'Hoe weet jij dat?'

Toen kneep hij zijn ogen tot spleetjes, liep op me af en deed een dreigende uitval met het mes naar mijn gezicht. 'Heb je wel eens een jaap gehad?' siste hij. 'Wil je weten hoe dat voelt?'

'Ik vertel je de waarheid,' zei ik en ik dwong mezelf geen stap opzij te doen. 'De achterdeur stond open, dus dacht ik dat er iemand thuis was… snap je… ik dacht gewoon dat ze de bel niet hadden gehoord of zoiets.'

Campbell zette het lemmet tegen mijn gezicht. 'Ik denk dat jij me in de zeik neemt, Boland.'

'Helemaal niet,' zei ik rustig, terwijl ik probeerde kalm te klinken. 'Echt waar… de deur stond open, ik ben de keuken ingelopen, heb een paar keer geroepen, maar niemand gaf antwoord.'

'Waarom ging je dan naar boven? Waarom ging je hier binnen?'

'Ik moest naar de wc.'

Hij grijnsde weer. 'En jij dacht dat dit de wc was?'

'Nee… ik was op de wc en hoorde hier een telefoon gaan. Ik dacht dat het misschien Eric was.'

'Die naar zijn eigen mobiel belt?'

Ik haalde mijn schouders op. 'Ik dacht gewoon…'

'Wie was het?'

'Wat?'

'Op de mobiel. Wie was het?'

'Weet ik niet. Hij stopte toen ik opnam.'

'Waar is hij?'

'Waar is wat?'

'De mobiel?'

Tot op dat moment had ik het idee dat ik het vrij aardig deed. Ik wist bijna zeker dat Campbell wist dat ik loog, maar in elk geval hadden mijn leugens in zoverre geloofwaardig geklonken dat ze hem aan het denken hadden gezet. Maar nu... wat moest ik zeggen? Ik kon hem moeilijk vertellen waar de telefoon was. Maar ik kon ook niet zeggen dat ik niet wist waar hij was. Ik kon geen antwoord bedenken. En te zien aan de voldane uitdrukking op Campbells gezicht en aan de manier waarop hij het mes tegen mijn gezicht aan drukte, wist ik dat hij het doorhad.

'Loop daarnaartoe,' zei hij, terwijl hij naar het bed knikte.

'Waarom?'

'Doe het.'

Ik bewoog me niet. Ik kon het niet. Campbells gezicht was nu op een paar centimeter van het mijne. Ik kon zijn adem ruiken, de zure lucht uit zijn longen. Ik voelde hoe hij met zijn duim het lemmet tegen mijn vel drukte...

'Je had naar me moeten luisteren toen je de kans had,' fluisterde hij.

Ik deed mijn mond open om wat te zeggen, maar nog voor ik een geluid uit kon brengen had hij zijn vinger op mijn lippen gelegd en me achteruit tegen de toilettafel geduwd.

'Uhuh,' zei hij grijnzend, terwijl hij zijn hoofd schudde. 'De tijd van praten is voorbij. Het enige geluid dat ik van jou wil horen is...'

Plotseling zweeg hij en bleef stokstijf staan bij het geluid van de voordeur beneden. Ondanks dat ik het bloed in mijn hoofd hoorde bonzen, ving ik het zwakke gemompel van stemmen op, vertrouwde stemmen... en toen sloeg de deur met een klap dicht en hoorde ik dat er sleutels op een tafel werden gegooid, en terwijl de stemmen steeds duidelijker werden en door de gang naar de keuken gingen, zuchtte ik stilletjes van opluchting.

Eric en Nic waren terug.

Ik kan niet zeggen dat Campbell in paniek raakte, niet echt, maar heel even zag ik een vlaag besluiteloosheid door zijn ogen schieten toen hij probeerde te bedenken wat hij moest doen. Hij hield nog steeds het mes tegen mijn gezicht, en in plaats van een vinger klampte hij nu zijn hele hand over mijn mond. Een moment vroeg ik me af of hij plan was zich gewoon stil te houden, zich stil houden, hierboven blijven, hopen dat Eric en Nic weer weggingen en dan weer verder gaan met wat hij met mij van plan was. Maar nog terwijl ik dat dacht, richtte hij zijn blik haastig weer op mij en begon instructies te fluisteren.

'Jij vertelt ze wat je mij hebt verteld, oké? Al die smoesjes over die brandlucht en dat je moest pissen ga je ze vertellen. Begrepen?'

Ik knikte.

Hij boog zich dichter naar me toe. 'Jij was hier niet binnen. Ik was hier niet binnen. Ik zag je op de overloop bij de wc. Ik heb je nooit aangeraakt.'

Ik knikte weer.

Hij bewoog het lemmet naar mijn mond. 'Als je iets anders zegt snij ik je verdomde tong uit je mond. Ja?'

Terwijl hij me aankeek en op een antwoord wachtte, wist ik niet of ik mijn hoofd moest schudden – nee, ik zal niks anders zeggen – of knikken – ja, goed, ik zal niks anders zeggen. Ik keek hem alleen maar aan in de hoop dat hij er zonder meer vanuit ging dat ik niets zou doen wat mijn tong in gevaar zou brengen.

En dat was ook zo, geloof ik, omdat hij na een paar seconden zijn hand langzaam van mijn mond haalde en een stap achteruit deed. Hij keek me een tijdje aan – met zijn hoofd opzij, lippen opeengeklemd, terwijl zijn ogen in die van mij boorden – toen schoof hij het stanleymes naar binnen, stak het in zijn zak en liep naar de deur. Hij deed hem zachtjes open, luisterde even, en wenkte toen met zijn hand dat ik moest komen. Toen ik naast hem ging staan bij de deur, tilde hij rustig zijn hand op en greep me bij mijn keel.

'Alles in orde,' siste hij. 'Ja?'

'Ja,' kraste ik.

'Niks aan de hand.'

'Nee.'

'Je zegt dat je niet lang kunt blijven, dat je naar huis moet. Ja?'

'Ja.'

Hij liet mijn keel los, wierp me een laatste dreigende blik toe, liep toen de overloop op en riep achteloos naar beneden, 'Hé, Eric? Ben jij dat?'

Het was geen verrassing dat Eric en Nic verrast waren ons te zien, maar wat wel verrassend was dat ze meer verrast leken mij te zien dan Campbell. Ik kan me vergist hebben, natuurlijk. Ik bedoel, mijn gemoedstoestand was op dat moment niet bijzonder stabiel, en toen we de trap afliepen, naar Eric en Nic, en Campbell begon uit te leggen wat we daar deden, zat ik met mijn hoofd bij heel andere dingen. Zoals proberen gewoon te doen, proberen te voorkomen dat mijn tong eraf werd gesneden, proberen te ontdekken wat er verdomme aan de hand was. Dus het kan zijn dat ik gewoon te veel aan mijn hoofd had, en Eric en Nics reactie op Campbell totaal verkeerd interpreteerde…

Maar ik dacht van niet.

Campbell leek zich hier bijna thuis te voelen. Doodkalm, op zijn gemak, ontspannen. Wat op zich al raar was, maar wat nog gekker was dat de sfeer allesbehalve ontspannen was. Terwijl we samen aan de keukentafel zaten voelde ik allerlei spanningen tussen Eric en Nic en Campbell. Het waren van die onderhuidse spanningen – het soort dat net onder de oppervlakte borrelt – maar ik wist dat ze er waren. Ik kon het zien, voelen en horen. Het enige wat ik niet kon, was ze begrijpen.

Ik snapte er niks van.

Bijvoorbeeld toen Campbell aan Eric en Nic vertelde dat toen hij het huis binnenkwam, boven iets had gehoord, en dat toen hij naar boven was gegaan om te zien wat het was, hij me uit de wc had zien komen… waarom vroegen ze toen niet wat hij daar om te beginnen deed? En waarom, toen Campbell verder vertelde over dat ik brand had geroken, de achterdeur open had zien staan en boven naar de wc was gegaan... waarom keek Eric toen plotseling even met een vreemde onderdanige blik in zijn ogen naar Campbell? En waarom reageerde Campbell daar niet op? En waarom bleef Nic me aankijken alsof ze gevangen zat in een geheim, eentje waar ze zelf niet in geloofde? En waarom...?

'Waarom kwam je langs?' vroeg Eric aan mij.

'Sorry?'

'Waarom kwam je bij ons langs?'

'Zomaar,' zei ik, terwijl ik mijn schouders ophaalde. 'Ik dacht gewoon, ik ga even langs, je weet wel... Ik wilde jullie gewoon even zien...'

Eric fronste zijn voorhoofd. 'Maar je had ons net op het politiebureau gezien. Je wist toch dat we niet thuis waren.'

Ik schudde mijn hoofd. 'Ik ben niet meteen gekomen nadat ik jullie gezien had. Het was zowat een uur later, misschien wel anderhalf. Ik kwam hier toch langs en ik dacht dat je misschien al terug was. Dus heb ik aangebeld, snap je... en toen rook ik brand.'

'Juist,' zei Eric.

'En toen zag ik de achterdeur openstaan...'

'En moest je naar de wc.'

'Ja... ik dacht niet dat je daar bezwaar tegen zou hebben.' Ik keek hem aan. 'Ik was net op de terugweg toen Wes opdook.'

Eric wendde zijn blik af.

Ik keek even naar Nic.

'Wes was hier toen we weggingen,' zei ze. 'Daarom hebben we de achterdeur opengelaten.'

Ik wachtte tot ze verder zou gaan, tot ze zou zeggen waarom Wes hier was toen zij weggingen, maar in plaats van dat ze zelf uitleg gaf, hief ze lichtjes haar kin en keek naar Campbell, alsof ze wilde zeggen: waarom vertel jij het hem niet, Wes? Ze keken elkaar een poosje zwijgend aan, en ik zag dat er iets tussen hen speelde, maar ik had geen idee wat.

Uiteindelijk haalde Campbell alleen zijn schouders op en zei: 'Ik was even sigaretten halen. Ik ben vergeten de achterdeur op slot te doen.'

Ik zag Nic licht haar hoofd schudden naar hem, maar Campbell keek al niet meer naar haar, maar richtte zijn aandacht op Eric.

'Alles goed met je?' vroeg hij op onverwacht zachte toon.

Na een kleine aarzeling keek Eric hem laatdunkend aan en zei: 'Ja, waarom niet?'

Campbell knipperde met zijn ogen. 'Ik vroeg het alleen maar…'

Eric keek hem aan.

Ik begreep er nog steeds geen hout van.

Ik keek naar Nic.

Ze haalde haar schouders op.

Eric stak een sigaret op en keek naar mij. 'Heeft de politie jou over Raymond gevraagd?'

'Ja.'

Hij knikte. 'Volgens mij denken ze dat hij het heeft gedaan.'

'Wat?'

'Stella vermoord.'

Ik keek hem aan. 'Waarom denk je dat ze dood is?'

Hij zweeg even en nam een lange haal van zijn sigaret.

'Nou,' zei hij, terwijl hij een lange rookpluim uitblies, 'ze hebben haar kleren toch gevonden? En daar zat bloed op…'

'Dat wil niet zeggen dat ze dood is.'

Toen lachte Campbell, een kort spottend snuiflachje.

Ik keek naar hem.

'Wat?' vroeg hij, me aankijkend.

Ik schudde mijn hoofd en zei niets.

Hij grijnsde naar me. 'Wat is er, heb je je tong ingeslikt?'

Terwijl hij me bleef aankijken likte hij zijn lippen af zodat ik zijn tong zou zien en kreeg ik zin om tegen hem te zeggen: Ja, oké, ik ben niet gek. Ik had het al begrepen: tong is zoveel als een bedreiging. En nee, ik ben ook niet vergeten dat je wilt dat ik wegga. Maar evengoed bedankt dat je me eraan herinnert, klootzak.

'Waar moet jij om lachen?' vroeg hij.

Ik nam hem even op – zijn gezicht, zijn ogen, de beetje scheve mond – en gaf het toen gewoon op en keek de andere kant op. Ik wilde me hier niet meer mee bezighouden. Ik wilde er niet meer aan denken. Ik wilde hier niet zijn.

Ik zuchtte diep en maakte aanstalten om op te staan. 'Nou,' zei ik tegen niemand in het bijzonder. 'Ik geloof dat ik maar eens moet gaan…'

Eric keek op en opende zijn mond alsof hij iets ging zeggen, maar toen kromp hij een beetje in elkaar – wat je doet als je een por onder tafel krijgt – en hij deed zijn mond dicht en knikte alleen maar.

'Tot ziens, Boland,' zei Campbell.

Ik keek hem niet aan.

'Ik laat je uit, Pete,' zei Nic, terwijl ze overeind kwam.

'Laat maar…' begon ik te zeggen, maar nog voor ik kon zeggen dat ze geen moeite hoefde te doen, was ze al van tafel opgestaan en halverwege de achterdeur. En ze had iets in haar manier van lopen wat zei: hou je kop en kom mee.

Dus deed ik dat.

Nic zei niets toen ik achter haar aan naar buiten en over het pad naar de voorkant van het huis liep. Ze keek me ook niet aan. Ze liep alleen maar zwijgend haastig door, het pad over, het hek door, via de voortuin naar het hek aan de voorkant…

De middagzon scheen nu fel en glinsterde wit aan een verblindend blauwe lucht, en de atmosfeer was zwaar van te veel geuren: de zoete geur van pas gemaaid gras bij de buren, de belofte van bederf en verval, heet metaal, droge aarde, brandend plastic en textiel. En van duisternis. Ik rook duisternis. Een spoor van duisternis in het zonlicht.

Nic was bij het hek aan de voorkant blijven staan en keek peinzend naar me toen ik aan kwam lopen en naast haar stilhield.

'Alles goed met je?' vroeg ze.

Ik glimlachte. 'Niet echt.'

Ze keek even om naar het huis en toen snel weer naar mij. 'Luister, Pete,' zei ze zacht, 'ik kan nu niet echt met je praten, maar ik wil je alleen laten weten…'

'Wat is er in godsnaam aan de hand, Nic?' zei ik, haar onderbrekend. 'Ik bedoel, wat doet Wes Campbell hier in hemelsnaam?'

'Hij is gewoon een vriend…'

'O ja?'

Ze schudde haar hoofd. 'Je begrijpt het niet…'

'Ik geloof dat ik het ook niet wil begrijpen.'

Even keek ze me vuil aan, duidelijk ergens boos over, maar wat het ook was, ze ging het me niet vertellen. 'Luister,' zei ze langzaam, terwijl ze zich tot kalmte dwong, 'als je niet naar me wilt luisteren, ook goed. Je zult er trouwens toch gauw genoeg achter komen…'

'Waarachter?'

'Het gaat om Raymond…'

'Wat over Raymond?'

Weer keek ze me vuil aan.

'Wat?' vroeg ik.

'Hou nou eens even je mond en luister, oké?'

'Ik luister.'

'Ja, nou, onderbreek me dan niet telkens.'

'Sorry.'

'Goed,' ze zuchtte. 'Oké, nou, het stelt waarschijnlijk niks voor… ik bedoel, het heeft waarschijnlijk niet zoveel te betekenen… en het punt is dat ik het je wel eerder verteld zou hebben, maar ik wist het niet meer tot een paar uur geleden…'

'Vertel het maar gewoon, Nic,' zei ik zacht.

Ze knikte en sloeg haar ogen neer alsof ze er een beetje verlegen mee was. 'Oké, nou… weet je nog die jongen met wie ik op de kermis was? Die van de rups?'

'Ja.'

'Hij heet Luke,' zei ze, terwijl ze haar hoofd schudde. 'En het is een lul. Niet dat dat wat uitmaakt, maar… nou ja, je snapt me wel.' Ze lachte triest. 'We maken allemaal fouten.'

'Zeker.'

'In elk geval,' ging ze verder, 'was ik al behoorlijk high voor ik bij de kermis was… ik denk dat het door die troep kwam die we hebben gerookt, je weet wel, dat spul dat Pauly bij zich had. Ik denk dat ik daar raar van in mijn hoofd werd… weet ik veel. Jezus, ik wist niet wat ik deed. Ik weet nog dat ik bij de kermis kwam en een paar meiden van school tegenkwam die ook aan het drinken en roken waren, en ik moet met ze mee hebben gedaan en nog maffer zijn geworden, want daarna… ik weet niet. Ik kan me nog nauwelijks iets van Luke herinneren. Niet dat ik hem tegenkwam, niet wat we deden, of hoe ik in zijn caravan terecht ben gekomen…' Toen zweeg ze even en keek naar de grond. 'Ik geloof dat ik nog wel iets weet,' mompelde ze zwakjes. 'Iets over… ik weet niet. Het was alsof we ruzie hadden… of dat ik tegen hem schreeuwde of zo.' Ze wreef nu over haar blote arm, steeds heen en weer, alsof ze het steenkoud had.

'Voel je je wel goed?' vroeg ik.

Ze zei niets, bleef gewoon over haar arm wrijven en in het niets staren.

'Heeft hij je pijn gedaan?' vroeg ik zacht.

'Wat?'

'Die Luke… heeft hij, je weet wel… heeft hij je pijn gedaan of zo?'

Ze schudde haar hoofd. 'Nee… nee, ik geloof het niet. Ik denk dat we alleen… we waren alle twee uitgeteld, snap je? Ik weet niet eens of we iets hebben gedaan.' Ze zuchtte diep en keek op. 'Ik herinner me alleen dat ik in zijn bed lag, dat afschuwelijk vieze bed… en eigenlijk niet wist wat er gebeurde, of waar ik was, en dat mijn hoofd bonsde als een gek… en dat Luke toen plotseling uit bed sprong en naar het raam liep en schreeuwde als een bezetene…' Nic keek me aan. 'Op dat moment zag ik Raymond.'

'Waar?'

'Hij stond bij het raam. Daarom werd Luke zo woest. Hij had Raymond door het raam naar ons zien kijken.'

'Hij stond naar jullie te kijken?'

'Ja…'

'Weet je zeker dat het Raymond was?'

Ze knikte. 'Ik zag hem, Pete. Hij keek me aan… en ik keek hem aan. We keken elkaar recht in de ogen. Het was zonder meer Raymond.'

'Jezus,' fluisterde ik.

'Ik geloof niet dat hij iets deed.'

'Wat bedoel je?'

'Nou, ik weet het niet zeker, maar ik kreeg gewoon het gevoel dat hij niet, je weet wel… het was niet pervers of zo. Ik bedoel, hij keek niet op een enge manier. Hij keek gewoon. Naar mij, eigenlijk.'

Ik keek haar aan en hoorde weer de woorden van de waarzegster: Je geeft om anderen zonder aan jezelf te denken.

'Hij paste op je,' mompelde ik bij mezelf. 'Hij paste op je…'

'Wat?' vroeg Nic.

'Hoe laat was dat?' vroeg ik.

'Dat mag god weten… een uur, twee uur… misschien later.'

'Wat deed Raymond toen die Luke naar hem begon te schreeuwen?'

'Eerst niets. Hij bleef gewoon waar hij was. Toen gaf Luke met zijn vlakke hand een klap op het raam… en toen verdween hij gewoon. Ik geloof niet dat hij echt wegliep, omdat Luke tegen hem bleef staan roepen en schreeuwen. Wat Raymond deed mag god weten…'

'Waarschijnlijk stond hij gewoon naar hem te kijken,' zei ik.

Nic glimlachte. 'Ja, zou goed kunnen… maar toen draaide Luke zich ineens om en rende naar de deur.' Haar glimlach verdween. 'Ik was intussen tegen hem aan het gillen en probeerde hem te kalmeren, maar ik geloof dat hij me niet eens hoorde. Hij rukte gewoon de deur open en stormde naar buiten.'

'Wat gebeurde er toen?'

Ze schudde haar hoofd. 'Weet ik niet… ik hoorde hem alleen maar rennen en schreeuwen en vloeken als een gek… en toen na een tijdje stierf al het lawaai gewoon weg in de verte. Maar ik geloof niet dat hij Raymond te pakken heeft gekregen.'

'Waarom niet?'

Toen Luke zo'n tien minuten later terugkwam, was hij nog steeds aan het schelden en vloeken… dingen als: ik vermoord die kleine smeerlap als ik hem ooit te pakken krijg, vuile kleine klootzak, ik snij hem zijn verrekte keel door…'

'Aardig.'

Nic haalde haar schouders op. 'Ja, nou… ik dacht dat je het wilde weten. En sorry dat ik het me nu pas herinner. Maar wat ik zei, ik was er niet zo best aan toe, weet je…'

'Ja. Evengoed bedankt.' Ik keek haar aan. 'Wat zei de politie toen je dat vertelde?'

'Niet zo veel… ik denk dat ze Luke wel zullen willen spreken, als ze hem kunnen vinden.'

'Hij is toch van de kermis?'

'Ja, maar de meesten zijn nu vertrokken. En ik weet niet zeker of Luke met hen meeging of niet. Hij werkt maar een deel van het jaar bij de kermis.' Ze keek me aan. 'Hoor eens, Pete, ik heb niet willen…'

'Hebben ze je de video laten zien?'

'Wat?'

'Toen je op het politiebureau was, hebben ze je toen de video over Stella op de kermis laten zien?'

'Ja, een stukje. Ze wilden weten…'

'Nic!'

Ze zweeg plotseling bij het geluid van Erics stem en we keken alle twee omhoog en zagen hem door een bovenraam op ons neer kijken.

'Kom op nou, Nic,' riep hij. 'We hebben niet de hele dag.'

'Ja, oké,' riep ze terug. 'Ik kom eraan.' Ze draaide zich weer naar mij. 'Sorry, Pete, ik kan beter gaan.' Toen lachte ze naar me, een beetje droevig, stak haar hand uit en raakte zacht mijn wang aan. 'Je bloedt,' zei ze.

'O ja?'

'Een beetje maar.' Ze liet me een bloedvlekje zien op haar vingertop.

'Me zeker gesneden bij het scheren,' mompelde ik, terwijl ik over een pijnlijk plekje op mijn kin wreef waar ik dacht dat Campbells mes me gesneden had.

Nic grinnikte. 'Bij het scheren?'

'Ja…'

'Scheer jij je?'

'Ik ben geen dertien meer.'

'Nee,' zei ze met een zucht en ze keek me in de ogen. 'Ik geloof dat we geen van allen nog dertien zijn.'

Tweeëntwintig

Terwijl ik over Recreation Road naar huis liep kon ik alleen maar aan de telefoon in mijn zak denken. Erics telefoon. Ik voelde hem onder het lopen zachtjes tegen mijn been slaan, alsof hij naar me riep: ik zit hier, hier, in je zak. Maar dat wist ik heus wel. Ik wist dat hij daar zat. En ook dat hij niet naar me riep, omdat ik – in tegenstelling tot al het andere wat ik had meegemaakt – wist dat hij echt was. De telefoon zat daar. In mijn zak. Simpel, een vaststaand feit, niet weg te denken. Hij zou niet tegen me liegen. Me niet in de war brengen. Me niet bedreigen of bedwelmen of mijn hoofd vol vliegen stoppen.

Het was maar een telefoon.

Waar misschien wat antwoorden in zouden zitten.

Dus popelde ik om te kijken en kon ik mijn vingers onder het lopen voelen jeuken, ze tintelden om te reageren op de niet-bestaande oproep, maar ik wist dat ik beter kon wachten. Ik had tijd nodig om me te concentreren. En bovendien zat mam nu waarschijnlijk op me te wachten. Om te vragen waar ik had gezeten en wat ik had uitgevoerd en hoe ik me voelde…

Dus liet ik de telefoon in mijn zak zitten en maakte dat ik thuiskwam.

Mam was verbazingwekkend kalm toen ik terugkwam. Ze vroeg wel waar ik had gezeten en wat ik had uitgevoerd en hoe ik me voelde, maar nadat ik had verteld dat ik niet echt ergens naartoe was geweest, alleen maar een eind had gelopen en me nu een stuk beter voelde, dankjewel, liet ze het daar zo ongeveer bij.

We aten samen in de keuken.

We keken naar het nieuws.

Ze vroeg me naar het sneetje op mijn gezicht. Ik zei dat ik zeker een schram had opgelopen toen ik onder de afzetting door was gedoken aan het eind van de straat.

Ik vroeg waar pap was en zij zei dat hij naar zijn werk was.

'Komt hij vanavond terug?' vroeg ik.

'Ik denk van wel. Ze laten hem al het werk doen waar de rest het te druk voor heeft, maar in zijn eentje kan hij niet veel doen. Hij doet het eigenlijk meer voor de vorm.'

Ze stak een sigaret op.

Ik fronste mijn voorhoofd.

Ze haalde haar schouders op en keek uit het raam. 'Was het lastig om buiten voorbij al die journalisten te komen?'

'Niet echt. Een paar riepen naar me terwijl ik onder het lint door dook, maar de politie houdt ze nog steeds goed op afstand, dus heb ik niet goed gehoord wat ze zeiden. Ik geloof dat eentje me bij mijn naam riep.'

'Bedoel je dat ze je herkenden?'

'Ik denk van wel.'

Mam schudde haar hoofd. 'Het moet niet veel gekker worden.'

Erics telefoon riep me nog steeds toen ik na het eten naar boven, naar mijn kamer ging, en ik wilde hem nog steeds heel graag aanzetten. Maar ik deed het niet. Ik weet niet of ik alleen nog wat langer probeerde te genieten van het feit dat hij daar was – zoals je het lekkerste op je bord voor het laatst bewaart – of dat ik gewoon de waarheid niet wilde weten.

Ik wist het niet.

En ik wilde er niet over nadenken.

En bovendien, zei ik tegen mezelf, moet je nodig even douchen. Je stinkt naar zweet. Je vel voelt goor. Je haar is vuil en zit vol klitten, je hebt een te warm hoofd…

Ik nam een douche.

Trok wat schone kleren aan.

Ik liep terug naar mijn kamer, deed de deur dicht, ging op het bed zitten en keek naar Erics telefoon...

Toen stopte ik hem terug in mijn zak en zette Sky News aan.

Het eerste wat ik zag was een echt heel slechte foto van Raymond. Gehaald uit een schoolfoto, van zo'n groepsfoto die ze van alle klassen van een heel jaar nemen. Je weet wel – die waarop je allemaal in de rij moet gaan staan, kleintjes vooraan en de groten erachter, en je je zo stil mogelijk moet houden, en er altijd wel een grapjas is die een raar gezicht trekt, of zijn vingers achter iemands hoofd opsteekt...

Konijnenoren...

Maar goed, de verslaggevers hadden blijkbaar de hand op zo'n foto kunnen leggen, en het enige wat ze hadden gedaan was Raymonds gezicht eruit knippen en vergroten. Dus om te beginnen was het een wazige foto met grove korrel, waardoor hij op een ontsnapte crimineel leek. En verder had hij zijn tweedehands schooluniform aan met zijn bloes tot aan zijn hals dichtgeknoopt, maar zonder das, waardoor hij er nogal ellendig en wanhopig uitzag. Maar het ergste van al was dat de camera hem had betrapt toen hij net met een zenuwachtig lachje opzij keek naar iets, en dat gaf hem het voorkomen van een gestoorde seriemoordenaar.

Wat waarschijnlijk de bedoeling was.

Want al pasten de nieuwslezers wel op om Raymonds verdwijning met zoveel woorden aan die van Stella te koppelen; iets in de toon en de manier waarop ze bepaalde dingen benadrukten, maakte nogal duidelijk wat ze in werkelijkheid dachten. Raymond Daggett was op dezelfde kermis geweest als Miss Ross. Raymond Daggett was ooit leerling op dezelfde school geweest als Miss Ross. En al was niet bekend of de twee tieners elkaar goed kenden, en sloot de politie de mogelijkheid van een dubbele ontvoering niet uit, de verslaggevers ter plekke waren van mening dat een dergelijke mogelijkheid niet erg voor de hand lag.

Daarna lieten ze een foto van Stella's huis zien – veiligheidshekken, hoge muren, kilometers glooiend grasveld – gevolgd door een foto van een paar sjofele rijtjeshuizen (niet eens uit St. Leonard's, laat staan uit Hythe Street) om ons het soort bouwval te laten zien waar Raymond vandaan kwam... en toen nog meer foto's van Stella waarop ze er goed verzorgd en mooi uitzag, en dezelfde foto van Raymond waarop die er gestoord en wanhopig uitzag...

Ik keek er een tijdje naar en mijn aanvankelijke boosheid maakte snel plaats voor een gevoel van doffe berusting, en toen gaf ik het gewoon op en zette de tv uit. Het had geen zin om ernaar te kijken. Het had geen zin en gaf je een rot gevoel. Ik hoorde niks nieuws, het zei me niks, het deed me niks.

Het was gewoon tv.

Het was niet echt.

Niets voelde nog echt.

Zelfs dit niet, besefte ik, toen ik Erics telefoon uit mijn zak haalde, zelfs dit voelt niet zo echt als ik dacht. Het is gewoon een klomp plastic, een handvol troep dat geluid maakt...

Maar het was alles wat ik had.

En ik wist dat ik moest zien wat het me kon vertellen.

Ik klapte hem open, zette hem aan... en zette hem vervolgens meteen weer uit toen pap op mijn deur klopte en binnenkwam.

Mam moest hem al verteld hebben hoe het politieverhoor was verlopen, omdat het eerste wat pap deed was proberen me uit te leggen waarom hoofdinspecteur Barry me zo hard had aangepakt.

'Ik probeer hem niet te verontschuldigen,' zei hij 'en ik probeer je niet te vertellen dat hij ondanks dat alles een goeie vent is. Want dat is hij niet. Het is een onverschillige klootzak, ook altijd geweest en persoonlijk kan ik de man niet uitstaan. Maar hij is goed in zijn werk. Hij weet wat hij doet. En hij boekt resultaat. Dus wat je ook van hem denkt, Pete, wat voor gevoel hij je vandaag ook heeft gegeven, neem het niet te zwaar op, oké? Het moet gewoon zo.'

'Ja, weet ik.'

'Ik bedoel, als ik aan de andere kant van de tafel had gezeten, was ik net zo streng tegen je geweest als Barry.'

Ik grijnsde naar hem. 'Dat had mam niet goed gevonden.'

'Klopt,' stemde hij in met een nadenkend knikje. 'Maar ik was haar misschien te slim af geweest.'

'Denk je?'

Hij glimlachte naar me, wat me best een fijn gevoel gaf, en toen, geloof ik, realiseerde ik me dat die gesprekjes tussen ons van de laatste tijd iets hadden wat ik leuk begon te vinden. Ik wil niet zeggen dat we daarvoor nooit zo met elkaar hadden gepraat, want dat hadden we wel, maar pap had het in de regel meestal zo druk, of was zo moe, dat hij niet altijd zoveel tijd aan me kon besteden als hij zou willen. Maar nu... nou, nu was het anders. Nu hadden we de tijd. En het voelde wel goed om alleen met mijn vader op mijn kamer te zitten en rustig te praten in het afnemende licht van de avondzon...

Het was prettig.

Zoals het hoorde te zijn.

Het was alleen zo jammer dat er zoiets ergs voor nodig was geweest om ons tot elkaar te brengen.

'Ze hebben vandaag heel wat mensen voor verhoor opgehaald,' vertelde pap. 'Een paar van Stella's vrienden, haar lijfwachten, de jongens die de video hebben gemaakt...' Hij keek me aan. 'Tussen twee haakjes, weet jij waar Paul Gilpin uithangt?'

'Waarom?'

'Hij was niet thuis toen ze bij hem langsgingen om hem mee

naar het bureau te nemen. Blijkbaar was er de hele dag niemand thuis, en weet niemand waar Paul zit. Enig idee?'

Ik schudde mijn hoofd. 'Hij kan overal zitten… ik bedoel, je kent Pauly, hij is altijd wel ergens druk mee…'

Pap knikte. 'Nou, het zal wel niets te betekenen hebben. Maar als hij niet snel tevoorschijn komt, maakt dat de zaak voor hem alleen maar erger. Dus als je iets hoort…'

'Ik ken hem eigenlijk niet meer zo goed, pap. Ik bedoel, we trekken niet meer zo met elkaar op als vroeger.'

'En Eric en Nicole? Zijn die nog met hem bevriend?'

'Niet echt.'

Pap knikte weer. 'Ze zijn vandaag verhoord, Eric en Nicole.'

'Ja, weet ik. We zagen ze toen we het bureau uitliepen. Hadden ze iets interessants te melden?'

'Van Eric weet ik het niet zeker… John Kesey was niet bij zijn verhoor betrokken en hij heeft de tape nog niet afgeluisterd, maar hij was wel bij het verhoor van Nicole.' Pap keek me aan. 'John had nog geen tijd om me alles te vertellen en het schijnt dat Nicole trouwens nogal vaag was, in elk geval over veel dingen, maar ze herinnert zich dat ze met jou in de hut was.'

'Ja,' mompelde ik een beetje verlegen. 'Ik denk dat ze al wat op had voor ik daar aankwam… ik bedoel, toen leek ze in orde, maar ik geloof dat ze nogal…'

'Vaag was?'

'Ja.' Ik grinnikte.

'En jij?' vroeg hij. 'Hoe "vaag" was jij?'

Ik zuchtte. 'Toe nou, pap… dat heb ik allemaal al met mam doorgenomen.'

'Weet ik.' Toen keek hij me streng aan en ik vermoedde dat mam hem over de drugs en zo had verteld, en aan zijn gezicht te zien dacht ik dat hij van plan was een preek tegen me af te steken. Maar gek genoeg deed hij dat niet.

'Heb je van die tequila gedronken?' vroeg hij.

Ik keek hem aan. 'Hoe weet jij…'

'Jullie hut in het achterlaantje is gisterochtend doorzocht,' zei hij. 'De Forensische Opsporing heeft al het spul dat jullie hebben achtergelaten geanalyseerd.'

'Wat voor spul?'

'Flessen, sigarettenpeuken, joints, condooms…' Pap schudde zijn hoofd. 'Jezus, Pete, wat gebeurde daar in godsnaam allemaal?'

'Het was niet zo erg als het klinkt, pap. Het was gewoon…'

'Gewoon wat…'

'Weet ik veel… het was gewoon onzin, weet je wel?'

Hij keek me aan. 'En de tequila? Heb je daar wat van gedronken?'

'Waarom?'

'Geef gewoon antwoord, Pete.'

'Een beetje, ja.'

'Van wie was het?'

'Maakt dat uit?'

'Ja, dat maakt uit.'

'Waarom?'

Hij leunde naar voren in zijn stoel en keek me recht aan. 'De Forensische Opsporing heeft in de tequila sporen gevonden van een middel dat meth heet. Weet je wat dat is?'

'Nee,' zei ik zacht.

'Methylamfetamine is een synthetisch hallucinogeen, een amfetamine, dat tot dezelfde groep behoort als ecstasy. Het is nog niet heel bekend, maar het begint populair te worden bij wilde feesten en nachtclubs. Soms wordt het glas of ijs genoemd. Weer anderen hebben het over *juice*.'

'Juice?' vroeg ik.

Terwijl pa knikte zag ik Pauly's grijnzende gezicht plotseling weer voor me. Ik zag hem lachen, een sigaret opsteken… ik hoorde de echo van zijn stem die naar me riep in de hut: Dzjoesieeee!

Ik keek pap aan. 'Zat dat meth-spul in de tequila?'

Hij knikte weer. 'Wist je dat niet?'

'Nee… Jezus, dan had ik het niet aangeraakt. Ik dacht dat het gewoon tequila was.'

'Nou, dat was het niet. Forensische Opsporing denkt dat de meth waarschijnlijk als poeder met de tequila is vermengd. Blijkbaar is het verkrijgbaar in tabletvorm, maar meestal wordt het verkocht als een glinsterend wit poeder.'

'Wat doet het met je?' vroeg ik, terwijl ik aan het poeder dacht dat ik in Pauly's bureaula had gezien.

'Het is een krachtige psychedelische drug. Het effect merk je pas na een uur, en het kan tot tien duur duren.'

'Wat voor effect?'

'Verhoogde prikkels, hallucinaties, toename van gevoeligheid voor visuele voorstellingen, reuk, smaak… en, afhankelijk van de dosis en je reactie op de drug, kun je allerlei andere dingen ervaren. Misselijkheid, angst, maagpijn, hoofdpijn, depressiviteit…' Pap zweeg, haalde diep adem en hield zijn ogen bezorgd op mij gericht. 'Heb jij iets dergelijks gevoeld?'

Ik kon me nu moeilijk concentreren. Er vlogen allerlei verwarde emoties door mijn hoofd: schrik, boosheid, besef, opluchting… en inderdaad was ik vreemd opgelucht. Als Pauly drugs in de tequila had gestopt en daar twijfelde ik niet aan, dan verklaarde dat alles. Al het vreemde, de visioenen, de stemmen, de gekte in mijn hoofd…

Het was geen gekte; het waren drugs.

Maar die opluchting wilde ik niet met pap delen, omdat het volgens mij voor hem geen opluchting zou zijn. Dus loog ik.

'Ik geloof niet dat ik iets raars heb gevoeld,' zei ik. 'Ik bedoel, ik was geloof ik behoorlijk dronken en voelde me een paar keer een beetje misselijk en duizelig, maar dat was het zo ongeveer.'

'Weet je het zeker?' vroeg pap.

Ik knikte. 'Het was de eerste keer van mijn leven dat ik tequila proefde, en zo lekker vond ik het niet. Ik heb maar een heel klein slokje genomen.'

'En de anderen? Hebben die er veel van gedronken?'

Ik zag Nicole voor me in de hut terwijl ze constant kleine teugjes uit de fles nam, en Pauly die het als een waanzinnige naar binnen klokte.

'Pete?' vroeg pap.

'Ja, sorry… Ik kan me niet echt herinneren of de anderen ervan dronken. Ik weet vrijwel zeker dat Raymond er niks van heeft genomen.'

'Nou, iemand moet het hebben gedronken,' zei pap. 'De fles was bijna leeg. Weet je echt niet meer wie het bij zich had?'

Ik schudde mijn hoofd. 'Het was er gewoon… ik heb niet gezien waar het vandaan kwam. En trouwens, de fles was al bijna leeg toen ik hem voor het eerst zag, dus misschien zat er van begin af aan niet veel in.'

'Misschien niet… maar het blijft ongelooflijk stom om zoiets te doen. Wie het ook heeft gedaan, en het moet een van jullie zijn geweest… dat besef je toch wel?'

'Ja.'

'Een van die zogenaamde vrienden heeft geprobeerd je te vergiftigen, Pete. Zo serieus is het. Dus als je ze probeert te beschermen…'

'Dat doe ik niet.'

'Dat is maar beter ook. En ik wil dat je het me onmiddellijk laat weten als je je raar begint te voelen, of wat dan ook. Meth kan nadat je het ingenomen hebt nog wekenlang nawerken. Het kan je ziek maken, depressief, je flashbacks bezorgen…' Hij keek me aan. 'Weet je wat een flashback is?'

'Zoiets als een herinnering?'

'Het is meer dan een herinnering. Je ondergaat de volledige uitwerking van een psychedelische drug zonder dat je die hebt genomen. Je kunt plotseling gaan hallucineren, dingen zien, dingen horen, je dingen verbeelden… dus als er iets dergelijks gebeurt, als je je vreemd gaat voelen of misselijk, of wat ook, wil ik dat je het me meteen vertelt. Begrepen?'

'Ja.'

'Goed.'

Ik keek hem aan. 'Weten Eric en Nic hiervan?'

'Nog niet.'

'Waarom niet? Moeten die niet worden gewaarschuwd?'

Pap keek me aan. 'Wat geeft je het idee dat een van hen niet met de tequila heeft gerommeld? Of alle twee?'

'Nicole zou nooit zoiets doen.'

'Nee? En Eric? Of Pauly? En Raymond kun je ook niet uitvlakken…'

'Raymond weet niks van drugs.'

'Weet je dat zeker?'

'Ik ken hem, pap. Al jaren. Ik ken hem waarschijnlijk beter dan wie ook.'

'Wist je dat hij die avond Nicole bespioneerde?'

Toen moest ik even doen alsof ik verbaasd was terwijl pap me vertelde over Nicoles ontmoeting met Raymond bij Lukes caravan. Hij vertelde niet zo veel details als Nicole, en ik geloof dat hij mij eventuele gevoelens probeerde te besparen. Ik weet niet of hij begreep waarom het voor mij pijnlijk zou kunnen zijn, maar ik neem aan dat de kans daarop nogal voor de hand lag. Mijn 'vriendinnetje' van toen ik klein was, was ladderzat geworden en had de nacht doorgebracht met een willekeurige jongen van de kermis die ze nog maar net had ontmoet, en nadat ze mij maar een paar uur eerder had proberen te verleiden…

Iets daarvan moest voor mij toch pijnlijk zijn.

En dat was het eigenlijk ook wel, geloof ik.

Maar op een vreemd afstandelijke manier, en ik geloof niet dat er iets van verbittering bij zat. Ik vond niet dat Nic iets verkeerds had gedaan. Ik gaf haar nergens de schuld van. Ik had alleen een beetje medelijden met haar.

Toen pap klaar was met zijn verhaal over wat er was gebeurd, vroeg ik wat hij ervan vond.

'Nou, ze moeten eerst Nics verhaal bevestigen, wat betekent dat ze Luke Kemp moeten verhoren, en voorlopig weten ze niet waar die is. En dan is er de kwestie van Nics betrouwbaarheid als getuige, gezien de staat waarin ze verkeerde. Vooral als blijkt dat ze van die tequila heeft gedronken. Maar zelfs als het waar is wat ze vertelt, en haar verhaal wordt bevestigd, weet ik niet zeker of het Raymond zo veel zal helpen.'

'Waarom niet?'

'Hij begluurde hen, Pete. Hij gluurde midden in de nacht door het raam, zag ze... nou ja, wat ze dan ook deden.'

'Ik denk dat hij gewoon een oogje op Nic hield,' zei ik. 'Je weet wel, haar in de gaten hield, om zeker te weten dat het goed met haar ging.'

'Zou kunnen,' zei pap met zijn hoofd schuddend. 'Maar ik geloof niet dat anderen het ook zo zullen zien. Die zullen alleen een verwarde jongen zien die opgewonden raakt van kijken naar mensen die seks hebben. Die zullen denken dat hij ziek en gefrustreerd was en dat hij toen hij werd weggejaagd, misschien nog gefrustreerder is geraakt, waardoor hij misschien zijn aandacht op iemand anders heeft gericht.'

'Of misschien heeft Luke hem niet alleen weggejaagd,' suggereerde ik. 'Misschien heeft hij hem te pakken gekregen.'

'Mogelijk,' zei pap. 'En als dat zo is, zal hij sporen in zijn caravan hebben achtergelaten, die de Forensische Opsporing als die van Raymond zal identificeren. Maar Nicole zei dat hij niet erg lang weg was en zij heeft geen sporen van een worsteling gezien toen hij terugkwam.'

'Maar als Raymond bij de caravan was, heeft hij Stella toch niks kunnen doen?'

Pap haalde zijn schouders op. 'Het hangt allemaal van het tijdstip af. Nicole weet niet zeker hoe laat ze Raymond heeft gezien, en de patholoog zoekt nog naar de exacte tijd van... ik bedoel, tot alle rapporten binnen zijn...' Pap aarzelde even. Zijn ogen schoten weg van de mijne en hij scheen een moment over iets na te denken voor hij snel weer terugkeek. 'Ze denken dat de auto ermee te maken had.'

'Wat voor auto?'

'De uitgebrande auto bij de rivier. De kans bestaat dat Stella die avond naar de rivier is gereden, en dat de auto toen in brand is gestoken om het bewijsmateriaal te verdonkeremanen. Ze doorzoeken Tom Noyces caravan ook nog steeds...'

'Ze is dood, hè?'

Pap keek me aan.

Ik keek terug. 'Daar had je het net over, over het rapport van de patholoog, het exacte tijdstip van overlijden. Ze hebben haar lichaam gevonden, klopt dat?'

Pap zei niets, bleef me alleen maar aankijken, maar ik wist dat ik gelijk had. Ik wist het door de manier waarop hij zweeg.

'Wanneer hebben ze haar gevonden?' vroeg ik.

Hij zuchtte. 'Vanmorgen vroeg... in de rivier. Zo'n honderd meter stroomafwaarts.'

'Shit.'

'Sorry, Pete. Ik wilde niet dat je er zo achter zou komen, maar het onderzoeksteam probeert het zo lang mogelijk stil te houden en ik heb John Kesey beloofd dat ik het aan niemand zou vertellen.' Hij haalde diep adem en blies langzaam weer uit. 'Stella's ouders zijn op de hoogte gebracht, en ze hebben ermee ingestemd om het nog niet in de openbaarheid te brengen, dus het is van het grootste belang dat jij het ook aan niemand vertelt. Oké? Geen woord. Aan niemand. Want zo gauw dit bekend wordt, breekt de pleuris uit, en dan wordt het voor de politie bijna onmogelijk om hun werk te doen.'

'Hoe is ze gestorven?' vroeg ik zacht.

Pap keek me aan. 'Beloof je het stil te houden?'

'Ja.'

Hij knikte. 'Nou, voorlopig lijkt een hoofdwond de doodsoorzaak. De autopsie is nog niet afgerond – ze wachten nog op de uitslag van verdere testen – maar kennelijk is de wond aan haar hoofd het enige letsel dat ze heeft opgelopen.'

'En haar kleren? Ik bedoel, was ze... je weet wel...?'

'Nee, ze is niet seksueel misbruikt. Haar lichaam was naakt, maar er waren geen sporen van aanranding.'

De volledige omvang van de verschrikking waar we het over hadden drong plotseling tot me door, en ik geloof niet dat ik me ooit zo leeg en somber heb gevoeld. Ik denk dat het door de woorden 'naakt' en 'lichaam' kwam. Die twee woorden waren er op de ene of andere manier in geslaagd om de schijn van een illusie dat ze nog in leven was teniet te doen. Zelfs toen ik haar op de video had gezien en het gevoel had gekregen dat ik naar een geest keek, was er bij mij vanbinnen nog iets geweest wat haar feitelijke dood niet had willen accepteren. Maar nu... nu was ze niet meer dan een naakt lichaam. Een dood naakt lichaam. Bleek en wit, koud en levenloos.

Ik rook het donkere water.

Ik huiverde.

Ik voelde mezelf krimpen, de werking van mijn zintuigen afnemen, en ik wilde alleen maar daar zitten en niets doen. Ik wilde niet praten, ik wilde niet luisteren, ik wilde helemaal niets... maar ik kon pap al tegen me horen praten, vragen of ik me wel goed voelde, en ik wist dat ik luisterde, omdat ik mezelf hoorde zeggen dat hij zich geen zorgen moest maken, dat het een beetje een schok was, dat ik in orde was...

'Weet je het zeker?'

'Ja.'

Mijn stem klonk heel ver weg en leek niets met mij te maken te hebben.

'En Tom Noyce?' vroeg mijn stem. 'Wordt die nog steeds verdacht?'

'Nou, hij is verhoord, en ze zijn nog steeds bezig zijn caravan uit elkaar te halen, maar behalve Stella's bloed aan de buitenkant, hebben ze nog niets van belang gevonden. Zijn moeder heeft hem trouwens voor het grootste deel van de avond een alibi bezorgd. Voorlopig is hij op vrije voeten, maar het kan zijn dat ze hem nog een keer willen verhoren.'

'Ik neem aan dat ze nog steeds denken dat Raymond het gedaan heeft?'

'Dat kun je ze niet kwalijk nemen, Pete. Alles wijst in die richting. Ze hebben zelfs afbeeldingen van haar op zijn computer gevonden. Foto's, videoclips…'

'Dat heeft niets te betekenen,' hoorde ik de Pete-op-een-afstand zeggen. Iedereen die ik ken heeft die foto's op internet gezien. Ik heb ze gezien, iedereen op school heeft ze gezien, de meeste leraren incluis. Jij hebt ze waarschijnlijk ook gezien.'

'Ik heb ze niet gezien,' zei pap preuts.

'Ja, maar jij hebt niet met haar op school gezeten. Ik bedoel, kom op nou, pap… als jij met een knap meisje op school had gezeten en had ontdekt dat er naaktfoto's van haar op internet stonden, was jij dan niet gewoon een beetje nieuwsgierig geweest?'

'Daar gaat het niet om…'

'Daar gaat het wel om.'

Mijn stem klonk steeds verder weg. Ik kon hem nog horen, en hij werd ook niet zachter, hij leek alleen verder bij me vandaan te gaan. En daarna, terwijl pap en ik verder praatten, was ik me een tijdje totaal niet bewust van waar we het over hadden. Ik zat heel diep in mezelf onwillekeurig aan heel andere dingen te denken. Het waren half geformuleerde, sombere gedachten.

Pauly.

Poeder.

Waarom?

Telefoon.

Wanneer?

Wie?

Stella.

Naakt.

Lichaam.

Dood.

Stella.

Naakt.

Lichaam.

Dood.

Konijn.

Kiezelsteen.

Raymond.

Dood.

Ik weet niet waardoor ik weer tot mezelf kwam, maar toen dat gebeurde – en ik plotseling met een zwaar troebel hoofd weer tevoorschijn kwam – zat pap nog steeds tegen me te praten maar had ik geen idee waar hij het over had.

'... en toen ik dat in het CCA-systeem invoerde,' zei hij, 'vond ik toch zeker drie voorvallen die wat overeenkomsten vertoonden, en nog een heel stel die het misschien waard zijn om nader te onderzoeken.'

'Sorry?' zei ik.

Hij keek me aan. 'Wat?'

'Ik lette even niet op. Wat is CCA?'

'Dat heb ik je net verteld. Heb je niet geluisterd?'

'Sorry,' zei ik glimlachend. 'Ik was er zeker even niet bij of zoiets...'

'Misschien kun je maar beter gaan slapen,' zei hij met een bezorgde blik. 'Ik kan je hier morgen alles over vertellen.'

'Nee, het is oké. Ik ben niet moe. Ik heb alleen niet goed geluisterd.' Ik glimlachte weer. 'Nu luister ik.'

'Goed,' zei hij. 'Nou, weet je nog wat ik je over de PNC heb verteld?'

'De wat?'

'PNC. *Police National Computer*.' Pap zag mijn wezenloze uitdrukking en zuchtte. 'Zal ik dan maar vanaf het begin vertellen?'

'Alsjeblieft.'

Daarna luisterde ik terwijl hij vertelde hoe hij die middag naar zijn werk was gegaan en zijn inspecteur hem in een aparte kamer op een andere verdieping had gezet om hem bij het onderzoek weg te houden en hij de ochtend had besteed aan het doornemen van dossiers en aan het invoeren van gegevens in het computerarchief, wat hij na een tijdje zo beu was geworden dat hij had ingelogd bij de PNC en een beetje rond was gaan browsen.

'Ik was niet echt op zoek naar iets wat met dit alles te maken had,' zei hij. 'Maar ik denk dat het in mijn hoofd zat, en ik vond dat het geen kwaad kon om een paar dingen uit te proberen. Dus ging ik kijken of ik in het CCA-systeem links met dit geval kon vinden.' Hij keek me aan. 'CCA staat voor *Comparative Case Analysis*. In wezen is het een nationale database die gebruikt kan worden om misdaden van gelijke aard met elkaar te vergelijken en te analyseren.'

'Je bedoelt zoals bij seriemoordenaars?'

Hij knikte. 'Seriemoordenaars, seriemisdaden... het is vooral handig als je overeenkomsten zoekt tussen misdaden die in verschillende delen van het land zijn gepleegd.'

'Maar dit is geen…'

'Nee, ik weet dat deze zaak daar in de verste verte niet op lijkt, maar zoals ik zei, keek ik alleen maar of ik iets kon vinden.'

'En heb je iets gevonden?'

Hij fronste zijn voorhoofd. 'Ik weet het niet… misschien heb ik iets gevonden, maar ik weet niet zeker of het iets te betekenen heeft. Kijk, het systeem functioneert door bepaalde aspecten van een misdaad te analyseren en te kijken of ze met essentiële aspecten van andere misdaden overeenkomen. Maar het probleem met deze zaak is dat het merendeel van de essentiële aspecten te omvangrijk is om van nut te kunnen zijn.'

'Wat bedoel je?'

'Nou, ik wist dat als ik heel algemene trefwoorden in zou voeren – dingen als "vermiste tiener", "ontvoering", "moord" – ik echt duizend overeenkomsten zou krijgen, dus besefte ik dat ik een manier moest zien te vinden om het te beperken. Ik heb alles geprobeerd wat ik maar kon bedenken – het uur van de dag, de tijd van het jaar… ik heb op leeftijd gezocht, op stad, op graafschap… ik heb zelfs dingen ingevoerd als "rivier", "konijn", "beroemdheid" – maar geen van die dingen leverde echt iets op. Pas toen ik de plaats nog verder ging afbakenen begon ik wat resultaten te zien.' Pap keek me aan. 'De laatste vier jaar zijn er veertien tieners als vermist opgegeven nadat ze naar een kermis waren geweest.'

'Veertien?'

Hij knikte. 'Vijf daarvan zijn daarna of weer thuisgekomen of bleken vervolgens gewoon te zijn weggelopen, maar van de overgebleven negen, worden er zes nog steeds vermist en zijn er drie dood. Twee meisjes en een jongen.'

'Hoe zijn ze gestorven?'

'Twee door wurging, een aan een meswond. Alle drie de moorden zijn nog onopgelost.'

'Shit, pap,' fluisterde ik. 'Dat zou kunnen betekenen…'

'Het zou van alles kunnen betekenen, Pete. Dat is het probleem. Er is nog geen patroon aan te wijzen. Geen van de vermiste tieners kende elkaar, geen van hen had iets met de ander gemeen, en er zijn geen duidelijke parallellen tussen de drie moorden. Het enige wat de drie onderzoeken gemeen hebben is het verband met de kermis, en zelfs dat is behoorlijk zwak.'

'Ja, maar als het elke keer dezelfde kermis was...'

'Dat was niet zo. Twee van de tieners werden vermist nadat ze naar een pretpark in Bretton waren geweest, en twee andere verdwenen na een bezoek aan een Funderstorm evenement, maar in beide gevallen was het in een verschillende plaats, en alle vier vonden plaats op een andere tijd. De rest van de tieners raakte allemaal vermist bij een andere kermis. Een andere kermis, op een ander tijdstip, en in een ander deel van het land. Dus als er al iemand is die al die kinderen grijpt, dan is het waarschijnlijk geen medewerker van de kermis.'

'Tenzij ze rondtrekken en voor verschillende kermissen werken,' stelde ik voor.

Pap haalde zijn schouders op. 'Dan zouden ze voor heel veel verschillende kermissen moeten werken.'

'Ja, maar het is niet onmogelijk.'

'Misschien niet...'

'En als...'

'Luister, Pete,' zei hij rustig. 'Laat je hierdoor niet te veel meeslepen, oké? Het is voorlopig niet meer dan giswerk, en er is een heel grote kans dat het uiteindelijk niks oplevert. Ik heb het aan John Kesey doorgegeven, en die zal proberen of hij iemand kan krijgen die er beter naar kijkt, maar ik wil niet dat je al je hoop hierop gaat vestigen.' Hij keek me aan. 'Ja, ik weet het, ik spreek mezelf tegen: je eerst hoop geven en dan zeggen dat je je er niet door moet laten meeslepen... en ik weet dat het stom klinkt. En misschien is het dat ook. Maar ik wilde je alleen maar laten weten...'

'De man met de snor,' zei ik plotseling.

'Wat?'

'Die zou het kunnen zijn.'

'Waar heb je het over? Wat voor man?' Ik keek pap enthousiast aan. 'Toen ik van de kermis wegging, zag ik een eng uitziende kerel bij de uitgang rondhangen, en later zag ik hem het achterlaantje ingaan.'

Pap fronste zijn wenkbrauwen. 'Wat bedoel je met "eng eruitzien"? Wat deed hij waardoor hij er eng uitzag?'

Hij stond in het donker, dacht ik, en keek naar een visioen van Raymond op een draaimolen die er niet was. Er speelde een ouderwets draaiorgel en ik kon het geluid van kindergelach horen en ik kon Raymond op een gitzwart paard zien zitten dat geen paard maar een konijn was zo groot als een paard met glanzende zwarte ogen en ik wilde bij hem in de draaimolen zitten... ik wilde dat we samen op die paardkonijnen rondjes reden als twee verdwaalde cowboys...

Het was te laat.

'Hij had een snor,' mompelde ik.

'Is dat alles?' vroeg pap. 'Was hij eng omdat hij een snor had?'

'Nee... hij was eng omdat... ik weet niet. Ik bedoel, hij deed niet echt iets, hij hing maar een beetje rond, je weet wel... een beetje achteraf in het donker, hij keek naar mensen die weggingen.'

'Zag je hem met iemand praten?'

'Nee.'

'Heb je het met iemand over die man gehad?'

'Met hoofdinspecteur Barry.'

'Heeft hij een beschrijving opgenomen?'

Ik schudde mijn hoofd. 'Hij leek niet erg geïnteresseerd.'

'Goed,' zei pap, en hij pakte een pen en een notitieblokje uit zijn zak. 'Hoe zag die man eruit?'

Alles wat ik me echt van de man met de snor kon herinneren – behalve dat hij dus een snor had – was dat hij er een beetje eigenaardig uitzag, licht gebogen liep, en dat hij me had doen denken aan een overbezorgde vader die een oogje op zijn kind hield... alleen waren er helemaal geen kinderen. Het was niet veel om op af te gaan, en ik was er trouwens niet helemaal van overtuigd dat pap me serieus nam, maar ik deed mijn best om de man te beschrijven die ik dacht te hebben gezien.

Tegen de tijd dat ik alles had verteld was het buiten donker en toen ik opstond en gapend en me uitrekkend naar het raam liep om de gordijnen dicht te doen, kwam pap vermoeid overeind en stelde voor dat we alle twee maar eens moesten gaan slapen.

Ik knikte en lachte terwijl ik nog een geeuw onderdrukte.

Hij lachte terug. 'Gaat het, denk je?'

'Ja, ik denk van wel.'

'Nou, probeer er niet te veel over na te denken. Leg je hoofd neer en ga slapen. Morgen voel je je waarschijnlijk een beetje beter.

'Ja...'

Hij knikte. 'Welterusten dan maar.'

'Ja, welterusten, pap.'

'Zie je morgen.'

Ik wachtte tot hij de deur dichtdeed, luisterde naar zijn voetstappen die de trap afgingen, haalde toen Erics telefoon uit mijn zak en ging op het bed zitten. Ik klapte hem open, zette hem aan en dempte de ringtone.

Ik was van mijn leven nog niet zo wakker geweest.

Drieëntwintig

Het duurde niet lang voor ik de slag van Erics telefoon te pakken had en het eerste wat ik ontdekte was dat hij al zijn berichten had gewist. Natuurlijk was het mogelijk dat zijn outbox leeg was omdat hij eenvoudig geen sms'jes had verstuurd, maar Eric kennende had ik daar zo mijn twijfels over. Hij was altijd een sms-freak geweest. Hij kon geen dag voorbij laten gaan zonder er een te versturen.

Zijn inbox was ook leeg.

Ik ging uit het berichtenmenu naar zijn adressenboek en begon alle namen langs te scrollen. Sommige hadden alleen afgekorte voornamen: Jo, Mart, Mich, Nic, terwijl andere afgekorte voornamen hadden plus de eerste letter van hun achternaam: Ali F, Pet B, Rob S. Maar de namen die me het meest interesseerden waren de namen die er niet als namen uitzagen. Daar waren er drie van: Pyg, Amo en Bit.

Pyg was waarschijnlijk Pauly, dacht ik – Pauly Gilpin – maar de andere twee, Amo en Bit, zeiden me niks.

Ik selecteerde de gegevens van de drie namen. Het waren allemaal mobiele nummers en alle drie snelkiesnummers.

Amo en Bit…?

Ik toetste nog een paar knoppen in en keek bij ontvangen oproepen. De laatste tien oproepen stonden vermeld:

10) Voicemail
9) Pyg
8) Pyg

7) Amo

6) Amo

5) Amo

4) Pyg

3) Voicemail

2) Amo

1) Bit

Oproep twee tot en met tien waren ontvangen tussen zondag en vandaag. De oproep van Bit was van vrijdag. De dag voor de kermis.

De laatste tien gekozen nummers waren:

10) Amo

9) Amo

8) Amo

7) Pyg

6) Amo

5) Pet B

4) Amo

3) Pyg

2) Amo

1) Amo

Al die telefoontjes waren van de afgelopen twee dagen.

Ik bleef een hele tijd zitten, keek naar de telefoon, naar het plafond, naar de telefoon, de ruimte in... probeerde na te denken, uit te vissen wat wat betekende... uit te vissen hoe ik erachter moest komen wat wat betekende, en vervolgens wat dat dan zou kunnen betekenen...

Als het al iets betekende.

Misschien had het allemaal niets te betekenen. Ik bedoel, wat dan nog als Eric regelmatig contact had gehad met Pyg, Amo en Bit? De telefoontjes naar en van Pauly hoefden niet noodzakelijk iets te betekenen – behalve het feit dat Eric tegen me had gelogen toen hij zei dat hij Pauly's nummer niet had – en Amo en Bit...? Nou, dat konden om het even wie zijn. Gewoon vrienden van Eric, volmaakt onschuldige vrienden die niets met Pauly, Stella of Raymond te maken hadden...

Maar ik dacht van niet.

Eric had zaterdagavond met Campbell iets in zijn schild gevoerd.

Ze waren alle twee in de buurt geweest toen Stella voor het laatst was gezien.

Eric had tegen me gelogen.

Campbell had me twee keer gewaarschuwd me erbuiten te houden.

Pauly had gerotzooid met de tequila...

Gegons van zwarte vliegen...

Samenhangend, los van elkaar. Samenhangend, los van elkaar...

Ik wist dat het allemaal iets te betekenen had en ik wist dat de sleutel – als er al een sleutel was – lag bij het uitzoeken wie Amo en Bit waren, en het was ongelooflijk verleidelijk om gewoon hun nummers in te tikken en kijken wat er zou gebeuren. Maar het was ook een beetje eng. Wat ging ik zeggen? Wat zouden ze tegen mij zeggen? Zouden ze weten dat ik het was? Zou ik weten wie zij waren? En stel dat een van die nummers van Stella was en iemand kwam erachter dat ik had gebeld? Hoe ging ik dat allemaal uitleggen?

Maar aan de andere kant, als ik die nummers niet belde...

Ik keek naar de telefoon, dacht nergens meer aan en drukte op de sneltoets voor Bit.

De lijn zoemde een tijdje, ruiste, en viel toen weg. Ik kreeg helemaal niets. Geen toon, geen bericht, helemaal niets. Volslagen dood.

Daarna probeerde ik Amo en nu kreeg ik een automatisch bericht: 'De persoon die u hebt gebeld is niet aanwezig. Probeert u het later nog een keer of zend een sms-bericht.'

Ik verbrak de verbinding en drukte de sneltoets in voor Pyg. De verbinding kwam tot stand, de telefoon ging over, en na een paar seconden hoorde ik Pauly's stem in mijn oor: 'Eric, ben jij dat?'

Ik zei niets.

'Eric?' vroeg Pauly.

Ik verbrak de verbinding en zette de telefoon uit.

Pauly klonk ongerust.

Hij klonk kleintjes.

Hij klonk een beetje als Raymond.

En dat nam ik hem kwalijk. Hoe durfde hij me aan Raymond te herinneren? Hij was Pauly Gilpin, een stiekeme klootzak, een geniepig rotventje dat alleen om zichzelf gaf. Hij gebruikte mensen, misbruikte ze… hij stopte drugs in hun drankjes. Hij was Pauly Gilpin, godbetert. Hoe was het in godsnaam mogelijk dat hij me aan Raymond herinnerde?

Het was weerzinwekkend.

Maar waar.

En dat deed pijn. Omdat ik daardoor besefte hoe erg ik Raymond miste, en zo graag wilde dat hij nu hier was. Was hij maar hier bij me in de kamer… dan zou ik met hem kunnen praten. Hem kon ik vertrouwen. Ik kon dingen tegen hem zeggen die ik tegen niemand anders kon zeggen…

Maar hij was er niet.

Dat wist ik.

En toen ik mijn ogen sloot om naar het gefluister van de duisternis te luisteren, wist ik dat zijn geest er ook niet was. Geesten bestaan niet. De geesten die me achtervolgden waren chemische producten, hallucinaties, flashbacks… dat wist ik. Maar ik wist ook dat ik vrijdag de stem van Zwartkonijn had gehoord. In Raymonds tuin. Toen ik iets geluidloos had voelen bewegen, omlaag had gekeken en Zwartkonijn langs had zien huppen naar zijn hok…

Wees voorzichtig. Ga niet.

Ik had geprobeerd mezelf wijs te maken dat ik het niet had gehoord, maar dat had ik wel. En dat was op vrijdag. Vóór de kermis, vóór de hut, nog voor ik een slok van die psychedelische tequila had genomen.

En dat klopte niet.

Hoe kon ik nou hallucineren voor ik die drug had genomen? Tenzij…?

Nee, er was geen tenzij.

Ik had vrijdag de stem van Zwartkonijn gehoord.

Wees voorzichtig. Ga niet.

En op zondag weer.

Neem me mee naar huis… breng me naar huis…

En maandag…

Of was het dinsdag?

Het doet er niet toe.

En nu…

In de stilte van mijn hoofd hoorde ik hem weer.

Je weet wie het wel weet…

Mijn vel tintelde.

Je weet het.

Ik hoefde mijn ogen niet open te doen om te weten dat het porseleinen konijn me aankeek. Ik kon zijn zwarte ogen voelen in het donker, als glanzende lichtpuntjes, als sombere sterren…

De moeder weet het.

'Wiens moeder?' fluisterde ik.

Zie haar donkere ogen, haar blanke huid… zij weet het.

Wie weet het?

Je houdt van dieren, je voelt je ermee verwant. Ze tekent me op de zwarte tafel om hem te laten zien dat ze hem kent. Je weet wie het weet…

'De waarzegster?'

Zij weet het.

Het moet ergens rond middernacht zijn geweest toen ik op mijn tenen naar beneden ging, de voordeur opendeed en naar buiten sloop, het donker in. Het licht in de slaapkamer van pap en mam was uit, dus ging ik ervan uit dat ze sliepen, maar ik wilde geen risico nemen. Daarom had ik mijn telefoon uitgezet – die van Eric ook – en bleef ik op mijn tenen lopen tot ik het tuinhek door en op straat was.

Ik keek niet om of er politie stond aan het eind van de straat, ik sloeg gewoon linksaf en liep met flinke pas in de tegenovergestelde richting, in de hoop dat ik er heel gewoon uitzag. Ik sloop niet stiletjes het huis uit, ik volgde niet het advies van een zwart porseleinen konijn. Ik ging niet op bezoek bij een waarzegster van wie de zoon met rastavlechtjes bloed van een dood meisje aan zijn caravan had zitten.

Ik niet.

Ik ging gewoon een stukje wandelen, frisse lucht happen…

Meer niet.

Het park was donker en stil toen ik daar aankwam. Vannacht geen flitslichten. Geen dreunende muziek, geen kreten van plezier, geen ronddraaiende molens of stemmengebulder dat door de lucht wervelde. Gewoon een park bij nacht, een troebele zwarte leegte die zich uitstrekte tot voorbij de met een hangslot afgesloten hekken.

Maar het was niet helemaal leeg.

In het halfduister verderop kon ik nog net een paar lichtjes onderscheiden, en daar omheen zag ik de grauwe silhouetten van een stel wagens. Wat voor wagens kon ik niet zien, maar ik was er behoorlijk zeker van dat een ervan van Lottie Noyce zou zijn. Haar zoon was pas vandaag vrijgelaten en de politie onderzocht nog steeds zijn caravan, plus dat ze hem misschien nog een keer zouden willen spreken... dus moest hij ergens onderdak hebben.

Toen ik over de gesloten hekken klom en door het park op de lichten af begon te lopen, zag ik dat de wagens in een slordige halve cirkel stonden in de schaduw van een paar grote bomen. Ergens uit het zicht ronkte zachtjes een generator. De grond was keihard, doorploegd met bandensporen, en ik vermoedde dat dit de plek was waar zaterdagavond alle kermiswagens hadden gestaan. Het was nu moeilijk voor te stellen, maar dit moest de buitenste rand van het kermisterrein zijn geweest, de plek waar ik Nicole en Luke het donker in had zien strompelen...

Het was allemaal moeilijk voorstelbaar. De lichten, de chaos, de verwarrende roes... Nicoles wezenloze blik toen Luke haar wegvoerde naar de donkere doolhof van vrachtwagens, trucks, busjes en campers...

Toen hadden er tientallen voertuigen gestaan, maar de meeste waren nu weg. Alles wat er nog over was – en rustig in het grauwgroene duister stond – waren twee campers, een caravan, en een Toyota pick-up met een leeggelopen springkussen achterin. Uit beide campers scheen licht, en ze waren niet van elkaar te onderscheiden.

Ik denk dat ik half had gehoopt dat op een ervan 'Madame Baptiste' op de zijkant had gestaan, of 'Noyce & Zoon' of zoiets. Maar dat was niet zo. Dus stond ik daar een tijdje, zo'n tien meter bij de campers vandaan, te kijken en te luisteren, en probeerde uit te vissen welke van die twee van Lottie Noyce was. Het was een vrij zinloze onderneming. De gordijnen waren dicht, dus ik kon niks zien, en de enige geluiden die ik hoorde waren het zachte puffen van de generator en het gefluister van een nachtbriesje in de bomen. Maar ik leek het niet erg te vinden. Ik was er volkomen tevreden mee om daar te staan, de donkere rust van het park over me heen te laten komen, de lucht van het slapende gras op te snuiven, en naar de stilte te luisteren...

De lucht was helder en bezaaid met sterren, en voor het eerst sinds dagen was er een koelte merkbaar. Ik draaide me om en staarde de duisternis in. Waar was de zaterdagavond nu, vroeg ik me af. Waar was hij gebleven? Waar waren al de lachende gezichten, de stromende menigten, de botsautootjes, de teddyberen en de rond-wervelende wielen gebleven? Waar was Raymond? Waar was het verleden? Waar was...

Toen voelde ik iets, een beweging zonder geluid.

Vlak achter me.

Een zachte ademhaling, het gerucht van een aanwezigheid...

'Raymond?' mompelde ik, terwijl ik me omdraaide.

Ondanks de hoop in mijn stem, geloof ik niet dat ik echt dacht dat het Raymond was, maar toch was er iets vanbinnen wat een kleine dood stierf toen ik in plaats van Raymond de grote gedaan-te van Tom Noyce voor me zag staan. Hij stond heel dichtbij, stil en bleek in zijn grauwwitte overall; zijn wenkbrauwknopjes en het ringetje door zijn lip glansden flauw in het donker. Zijn ijsblauwe ogen keken door een wirwar van vieze blonde rastastaartjes op me neer.

'Wie ben jij?' vroeg hij.

Zijn stem klonk als een zacht gegrom.

'Ik ben Pete Boland,' zei ik. 'Ik ben een vriend van...'

'Wat moet je?'

Ik keek naar hem op en was even verwonderd dat een man die zo groot was en met zo veel haar, me kon besluipen zonder geluid te maken.

'Wat moet je?' herhaalde hij.

'Zeg tegen je moeder dat ik hier ben,' zei ik.

'Waarom?'

'Dat weet ze wel.'

Toen bleef hij me een hele poos aankijken en terwijl ik terugstaarde in die koude blauwe ogen, probeerde ik me voor te stellen of hij iemand was die bloed aan zijn handen kon hebben. Ik dacht dat ik iets bij hem bespeurde, een vage indruk van iets, wat te maken had met leven en dood… maar zonder een greintje kwaadaardigheid. Eerder iets nuchters, een praktische aanvaarding van het feit dat er zonder dood geen leven is. Dieren eten dieren. Soms moet je doden. Moet er bloed vloeien.

Ik zag Tom Noyce een vis vangen of een kip slachten, maar ook niet meer dan dat.

'Kom mee,' zei hij alleen maar, hij draaide zich om en liep naar een van de campers. 'Ze zit op je te wachten.'

Vierentwintig

Ik geloof dat ik verwachtte dat Lottie Noyce er hetzelfde uit zou zien als Madame Baptiste, met dezelfde dikke donkerbruine vlecht in een knot op haar hoofd gedraaid, en dezelfde ouderwetse bruine wollen jurk, dichtgeknoopt tot aan haar hals. Maar dat was natuurlijk Madame Baptiste, de waarzegster. En Lottie Noyce was niet Madame Baptiste. Ze was gewoon Lottie Noyce: een oudere vrouw met lang bruin haar, een effen zwart t-shirt en een spijkerbroek, die achter in de camper aan een tafel thee zat te drinken en een sjekkie zat te roken.

Meer stelde ze niet voor.

Gewoon een oudere vrouw met een sigaret.

Maar toen Tom Noyce me binnenliet en Lottie me daar gewoon door een wolk blauwgrijze rook kalm zat aan te kijken, vond ik het nog steeds moeilijk om van haar weg te kijken.

'Kom binnen,' zei ze, terwijl ze me verder wenkte.

De camper schommelde een beetje toen ik naar de tafel liep. Een grote staande tinnen schemerlamp verspreidde een bleek schijnsel en de lucht scheen te glinsteren in het licht. Lottie zat met haar rug naar een raam met een gordijn ervoor, en terwijl ik aan de kleine gammele tafel ging zitten, voelde ik dat ze me opnam, net zoals de eerste keer: me bestudeerde, las, op zoek naar geheimen.

'Kopje thee?' vroeg ze glimlachend.

'Nee, dankuwel,' zei ik.

Ik keek even naar Tom. Hij stond aan de andere kant van de camper in een benauwd klein keukentje. Hij deed niets, stond daar alleen maar, nonchalant tegen een koelkast geleund en hield me kalm in de gaten. De koelkast zag er antiek uit. Terwijl ik snel een blik in het rond wierp besefte ik dat eigenlijk alles er bijna antiek uitzag. De potten en pannen aan de wand, de paar simpele meubels, de porseleinen beeldjes, de gelakte schelpen, de ouderwetse schilderijen in ruwe houten lijsten… het leek allemaal uit een andere tijd.

'Er is ook vruchtensap als je dat liever hebt,' zei Lottie.

'Sorry?'

'Sinaasappel, ananas…'

Ik schudde mijn hoofd. 'Nee, ik hoef niets, dank u.'

Ze knikte, trok aan haar sigaret, en ik zag haar blik even naar een pak speelkaarten op de tafel gaan. Ze zagen er hetzelfde uit als de kaarten die ze zaterdagavond had gebruikt, effen donkerrood, zonder plaatjes of figuurtjes. Lottie blies een lange rookwolk uit.

'Zo, Peter,' zei ze weer glimlachend, 'wat kan ik voor je doen?'

Ik keek haar aan en wist niet wat ik moest zeggen. Ik bedoel, wat kon ik zeggen? Een porseleinen konijn heeft me gezegd dat ik naar u toe moest gaan. Hij denkt dat u weet wat er met Raymond is gebeurd. Hij denkt dat u bekend met zijn lot. En hij denkt dat u weet waarom er bloed van Stella aan de caravan van uw zoon zat.

Ik zei niets.

'Geeft niet,' zei Lottie vriendelijk. 'Ik weet hoe moeilijk dit voor je is. Ik weet hoe je je voelt over je vriend.'

'Weet u dat?'

Ze knikte. 'Dat weet je wel. Daarom ben je hier.'

'Ik weet niet waarom ik hier ben,' zei ik. 'Ik probeer er alleen maar achter te komen wat er met Raymond is gebeurd. Ik wil alleen maar weten of u iets weet, meer niet. Ik bedoel, of u echt iets weet.'

'Wat bedoel je met "echt"?'

Ik keek haar aan. 'Volgens mij weet u wel wat ik bedoel.'

Ze keek me een tijdje aan zonder iets te zeggen, toen glimlachte ze heimelijk bij zichzelf en drukte haar sigaret uit in een metalen asbakje. 'Het is niet allemáál bedrog, Peter,' zei ze kalm. 'De kaarten stellen natuurlijk niets voor, die zijn alleen maar voor de show. Sommige mensen geloven er graag in, net zoals sommige mensen in goden, duivels en wonderlijke verhalen geloven.' Ze zweeg even en staarde nadenkend voor zich uit, schudde toen haar hoofd om een of andere gedachte te verdrijven, en ging verder. 'Maar er zijn dingen die ik weet, Peter. Of je het nou wel of niet gelooft, ik zie dingen die andere mensen niet zien. Daar verdien ik mijn brood mee. Dat zorgt ervoor dat mensen in me geloven.'

'Wat voor dingen kunt u zien?'

Ze keek me aan. 'Simpele dingen… zoals het gebrek aan slaap in je ogen, de verse snee in je kin, de vage blauwe plekken rond je hals…'

'En bij Raymond?' vroeg ik. 'Wat zag u bij hem?'

Ze glimlachte. 'Ik zag sporen van zwart konijnenbont op de schouder van zijn jasje.'

'En wat leidde u daaruit af?'

'Dat hij een zwart konijn had… en dat hij de gewoonte had om dat dicht tegen zich aan te houden.' Ze haalde haar schouders op. 'En daardoor wist ik hoeveel dat konijn voor hem betekende, wat voor een jongen van zijn leeftijd… nu ja, het zegt iets over een bepaalde manier van leven, over een bepaald soort emoties.'

Ze tikte tegen de zijkant van haar hoofd. 'Het komt allemaal op waarneming aan, Peter, en waarnemen kun je trainen net zoals je andere dingen kunt trainen. Je kunt jezelf aanleren hoe je moet kijken, hoe je de juiste vragen moet stellen, hoe je dingen af kunt leiden… en na een tijdje wordt dat een tweede natuur. De meeste tijd ben je je er niet eens bewust van. Je ziet dingen, hoort dingen en ruikt dingen… en zonder er zelfs maar over na te denken, tel je het gewoon allemaal bij elkaar op en zegt iets in je wat het waarschijnlijk te betekenen heeft.' Ze glimlachte. 'Het enige wat je vervolgens hoeft te doen is mensen zeggen wat ze willen horen.'

'Is dat wat u met Raymond deed?' vroeg ik. 'Ik bedoel, was dat het enige, hem zeggen wat hij wilde horen?'

'Wat denk jij?'

'Ik weet het niet,' mompelde ik terwijl ik het stomme van mijn eigen vraag besefte. 'Ik dacht gewoon…'

'Ja?'

'Nou, al die dingen die u tegen Raymond zei over zijn goedheid, zijn onzelfzuchtigheid…'

'Simpele observaties en conclusies, meer niet.'

'En dat over leven en dood…'

'Daar krijgen we allemaal mee te maken.'

'Maar u had het over iemand die doodging…'

'Raymond had het over iemand die doodging. Ik niet.'

'Oké,' zei ik. 'Maar aan het eind dan, toen Raymond wegging en u naar me toe kwam en zei dat ik op hem moest passen. U zei dat ik voorzichtig moest zijn. U zei dat ik hem mee naar huis moest nemen. Waarom zei u dat?'

Toen aarzelde ze en was er iets in haar ogen – een blik, een gevoel – waardoor ik me afvroeg of ze alleen maar bezig was mij te vertellen wat ik wilde horen. Ze wist dat ik niet in toverkracht of mysterieuze inzichten geloofde, en ze probeerde me er alleen maar van te overtuigen dat ik gelijk had. Dat het inderdaad allemaal oplichterij was, alleen maar show… dat ik gelijk had om niet in dingen te geloven die niet echt zijn.

En ik wist dat ik gelijk had.

'Heb je weleens gevoelens die je niet begrijpt?' vroeg Lottie.

'Zoals?'

Ze keek me aan. 'Zoals wanneer je naar iemand toe gaat, en niet weet of hij thuis is, maar als je bij zijn huis komt en aanklopt… dat je dan op de een of andere manier gewoon weet of hij er wel of niet is. En je dan weet dat je gevoel je niet bedriegt.'

'Je kunt erop bouwen,' zei ik zacht.

Ze knikte. 'Zo'n soort gevoel had ik bij Raymond, iets waarvan ik overtuigd was, maar niet begreep, iets wat verder ging dan wat mijn waarneming me vertelde. Ik wist niet precies wat het was, maar het voelde niet goed. Er ging iets met hem gebeuren. Of hij ging iets doen…'

'Weet u wat er met hem gebeurd is?' vroeg ik botweg.

Ze schudde haar hoofd. 'Ik geloof niet hij iemand iets heeft aangedaan.'

'En Stella Ross? Weet u wat er met haar is gebeurd?'

Lottie keek even naar haar zoon. Die had zich niet verroerd, maar stond daar nog steeds nonchalant tegen de koelkast geleund. 'Tom weet niets van Stella Ross,' zei Lottie terwijl ze me weer aankeek. 'Hij wist niet eens wie ze was tot de politie hem verhoorde.'

'Ik bedoelde niet…'

'Ik weet dat je er niks mee bedoelt.'

'Ik dacht alleen maar dat u misschien iets gezien had, zeg maar…'

'Ik heb alle vragen van de politie al beantwoord.'

'Ik ook,' zei ik. 'Maar dat wil niet zeggen dat ik ze alles heb verteld.'

Ze glimlachte. 'Denk je dat ik meer weet dan wat ik vertel?'

'Weet ik niet… u zei net dat u dingen kunt zien die andere mensen niet kunnen zien.' Ik keek haar aan. 'Ik denk dat u dat niet aan de politie hebt verteld, of wel?'

Ze schudde haar hoofd. 'Ze zouden er niet naar hebben geluisterd.' Ze keek me aan. 'Waarom heb jij ze niet alles verteld?'

'Weet ik niet… ik dacht…'

'Ben je bang?'

'Waarvoor?'

'Voor wat dan ook… angst is vaak een reden om te liegen.'

'Angst waarvoor?'

'Waar je ook maar bang voor bent.'

Daar dacht ik even over na en verwonderde me over al mijn angsten – lichamelijke, geestelijke, emotionele, onzichtbare angsten – en probeerde erachter te komen of een ervan de reden kon zijn voor al mijn leugens… maar het was te veel om over na te denken. Te eng om over na te denken.

Ik keek naar Lottie. 'Waarom hebt u niet alles aan de politie verteld?'

Ze haalde haar schouders op. 'Zoals ik zei, ze zouden niet hebben geluisterd. Waarom zouden ze naar iemand als ik luisteren?'

'Ik luister,' zei ik.

Ze glimlachte weer terwijl ze gedachteloos de kaarten schudde. 'Ik dacht dat je niet in de kracht van de kaarten geloofde?'

'Dat doe ik ook niet.'

'Maar mij geloof je wel?'

'Ik weet het niet. U hebt me nog niets verteld.'

'Ik kan alleen vertellen wat je denkt.'

Even zei ik niets, keek ik haar alleen maar aan en probeerde haar ogen te doorgronden, te weten te komen waar ze het over had… maar het lukte niet. Haar ogen waren net spiegels. Alles wat ik kon zien was een portretstudie van mezelf.

'Doe maar,' zei ik. 'Zeg maar wat u denkt.'

'Ik denk dat het allemaal om de liefde draait,' zei ze.

'Liefde?'

Ze knikte. 'Liefde is een harteloze zaak.'

Toen Lottie me begon te vertellen wat ze die nacht had gezien en wat ze dacht dat het te betekenen had, merkte ik dat ze de kaarten niet een keer neerlegde. Eerst deed ze er niets mee; ze leek er zich zelfs niet van bewust dat ze ze vasthad. Ze had ze gewoon in haar handen, bijna alsof ze deel van haar uitmaakten. Wat op een bepaalde manier waarschijnlijk ook zo was.

'Zo gauw Raymond die avond de tent binnenkwam,' zei ze, 'wist ik dat hij anders was. En door de manier waarop hij naar dingen keek, wist ik dat hij dacht iets van waarzeggerij af te weten. Ik weet niet zeker of hij erin geloofde of niet, maar ik voelde dat hij wist wat hij kon verwachten.' Ze keek me aan. 'Heb ik gelijk?'

'Ik weet het niet,' gaf ik toe. 'Raymond heeft altijd van lezen gehouden en hij leest over allerlei rare dingen. Dus het zou me niet verbazen als hij iets van waarzeggen afwist.'

Ze knikte. 'Hij wist waar de kaarten voor stonden. Daarom heb ik niet ingegrepen toen ik ze voor hem uitlegde.' Ze glimlachte. 'Meestal pik ik er gewoon de kaarten uit die passen bij wat ik doorkrijg van degene die voor me zit, maar bij Raymond… dacht ik gewoon dat het interessant zou zijn om te zien wat er gebeurde zonder hulp van mijn kant.'

'Was u daarom zo verbaasd toen u zijn kaarten zag?'

'Ja… dat waren heel dreigende kaarten. Dreigender dan ik ze ooit zou kiezen. En ook al weet ik dat het maar kaarten zijn en dat ze niets te betekenen hebben…' Ze keek even naar de kaarten in haar hand. 'Het zijn gewoon stukjes versierd karton met nummers, figuren en kleuren… het zijn maar instrumenten. Ze worden wat je wilt dat ze zijn.' Ze draaide langzaam de bovenste kaart van het stapeltje om en legde hem open op tafel. 'Schoppenvrouw,' zei ze. 'De vrouw met de kom-mee-naar-bed ogen.' Ze draaide nog een kaart om. 'Hartenvrouw. Een doelbewuste vrouw.' Ze keek me aan. 'Ik zag Stella Ross die avond nadat jij en Raymond weg waren. Ze liep langs mijn tent, paraderend als een koningin, omringd door al haar bedienden en bewonderaars. Daarna heb ik haar niet meer gezien.'

'Wat vond u van haar?'

Lottie sloot haar ogen. 'Ze wil bewonderd worden, maar veracht de mensen die dat doen. Ze is onzeker, alleen maar met zichzelf bezig, wraakzuchtig, bitter. Ze houdt van gemene spelletjes. Ze manipuleert graag mensen.'

'Weet u dat allemaal door één korte blik?'

Lottie glimlachte. 'We zijn allemaal tovenaars, Peter. We leven allemaal in een sprookjesland van wonderen en schoonheid als we ons er maar bewust van waren.'

'Wat?'

'Sorry,' zei ze, terwijl ze haar ogen opendeed en naar me grinnikte. 'Ik ben gewend om de meeste tijd onzin uit te slaan, dat verander je niet zomaar.'

'O. Dus u hebt Stella die avond niet meer gezien?'

'Nee. Maar zoals ik eerder zei, ik ben heel goed in mensen lezen, en van haar kreeg ik de indruk dat haar allergrootste wens was om te hebben wat ze niet kon krijgen.' Ze keek me aan. 'Net als de jongen met wie je later op de bank zat.'

'Pauly?'

Ze draaide een kaart om: ruitenvier. 'Bedwelming,' zei ze eenvoudig. 'Zijn gezicht is afgestompt door drank en drugs.' De volgende kaart. 'Schoppentwee. Hij houdt van een illusie.' Nog een kaart. 'Schoppenzeven, de fascinatie van een mot voor het licht.' Ze keek me aan. 'Hij wilde ook hebben wat hij niet krijgen kon.'

'Wie... Pauly?'

'Ja.'

'Wat kon hij niet krijgen?'

Ze kneep haar ogen halfdicht en dacht erover na. 'Nou, eerst dacht ik zijn verlangen uitging naar een van de twee minnaars naar wie hij zat te kijken, dat hij een van de twee wilde, en dat het hem woedend maakte om ze samen te zien. Maar na een tijdje besefte ik er dat er meer aan vastzat. Ik denk dat hij iets anders wilde...'

'Wacht even,' zei ik omdat ik het even niet kon volgen. 'Hebben we het nu nog steeds over Pauly?'

Ze knikte. 'De jongen op de bank. Je hebt een tijdje naar hem staan kijken, en toen ben je naar hem toe gelopen en naast hem gaan zitten.'

'Ja… wie waren dan die twee minnaars naar wie hij zat te kijken?'

'Dezelfde als waar jij naar keek.'

Ik keek haar ongelovig aan. 'U bedoelt Eric en Campbell?'

'Ik ken hun namen niet; een van hen was de broer van het meisje dat jij kent, de ander was een oudere jongen met een beetje scheve mond.'

'Ja,' mompelde ik. 'Eric Leigh en Wes Campbell. Maar dat zijn geen…'

Minnaars, wilde ik zeggen. Ze zijn geen minnaars. Maar ineens begon er in mijn hoofd van alles te kraken en open te barsten – het geluid van dingen die op hun plaats vallen – en plotseling leek het allemaal zo logisch. Eric en Wes Campbell: samen op de kermis, in Erics huis, op zijn kamer…

Eric en Campbell waren een stel.

Daarom wilde Campbell niet dat ik me ermee bemoeide.

Daarom had Eric tegen me gelogen over waar hij de hele nacht was geweest… hij was bij Wes Campbell.

Ze waren een stel.

'Wist je dat niet?' vroeg Lottie.

'Nee… nou, ik weet dat Eric homoseksueel is…'

'Dat is de broer?'

'Ja, ik bedoel, van Eric is het algemeen bekend. Hij is jaren geleden uit de kast gekomen. Maar Wes Campbell…?' Ik keek haar aan. 'Weet u het zeker?'

Ze knikte. 'De manier waarop ze naar elkaar keken, bij elkaar stonden, dat ze zo vertrouwd met elkaar waren, hun intimiteit… natuurlijk deden ze alle twee hun best om het te verbergen.' Ze zweeg en keek me aan. 'De oudere jongen, Wes Campbell, zei je?'

'Ja.'

'Geen twijfel over mogelijk dat hij van de broer houdt, maar hij houdt te veel van zichzelf om het te tonen.' Ze draaide een kaart om. 'Ruitentwee... hij is bang dat zijn liefde hem afkeuring en achterdocht zal opleveren.'

'Jezus,' zei ik, mijn hoofd schuddend. 'Wes Campbell... shit. Ik kan het niet geloven.' Ik keek naar Lottie. 'Ik bedoel niet... u weet wel, ik zeg niet dat jongens als Wes Campbell niet homoseksueel kunnen zijn of zo, het is gewoon... nou, het komt gewoon een beetje als een schok.'

Lottie stak een sigaret op. 'Het was mij duidelijk dat ze alle twee erg veel moeite deden om hun liefde te verbergen, maar ik geloof dat de broer daar het meest mee zat.' Ze draaide een kaart om: klaverzeven. 'Schuldgevoel,' zei ze. 'Verlegenheid. Schaamte. De angst van de broer om het in de openbaarheid te brengen komt voort uit burgerlijkheid, maar ik denk dat hij veel banger is voor de gevolgen dan zijn vriend.'

Daar dacht ik even over na, en ik vroeg me af waarom Eric zich meer zorgen zou maken dan Campbell. Ik bedoel, voor zover ik op de hoogte was, wist niemand dat Campbell homoseksueel was – en volgens mij wilde hij ook niet dat iemand het te weten kwam – dus kon ik begrijpen waarom hij het stil wilde houden. Maar Eric was al tijden openlijk homoseksueel, en ik had altijd de indruk dat hij er echt niets om gaf wat andere mensen van hem dachten...

Maar misschien had ik dat mis.

Misschien had ik dat altijd mis gehad.

Ik keek Lottie aan. 'Bedoelde u dit toen u zei dat het allemaal om de liefde draaide?'

'Voor een deel...' Ze draaide twee kaarten om: hartentwee en hartendrie. 'De zus,' zei ze en ze keek op. 'Die jou in de gaten hield...'

'Nicole,' zei ik.

Lottie keek naar de twee kaarten. 'De laatste liefde is altijd de beste...' Ze keek me recht aan. 'Ze houdt al heel lang van je.'

'Wie?'

'Nicole.'

'Ze houdt van me?'

'Al heel lang.'

Ik schudde mijn hoofd. 'Nee…'

'Ja.'

'Nee,' zei ik beslist. 'Vroeger mocht ze me… en misschien doet ze dat nog wel een beetje. Maar ze houdt niet van me. Absoluut niet.'

Lottie haalde lachend haar schouders op. 'Misschien heb ik me vergist.'

'Ja.'

'Ik dacht alleen, door de manier waarop ze naar je keek…'

'U hebt zich vergist.'

Lottie knikte. 'Als jij het zegt.'

'Ja.'

Lottie tikte as af in de asbak. 'Ze lijkt veel op haar broer, hè?'

'Het zijn tweelingen.'

'Ze zijn dus dik met elkaar.'

'Ja, ik denk van wel. Ik bedoel, ze waren altijd veel bij elkaar, zeg maar, trokken met elkaar op, deden samen dingen, deelden alles… kleren, make-up, sieraden, soms zelfs vriendjes…' Ik zweeg even en keek naar de tafel, ineens viel me iets in.

'Wat is er?' vroeg Lottie.

Delen, dacht ik bij mezelf. Ze delen altijd alles…

'Peter?'

Ik keek op. 'Hebt u Nicole later die avond nog gezien?'

'Ze was met Luke Kemp,' zei ze ernstig. 'Luke bediende de rups.'

'Weet ik.'

Hij heeft haar mee naar zijn camper genomen.'

'Dat weet ik ook.'

'Ze wilde niet bij hem zijn. Ze was… ik denk dat ze het om te beginnen deed om jou te pesten, en ik geloof niet dat ze het zo ver wilde laten komen… Maar Luke gaat altijd te ver.'

'Wat bedoelt u?'

Lottie schudde haar hoofd. 'Hij zorgt er altijd voor dat hij krijgt wat hij wil, en het maakt hem niet uit hoe.'

Wat probeert u te zeggen?'

'Er is geen bewijs… het zijn alleen maar geruchten. Maar er wordt gefluisterd dat sommige meisjes die hij mee naar zijn camper neemt geen flauw benul hebben van wat ze doen.'

'Bedoelt u dat hij ze drugs geeft of zo?'

'Ja, dat zou kunnen.'

'Shit.'

'Maar soms zijn ze natuurlijk alleen maar heel erg dronken…'

'Nicole was aardig uitgeteld.'

'Ja…' Lottie drukte haar sigaret uit. 'Ik denk dat jouw vriend Raymond ze daarom tot aan de camper is gevolgd. Ik denk dat hij bezorgd om haar was. Hij gaf om haar.'

'Zonder aan zichzelf te denken.'

'Ja. Hij bezat een grote goedheid.'

Ik keek haar aan en vroeg me af of ze wist dat ze dat eerder over Raymond had gezegd… en ik zag aan de manier waarop ze mijn blik meed, dat het zo was. 'Hebt u gezien dat Kemp hem bij de camper wegjoeg?' vroeg ik.

'Ja.'

'Heeft hij hem te pakken gekregen?'

Ze schudde haar hoofd. 'Raymond was te snel. Luke kwam niet eens bij hem in de buurt.'

'Waar liep Raymond naartoe?'

'De kermis was toen al afgelopen. De lichten waren uit. Ik zag Raymond over de kermis naar de uitgang rennen, en toen verder gewoon het donker in.'

'Welke kant op?'

Ze wees over mijn schouder. 'Naar de andere kant van het park, waar de hoofdingang is.'

'Zag u hem het hek door gaan?'

'Ja.'

'Welke kant ging hij op?'

'Hij sloeg rechts af.'

'En toen?'

'Weet ik niet. Dat was het laatste wat ik van hem heb gezien.

Ik keek weer naar de kaarten op tafel. Ze lagen allemaal in een cirkel om de eerste kaart die ze had omgedraaid, de schoppen-vrouw. Stella's kaart. Ik bestudeerde de kaarten, keek naar de figu-ren, de kleuren, de gezichten… probeerde me te herinneren voor wie ze stonden, probeerde erachter te komen wat wel en niet met elkaar te maken had… het gezoem, gekraak en geplof in mijn hoofd… de kleuren, de figuren, de gezichten…

De kaarten betekenden niets.

Ik probeerde de patronen achter de kaarten te zien.

'Waar ben ik in dit allemaal?' vroeg ik aan Lottie.

'Jij zit hier,' zei ze, terwijl ze op de bovenste kaart van de stapel tikte.

Ik keek haar aan.

Ze zei: 'Je weet dat het niets betekent.'

'Ja…'

'Je kunt zijn wat je maar wilt.'

'O ja?'

Ze lachte. 'Wat wil je zijn?'

'Ik weet het niet…'

'Wat is je kaart?'

'Wat?'

Ze tikte met haar vinger op de stapel kaarten. 'Je kaart… welke denk je dat het is?'

'Ik weet het niet…'

'Ja, dat weet je wel. Vertel me welke je denkt dat het is.' Ze lach-te weer. 'Wat kan het voor kwaad?'

Ik keek naar de kaart onder haar vinger en wist dat het niets betekende. Ik wist dat ik niet kon weten welke het was, of welke ik wilde dat het was. En dat ik geen flauw idee had welke ik wilde dat het was. Dus zei ik het eerste wat in me opkwam. 'Schoppenvijf.'

Ze draaide de kaart om en natuurlijk was het schoppenvijf. Het had nooit een andere kunnen zijn.

'Waar staat die voor?' hoorde ik mezelf zeggen.

'Voor wat je maar wilt, hij kan betekenen dat je volwassen aan het worden bent, dat je na begint te denken over jezelf, de wereld om je heen, en jouw plek daarbinnen. Het kan een gelukkig voorteken zijn. Het kan een ruzie tussen twee geliefden betekenen. Het kan een zomer vol waanzin voorspellen.'

'Maar het is maar een kaart.'

'Dat klopt.'

Ze legde mijn kaart op tafel, buiten de cirkel van de andere kaarten, en zat er vervolgens alleen maar zwijgend en nadenkend naar te kijken.

Het was laat. Vroeg in de morgen. De lucht was koud en stil, de wereld buiten sliep.

Ik was hier.

Nu.

Ik was hier.

Ik staarde naar de kaarten op tafel. Ik was daar, ik was hier. Verder was iedereen daar. Iedereen, behalve…

'Waar is Raymond?' vroeg ik zachtjes aan Lottie.

Ze draaide de bovenste kaart van de stapel om en legde hem open op tafel.

Het was een blanco kaart.

Vijfentwintig

De hemel was, net voor het aanbreken van de dag, stil en zwart toen ik door de lege straten naar huis wandelde. De wereld sliep. De huizen, de geparkeerde auto's, de muren, de hekken, de heggen, de trottoirs, de lucht... alles lag bevroren in de eeuwige dageraad van de straatverlichting.

Niets bewoog.

Niets maakte geluid.

Behalve ik.

Stap stap stap... het geluid van mijn regelmatige voetstappen die dof echoden in de nacht.

Stap stap stap... het geluid van mijn chaotische hoofd dat probeerde na te denken.

De ene gedachte, de andere gedachte.

De ene stap, de andere stap...

Een stap tegelijk.

Een gedachte tegelijk.

Eric en Wes Campbell zijn minnaars.

Stella hield van gemene spelletjes.

Pauly wil wat hij niet kan krijgen.

Wat kan hij niet krijgen?

Eric? Wes Campbell?

Stella?

De ene stap, de andere stap...

Nicole houdt niet van mij.

Stella minachtte de mensen die haar aanbaden.

Het draait allemaal om de liefde.

Een gedachte tegelijk.

Het draait allemaal om de liefde.

Het is niet allemaal bedrog.

De kaarten betekenen niets.

Goden en duivels.

Pauly aanbad Stella.

Een gedachte.

Delen... Nic en Eric... ze delen altijd alles.

Kleren.

Parfum.

Sieraden.

Daar bleef ik steken, met mijn gedachten plotseling bij het beeld van een gebroken halsketting. Een stukje fijne gouden ketting in een doorzichtige plastic envelop... 'Het zat in het voorzakje van Stella's korte broek'. Een stel gouden kettingen aan een haak boven Nicoles toilettafel. Kettingen, schakels...

Stella, Nicole.

Nicole, Eric.

Ze delen altijd alles.

De beelden keilden door mijn hoofd als gewichtloze kiezelstenen over een zwarte modderpoel. De schakels ketsten – kets, kets, kets – raakten nauwelijks de oppervlakte, als zwaluwen drinkend in de vlucht. Ik zag pijlen, darts, haken, platte zwarte kiezels, te snel om bij te houden. Ik zag bewegende rimpelsporen in de stille zwarte wateren van de nacht. Cirkels, slierten, patronen... die samenkwamen, en weer uiteengingen.

Ik wist dat het allemaal iets betekende, maar ik wist niet wat. Ik kneep mijn ogen stijf dicht en deed ze weer open. Ik stond bij de oude fabriekspoort op Recreation Road. In de verte zag ik de lichten van het centrum. Ik rook het ijzer en het stof van de fabriek. IJzer en stof, beton en vlees. Ik rook...

Duisternis.

En warmte.

Ik voelde een aanwezigheid.

Toen hoorde ik een klik, een heel zwakke klik van de overkant van de weg, en toen ik me omdraaide en het donker in tuurde, floepte ineens een stel koplampen aan die me met hun felle straal verblindden. Terwijl ik een hand boven mijn ogen hield tegen het felle licht, hoorde ik een auto starten. De motor ronkte een paar keer luid, banden piepten, en voor ik wist wat er gebeurde, raasde de auto in een felle schittering van oogverblindend licht op me af.

Ik bleef stokstijf staan.

Mijn verstand ging op nul.

Ik kon daar alleen maar vastgenageld aan de grond blijven staan en zwijgend toezien hoe de auto in een nachtmerrieachtige slow motion op me af raasde, en heel even vroeg ik me dom af waarom ik niets voelde, waarom ik niets deed, waarom ik niet probeerde opzij te gaan, waarom mijn leven niet aan mijn ogen voorbijtrok...

Op het allerlaatste moment, net toen de auto me zou raken, zwenkte die naar links, miste me op een haar, en kwam plotseling, slippend en met gierende remmen tot stilstand. En onmiddellijk kwam de rest van de wereld weer tot leven. Ik voelde mijn hart kloppen. Ik rook het verbrande rubber van de banden. Ik voelde het beven van mijn handen. En ik zag Wes Campbell die me aankeek door het open raam van een kleine zwarte vijfdeursauto.

'Stap in,' zei hij.

Ik keek hem alleen maar aan.

Hij leunde over de passagiersstoel en deed het portier open. 'Stap in.'

Ik schudde mijn hoofd.

Hij glimlachte naar me. 'Ik wil alleen maar met je praten, meer niet.'

'Waarover?'

'Stap in,' zei hij, 'dan zal ik het je vertellen.'

'Ik dacht het niet.'

Toen stapte ik weg bij het raam en probeerde achter de auto langs te schuifelen. Maar nog voor ik ver gekomen was, gooide Campbell de auto in de versnelling en schoot achteruit het trottoir over om me de weg af te snijden. Ik keek hem even aan en begon toen de andere kant op te lopen, terug langs de voorkant van de auto. Campbell schakelde weer, schoot met gillende banden naar voren maar nu recht op me af, waardoor ik achteruit moest springen om niet geraakt te worden.

'Jij gaat nergens naartoe,' zei hij tegen mij door het raam. 'Je kan net zo goed instappen.'

'Wat wil je?' vroeg ik hijgend.

'Ik wil dat je in die verdomde kar stapt.'

Ik deed nog een stap achteruit en keek even over mijn schouder. De weg was even leeg als daarvoor. Er was niemand in de buurt, niemand die ik kon roepen. De wereld sliep nog. De huizen, de geparkeerde auto's, de muren, de hekken, de heggen, de trottoirs, de lucht…

'Goed,' zei Campbell kalm. 'Luister, geef me alleen de mobiel, oké? Als je me de mobiel geeft laat ik je naar huis gaan.'

Ik draaide me naar hem om. 'Welke mobiel?'

'Sta me niet belazeren, Boland. Ik geef je een kans. Gooi gewoon dat mobieltje door het raam…'

'Ik weet niet waar je het over hebt.'

Hij keek me met koude ogen aan. 'Wat denk je dat er nu gaat gebeuren?'

'Wat?'

'Als ik voor jou uit deze auto moet komen… wat denk je dat er dan gaat gebeuren?'

Ik zei niets.

Hij grijnsde naar me. 'Je zet het op een lopen, dat gaat er gebeuren. Je zet het op een lopen en ik kom achter je aan en grijp je. En dan ben ik pas echt woest op je omdat ik voor jou deze auto uit moest komen om je door deze lullige kutstraatjes achterna te zitten, en ik was trouwens al woest op je, dus als ik je te pakken krijg trap ik je sowieso totaal de vernieling in, en daarna zal ik, goedschiks of kwaadschiks, Erics mobiel alsnog van je afpakken.' Hij glimlachte naar me. 'Dus het zou ons alle twee een hoop moeite besparen als je me die nu gelijk zou geven.'

'Jij bent zeker Amo?' zei ik.

'Wat?'

'Amo… amour. Dat is Frans voor liefde.'

'Waar heb je het verdomme over?'

'Erics moeder is Frans.' Ik keek Campbell aan. 'Jij bent Erics liefje. Jij bent Amo.'

De kleur was nu uit Campbells gezicht weggetrokken en heel even was hij een ander iemand – kwetsbaar, menselijk, bijna zielig – maar daarna nam zijn woede bijna onmiddellijk de overhand: een kille en intens fysieke razernij, en plotseling was hij allesbehalve menselijk. Een ijskoude moordenaar, die kalm zijn handschoenenkastje opendeed en zijn stanleymes tevoorschijn haalde. Hij deed het portier open, stapte uit, en kwam op me af met de afgemeten stappen van een man die precies weet wat hij doet en de rest aan zijn laars lapt…

Ik deed al een paar passen achteruit, draaide me om, klaar om het op een lopen te zetten…

Toen iemand me van achteren vastgreep.

Eerst kon ik niet zien wie het was; alles wat ik voelde waren twee sterke handen op mijn schouders die me stevig op mijn plaats hielden en de indrukwekkende aanwezigheid van iemand achter me. Ik kronkelde en worstelde een paar seconden, probeerde me los te rukken, probeerde te zien wie het was, toen ik de lage stem van Tom Noyce hoorde:

'Alles in orde,' zei die kalm. 'Blijf gewoon waar je bent.' Ik wrong me andersom en keek naar hem op.

'Oké?' vroeg hij.

'Ja…'

Hij haalde zijn handen van mijn schouders en keek langzaam naar Campbell. Ik keek ook naar Campbell. Die was op drie meter afstand blijven staan en keek over mijn schouder naar Tom. 'Wie ben jij, verdomme?'

'Tom Noyce.'

'O ja? Moet jij eens goed naar mij luisteren, teringlijer, Tom Noyce…'

'Stap terug in de auto,' zei Tom rustig.

'Wat?'

'Stap terug in de auto en ga naar huis,' zei Tom.

Campbell keek hem vuil aan. 'En wat doe jij als ik dat niet doe?'

Tom zei niets, hij zuchtte alleen maar zachtjes en liep op Campbell af. Campbell aarzelde even, knipperde zenuwachtig met zijn ogen, stak toen zijn mes omhoog en zwaaide ermee naar Tom.

'Ik steek je overhoop,' waarschuwde hij achteruitlopend. 'Als je nog dichterbij komt, snij ik je aan flinters… denk vooral niet dat ik dat niet zal doen…'

Tom bleef gewoon doorlopen met zijn ogen zwijgend op Campbell gericht en ik zag dat Campbell begon door te krijgen dat Tom Noyce niet alleen groot was – veel te groot voor het plotseling heel kleine mesje in Campbells hand – maar ook totaal niet bang. Tom Noyce kon het niet schelen wat er met hem gebeurde. En daar was Campbell niet op voorbereid.

'Ja, goed,' zei hij tegen Tom, terwijl hij achteruit naar de auto liep. 'Hé, ik ga verdomme toch al… oké? Ik ga.'

Tom stopte en hield hem in de gaten terwijl hij het portier van de auto opendeed.

Campbell keek naar mij. 'Jou zie ik later nog wel, Boland.' Hij wierp een blik op Tom, draaide zich toen weer naar mij en grijnsde. 'En de volgende keer heb je niet je tamme yeti bij je om op je te passen. Daar zal ik voor zorgen.'

Toen Tom nog een stap naar hem toe deed, lachte Campbell en stapte snel in de auto. De motor liep nog, de uitlaatgassen mistten in de stille nachtlucht, en nog voor het portier dichtsloeg, had Campbell de auto in de versnelling gezet en het gaspedaal ingetrapt. Even draaiden de wielen met luid piepende banden rond en toen gierde de vijfdeurs weg van de stoeprand, zwenkte naar rechts en reed snel Recreation Road af.

Ik keek tot hij uit het zicht was en draaide me toen om naar Tom Noyce. Hij stond nog op dezelfde plek en keek de straat af.

'Bedankt,' zei ik.

Hij keek naar me en knikte. 'Geen probleem.'

'Dat was Wes Campbell,' legde ik uit. 'Een van de jongens waar je moeder het over had.'

'Ik weet het… ik zag hem al eerder in het park. Hij volgde je.'

'Volgde hij me?'

Tom knikte. 'Hij stond aan de overkant van de weg geparkeerd toen jij in de camper zat. Hij reed weg nadat jij vertrokken was.'

'Ben je me daarom gevolgd?'

Hij haalde zijn schouders op. 'Ik dacht dat je misschien wat hulp zou kunnen gebruiken.'

Ik wist niet wat ik moest zeggen, ik wilde hem vragen waarom – waarom hij me had willen helpen als hij me nauwelijks kende – maar dat klonk zo lullig. Dus glimlachte ik alleen maar en bedankte hem nog een keer. En hij knikte alleen maar met dat rastahoofd en zei weer dat het geen enkel probleem was.

En het voelde oké.

'Nou, in elk geval moet ik nu maar eens naar huis.'

'Weten je ouders dat je weg bent?' vroeg Tom.

'Nee.'

'Moet je ver?'

'Hythe Street.'

Hij knikte. 'Ik loop wel met je mee.'

'Dat hoeft niet,' zei ik. 'Ik red me wel.'

'Ook goed,' zei Tom met een schouderophaal. 'Als je dat wilt. Maar het zou me niet verbazen als Campbell je ergens staat op te wachten.'

Ik dacht even na en stelde me voor hoe Campbell ergens in een zijstraat in zijn auto zou zitten wachten tot ik voorbij zou komen, zou wachten op een kans om me alleen te treffen...

En toen dacht ik aan Tom en vroeg me onwillekeurig weer af waarom hij dit deed. Waarom hielp hij me? Waarom beschermde hij me? Waarom zou ik hem vertrouwen? Ik bedoel, Stella's bloed zat aan zijn caravan, niet dan? En zijn caravan had bij de rivier gestaan. En nu was hij hier en bood me aan mee te lopen naar huis, naar Hythe Street... maar een paar honderd meter bij de rivier vandaan. En alleen omdat hij volgens zijn zeggen me vanaf de camper was gevolgd omdat hij had gezien dat Campbell me volgde... nou ja, dat moest ik dus maar geloven. Misschien was hij me om een andere reden gevolgd, en had hij me om die reden ook van Campbell gered.

Ik keek hem aan en lachte zenuwachtig, en toen hij terugkeek met die ijsblauwe ogen, moest ik weer denken aan waartoe hij in staat was...

Ik kende Tom Noyce niet.

Ik had geen idee wie hij was.

'Alles in orde?' vroeg hij. 'Je ziet er niet zo goed uit. Wil je dat ik...'

'Heeft je moeder ooit bij Brettons Funfairs gewerkt?' hoorde ik mezelf vragen.

'Wat?'

'Of bij Funderstorm?'

Hij schudde zijn hoofd. 'Ik weet niet wat…'

Hij zweeg plotseling toen het doordringende geloei van een politiesirene plotseling achter hem af en aan bliepte, en toen hij zich snel omdraaide om te zien waar het vandaan kwam, zag ik de blauwe zwaailichten van een patrouillewagen haastig door de straat op ons af komen. De koplampen knipperden, de sirene bliepte… en toen stopte de patrouillewagen aan de zijkant van de weg en stapten er twee agenten van de uniformdienst uit die doelbewust naar ons toe kwamen.

'Shit,' zei Tom met een zucht. 'Daar gaan we weer.'

Pap en mam zaten me op het politiebureau op te wachten. Toen een van de agenten me mee naar binnen nam, zaten ze samen met hoofdinspecteur Barry op een rode metalen bank in de receptieruimte en zagen er bleek en afgemat uit. Zo gauw mam me zag, sprong ze van de bank en stormde op me af.

'Pete!' riep ze terwijl ze de agent wegduwde en haar armen om me heen sloeg. 'God… wat heb ik me zorgen gemaakt. We wisten niet waar je naartoe was. We hebben je overal gezocht.' Ze hield me even op armlengte van zich af en keek me doordringend aan. 'Alles goed met je? Is je iets overkomen? Ben je…?'

'Alles in orde, mam,' zei ik. 'Ik mankeer niks…'

'Waar heb je in godsnaam gezeten?' vroeg ze en nu begon er boosheid in haar stem door te klinken. Het soort opgeluchte boosheid dat ouders zichzelf toestaan als alles uiteindelijk goed is afgelopen, maar het ook heel anders had kunnen zijn.

Ik zag pap en hoofdinspecteur Barry op ons afkomen. Pap zag er verbazingwekkend kalm uit, maar ik wist dat dat bedrieglijk was. Zelfs in de ergste omstandigheden bleef hij altijd vrij kalm.

'Het spijt me, mam,' zei ik. 'Ik wist niet dat jullie naar me op zoek waren, ik dacht dat jullie sliepen…'

'Was je bij hem?' vroeg ze met een snelle blik op Tom Noyce toen

de andere agent hem langs ons heen naar de beveiligde deuren leidde.

'Neem me niet kwalijk, mevrouw Boland,' zei hoofdinspecteur
Barry toen hij op ons afliep en voor ons stilhield. 'We moeten uw
zoon een paar vragen stellen.'

Mam negeerde hem en hield haar blik op mij gericht. 'Wat is er
aan de hand, Pete?' vroeg ze. 'Wat heb je de hele nacht uitgevoerd?'

'Niks. Ik was alleen maar…'

'Alstublieft, mevrouw Boland,' zei Barry. 'Ik weet wat u de hele
nacht hebt doorgemaakt, en ik begrijp dat u nu bij Pete wilt zijn.
Maar we moeten hem echt eerst een paar vragen stellen.'

'Niet zonder mij,' zei mam beslist.

'Natuurlijk niet.' Barry keek naar pap. 'Ik moet met hem praten,
Jeff. Hoe eerder hoe beter.'

Pap knikte en keek naar mij. 'Alles in orde met je, Pete?' vroeg hij
rustig.

'Ja…'

'Ben je in staat om vragen te beantwoorden?'

Ik haalde mijn schouders op. 'Ik denk van wel…'

'Je hoeft niet als je niet wilt, maar op een gegeven moment zal
het er toch van moeten komen. Je kunt het beter maar gehad hebben.'

Ik keek hem aan. 'Mag jij er ook bij zijn?'

Pap keek even naar hoofdinspecteur Barry.

Barry schudde zijn hoofd. 'Sorry, Jeff.'

Pap keek weer naar mij. 'Mam is erbij. Is dat oké?'

Ik keek naar mam.

Ze glimlachte. 'Je zult het weer met de op een na beste moeten
stellen.'

'Zo bedoelde ik het niet…'

'Weet ik. Ik maakte maar een grapje.'

'Ik bedoelde alleen…'

'Het is goed, Pete,' zei ze geruststellend. 'Ik weet wat je bedoelde.'

'Sorry…'

Pap legde zijn hand op mijn schouder. 'Laten we dit eerst even regelen, oké? Hoe eerder het over is, hoe sneller we naar huis kunnen.'

Ik keek hem aan. 'Ik wilde geen last veroorzaken, pap. Ik probeerde alleen maar…'

'Later, Pete,' zei hij met een veelbetekenende blik. 'Daar hebben we het straks over.'

Het was dezelfde verhoorkamer als daarvoor en ik zat op dezelfde plek, met mam naast me en Barry tegenover me, het rode lichtje van de bandrecorder knipperend in de hoek, en de stapel videobenodigdheden op een tafel tegen de muur. Het enige verschil was dat op de plek van rechercheur Gallagher nu John Kesey aan tafel zat, wat mam helemaal niet beviel. En wat ze ook niet probeerde te verbergen.

Kesey was opgestaan en had naar haar gelachen toen we binnenkwamen. 'Hallo, Anne,' had hij gezegd en hij had zijn hand uitgestoken. 'Goed te weten dat Pete gezond en wel is…'

'Ja,' zei ze, terwijl ze zijn hand negeerde en ging zitten. 'Kunnen we meteen beginnen, alsjeblieft? Het is laat. Iedereen is moe.' Ze keek kwaad naar hoofdinspecteur Barry. 'U hebt twintig minuten en dan gaan we weg. Dus u kunt maar beter beginnen.'

Hoofdinspecteur Barry deed wat hem bevolen werd.

'Waar ben je vannacht naartoe geweest, Peter?'

'Naar Lottie Noyce.'

'Waarom?'

'Ik wilde haar spreken.'

'Waarover?'

'Over Raymond, Stella… alles wat ze misschien zou weten.'

'Heeft ze je iets verteld?'

'Niet echt.'

'Niet echt?'

'Ze heeft me niets verteld wat ik niet al wist.'

'Zoals wat bijvoorbeeld?'

Ik vertelde hem het een en ander van wat we hadden besproken; dat ze dingen vermoedde over Raymond, dat ze dacht dat hij ergens over piekerde, dat ze begreep waarom ik me zorgen over hem maakte.

'Ze vertelde me dat ze had gezien hoe hij Nicole was gevolgd naar de camper van Luke Kemp,' zei ik. 'Ze dacht dat hij zich ongerust maakte over haar.'

'Raymond was ongerust over Nicole?'

'Ja.'

'Waarom?'

'Omdat hij om haar gaf. Omdat ze dronken was en niet wist wat ze deed… en Luke Kemp stond Raymond waarschijnlijk niet aan.' Ik keek Barry aan. 'Wist u dat hij ervan verdacht wordt meisjes drugs te voeren?'

Barry knikte. 'We zijn ermee bezig. Was Tom Noyce vannacht in Lotties camper?'

Ik keek naar John Kesey. Hij maakte notities. 'Ben je al "bezig" met al die verdwijningen op kermissen?' vroeg ik aan hem.

Kesey glimlachte, met tanden bruin van de nicotine. 'Alles krijgt onze aandacht, Pete.'

'Geef alsjeblieft antwoord op mijn vraag, Peter,' zei hoofdinspecteur Barry. 'Was Tom Noyce vannacht in de camper?'

'Ja.'

'Had je hem ooit eerder ontmoet?'

'Ik heb hem één keer gezien, meer niet. Ik had u al verteld dat ik hem op zaterdagavond heb gezien…'

'Dus daarvoor heb je hem nooit gezien?'

'Nee.'

'Heb je vannacht met hem gesproken?'

'Waarover?'

'Over wat dan ook.'

'Niet in de camper... dat wil zeggen, hij zag me buiten staan en vroeg wat ik daar deed, maar daarna, toen ik met Lottie praatte, heeft hij niks gezegd.'

'Hoe komen jullie dan samen op Recreation Road terecht?'

'Hij zei dat hij het niet vertrouwde... hij had wat jongens van Greenwell rond zien hangen toen ik vertrok, en hij dacht dat ze mij zouden volgen, of zoiets. Ze zaten in een auto.'

'Waarom zouden die jongens je volgen?'

Ik haalde mijn schouders op. 'Ik was in mijn eentje, het was laat...'

'En waarom zou Tom Noyce zich zorgen om jou maken?'

'Weet ik niet. Dat zou u aan hem moeten vragen.'

'Dat zullen we zeker doen.' Barry lachte kort. 'Dus hij volgde je naar huis, klopt dat?'

'Ik wist niet dat hij er was tot een of andere kerel in een auto stopte en me lastig begon te vallen.'

'Waar was dat?'

'Op Recreation Road, bij de oude fabriek. Die kerel stopte en vroeg of hij mijn telefoon mocht gebruiken en toen ik hem vroeg waarvoor, begon hij vervelend te doen.'

'Wat bedoel je?'

'Hij bedreigde me, zei dat ik mijn telefoon af moest geven... en toen kwam hij uit de auto en begon met een mes te zwaaien. En toen kwam Tom Noyce tevoorschijn.'

'Wat deed hij?'

'Hij zei tegen die kerel dat hij terug in de auto moest stappen en naar huis moest gaan.'

'Gewoon zo?'

'Ja.'

'En wat gebeurde er toen?'

'Die kerel stapte in en reed weg.'

'Dan heb je geluk gehad.'

'Ja.'

'Kende je hem, de kerel in de auto?'

'Nee.'

'Kun je hem beschrijven?'

Ik beschreef iemand die iedereen had kunnen zijn – midden twintig, donkere ogen, kort bruin haar – en terwijl John Kesey het allemaal opschreef, bleef ik mijn ogen stevig op de tafel gericht houden. Ik was er zo goed als zeker van dat Barry wist dat ik loog, maar als ik hem de waarheid had verteld – als ik hem had verteld dat de kerel in de auto Wes Campbell was – dan had Barry willen weten wie Campbell was, en hoe ik hem kende, en hoe hij mij kende, en waarom ik niet eerder had gezegd dat ik hem kende... en ik geloof niet dat ik dat allemaal aan had gekund.

'Dus,' zei Barry, 'nadat Tom Noyce die kerel had afgeschrikt, wat deed je toen?'

'Niet zo veel... ik heb hem bedankt, hem gevraagd wat hij daar deed, en dat was het zo ongeveer. Ik stond net op het punt weg te gaan toen de politieauto verscheen.'

'Waar was je op weg naartoe?'

'Naar huis.'

'En Noyce? Zei die waar hij naartoe ging?'

'Nee.'

'Heb je het hem niet gevraagd?'

'Nee.'

'Waar denk je dat hij naartoe ging?'

'Ik weet het niet. Volgens mij terug naar de camper van zijn moeder.'

Barry staarde even in stilte naar de tafel, toen slaakte hij een diepe zucht en keek op. 'Oké, Peter… laat me je iets anders vragen.' Hij wachtte even en keek me aan. 'Wat zou je zeggen als ik je vertelde dat we jouw vingerafdrukken op Tom Noyces caravan hebben gevonden?'

De vraag verraste me, wat volgens mij ook de bedoeling was, en ik merkte dat ik intuïtief een blik op mam wierp. Ze keek me even aan, net zo verrast als ik, en wendde zich toen naar Barry.

'Als u vragen wilt stellen,' zei ze, 'stel die dan gewoon. Kom niet aan met al dat "wat zou je zeggen als ik je vertelde" gedoe. Zaten Peters vingerafdrukken op de caravan of niet?'

'Ja, op de deurklink.'

'En u wilt weten hoe die daar kwamen?'

'Graag.'

'Goed, vraag dat dan.'

Barry keek me aan en probeerde iets van verlegenheid te verbergen. 'Goed, Peter. Je vingerafdrukken zijn aangetroffen op de deurklink van Tom Noyces caravan. Zou je me willen vertellen hoe die daar gekomen zijn?'

Ik had niet lang nodig om alles uit te leggen: dat ik op zondagochtend naar Raymond op zoek was gegaan, dat ik de caravan bij de rivier had gezien en me had afgevraagd of Raymond misschien daarbinnen was, dat ik op de deur had geklopt en had geroepen, en dat ik, toen er geen antwoord kwam, aan de deur had gevoeld. De waarheid was eenvoudig. De simpele eerlijke waarheid.

Maar ik was er zo goed als zeker van dat Barry het niet geloofde.

'Heeft iemand je bij de caravan gezien?' vroeg hij.

'Ik geloof het niet.'

'Waarom heb je het niet eerder verteld?'

'Ik dacht niet dat het belangrijk was.'

'Heb je het bloed op de caravan niet gezien?'

'Nee.'

'Heb je Stella's kleren gezien?'

'Nee.'

'Hoe lang ken je Tom Noyce?'

'Ik ken hem niet.'

'Wat deed je zaterdag op de kermis toen Stella Ross verdween?'

'Niets.'

'Waarom zat je op die bank bij de toiletten? Zat je op iemand te wachten?'

'Dat heb ik al verteld…'

'Oké,' zei mam. 'Zo is het genoeg.'

'Wat verberg je, Peter?' vroeg Barry zacht.

'Hij beantwoordt geen vragen meer,' zei mam beslist terwijl ze overeind kwam. Ze keek me aan. 'Kom op, Peter. We gaan.'

'Gaat u alstublieft zitten, mevrouw Boland,' zei Barry.

Ze keek hem vuil aan. 'Staat Peter onder arrest?'

'Nee, maar…'

'Gaat u hem arresteren?'

'We proberen er alleen maar achter te komen…'

'Gaat u hem arresteren?'

'Nee,' zei Barry zuchtend.

'Dus is hij vrij om te gaan?'

'Ja.'

'Goed,' zei mam, ze draaide zich naar me om en sleurde me bijna overeind. 'Kom op, we gaan naar huis.'

Zesentwintig

Terwijl ik onderweg van het politiebureau naar huis achter in paps auto zat, voelde ik alleen een verpletterende vermoeidheid en een hopeloos verlangen om terug te gaan in de tijd en het allemaal over te doen. Ik wilde dat ik weer op mijn bed lag op die warme donderdagavond, toen de zon net bezig was onder te gaan. Ik wilde dat ik weer bezig was met niets doen, met nergens om geven... Ik wilde dat ik weer tevreden was met niets doen. En als de telefoon ging en ik mam van beneden hoorde roepen – Pete! Telefoon! – dan wilde ik blijven waar ik was, liggend op mijn bed, kijkend naar het plafond, en me alleen met mijn eigen domme dingen bezighouden...

Ik wilde mezelf daar laten blijven.

Tevreden met nietsdoen.

Ik keek uit het raam van de auto. We reden nu het centrum uit, naar huis, en ik merkte dat pap een omweg nam, dus zouden alle persjournalisten en tv-ploegen nog wel in tenten op het parkeerterrein van de oude fabriek kamperen. De zon kwam op en rees in een vurig oranje gloed boven de blauw gekleurde horizon, en terwijl het niet te stuiten zonlicht door de autoraampjes naar binnen stroomde, voelde ik al de eerste zwakke belofte van weer een snikhete dag.

Ik zweette achter in mijn nek.

Ik deed geen moeite om het weg te vegen.

'Is er nog nieuws over Raymond?' vroeg ik aan pap.

Hij keek me aan via de achteruitkijkspiegel. 'Misschien dringt het niet tot je door, Peter, maar ik had vannacht belangrijkere dingen aan mijn hoofd dan aan Raymond denken.' Hij schudde zijn hoofd en zijn stem werd luider. 'Ik bedoel, waar denk jij dat wij vannacht mee bezig zijn geweest? Denk je dat we de hele nacht aan Raymond hebben zitten denken?'

'Nee, natuurlijk niet.'

'Ik zal je vertellen wat we hebben gedaan,' zei hij. 'We hebben geprobeerd niet in paniek te raken, we hebben geprobeerd ons niet het ergste voor te stellen... we hebben je op je mobiel gebeld, de politie, je vrienden van school... Godschristus, Pete, we hebben de hele nacht doodsangsten uitgestaan. Dat hebben we gedaan.'

'Het spijt me...'

'Doe dat nooit meer. Begrepen?'

'Ja...'

'En waar je ook naartoe gaat,' voegde mam eraan toe, 'en wat je ook doet, zorg dat je telefoon aanstaat.'

'Ja, sorry.'

'Jezus,' zei pap met een zucht. 'Waarom kun je nou niet eens gewoon voor een keer in je leven doen wat je gezegd wordt?'

Ik keek hem aan via de achteruitkijkspiegel. 'Jij hebt gezegd dat je soms gewoon moet doen wat je denkt dat nodig is. Dat je moet doen wat je denkt dat goed is.'

'Ja, weet ik...'

'Ik doe alleen maar wat ik denk dat goed is.'

Pap zuchtte weer. 'Nou, dat kan wel zijn...'

'Dat heb jij gezegd.'

'Ja, weet ik, maar ik heb er niet bij gezegd...'

'Nu niet,' zei mam met haar hand op zijn arm. 'Laten we gewoon eerst naar huis gaan oké? We zijn allemaal moe. We hebben rust nodig. Later is er tijd genoeg om te praten.'

Pap zweeg.

Mam keek even naar hem en draaide zich toen om in haar stoel en lachte naar me. 'Je zult wel honger hebben.'

'Niet echt.'

'Hoe klinkt gebakken ei met ham?'

'Spetterend.'

Ze lachte.

Ik leunde achterover en keek uit het raam.

Wat ik daarna deed was niet met vooropgezette bedoeling, en met wat pap me net had verteld over hoeveel leed en ongerustheid ik had veroorzaakt, hou ik het er liever op dat ik me daar ook niet van bewust was. Maar misschien zoek ik gewoon smoesjes. Misschien maak ik mezelf maar wijs dat ik geen controle had over wat ik deed.

Ik weet het niet.

Maar toen de auto voor ons huis stilhield en pap de motor afzette, hoorde ik mezelf zeggen: 'Ik moet ergens naartoe. Ik vind het heel vervelend, maar maak je geen zorgen. Ik moet gewoon ergens naartoe.'

En terwijl pap en mam met wezenloze gezichten van ongeloof zich naar me omdraaiden, opende ik het portier, stapte uit en zette het op een lopen.

Ik was me volledig bewust van mezelf toen ik Hythe Street uitrende en de steeg indook; ik kon mijn vermoeide voeten op het asfalt horen kletsen, de luchtstroom langs mijn gezicht voelen, pap en mam me na horen roepen met verstikte stemmen van schrik en wanhoop... en terwijl ik op een vuilcontainer sprong en over de muur van het kerkhof klauterde, wist ik precies wat ik deed. Ik kon pap nu de straat door horen rennen, achter me aan de steeg door, schreeuwend dat ik terug moest komen...

Maar ik was niet meer bereikbaar.

Mijn aandacht was niet meer op mezelf gericht.

Ik kon niet terug.

Ik moest door, het kerkhof uit, St. Leonard's Road af, naar de kade, ik moest zien te komen waar ik heen moest. Ik moest terug naar het begin en de sleutel vinden voor het einde.

Ik weet niet hoelang ik erover deed om bij het achterlaantje te komen, maar ik weet bijna zeker dat ik de hele weg heb gerend, en tegen de tijd dat ik daar uiteindelijk aankwam, hijgde ik zo hard en zweette ik zo erg, dat ik in mijn schoenen liep te soppen. Mijn benen stonden in brand, mijn armen tintelden... ik zoog zo veel lucht naar binnen dat ik er high van werd. Ik kon de zuurstof door mijn hoofd voelen gonzen en me duizelig maken en even dacht ik dat ik moest overgeven. Maar gek genoeg vond ik het misselijke gevoel niet vervelend. Het voelde oké... een soort eigenaardige, zweverige sensatie, alsof er iets zachts in mijn buik rondfladderde. Als een zachtaardig windje.

Dus toen ik bij de plek kwam waar het paadje naar de hut was, hield ik niet in om op adem te komen, maar liep gewoon door, klauterde tegen het talud op, voorbij de boomstronk, door de braamstruiken, het overwoekerde pad op... tot ik uiteindelijk weer bij de hut was. Terug bij waar het allemaal begonnen was. Terug bij dezelfde vertrouwde braamstruiken, dezelfde houten planken, hetzelfde vertrouwde blauwe dak...

Terug naar welk tijdstip, vroeg ik mezelf af. Wanneer was het allemaal begonnen?

Vier dagen geleden?

Vier jaar geleden?

Vier vrienden geleden?

Terwijl ik naar de hut toe liep en door de deur naar binnenkroop, vroeg ik me af of het daar allemaal om ging. Om vrienden. Om mensen die je kent. Mensen die je kende. Mensen van wie je dacht dat je ze ooit kende, maar misschien nooit echt hebt gekend. Waarschijnlijk kende je een deel van hen, het deel dat jouw vriend was. En de rest, het deel dat je niet kende – de eigenaardige kanten, de leugenachtige kanten, de kanten die je nu zag – nou, die zag je toen gewoon over het hoofd. Maar nu niet meer. Omdat je het nu allemaal wel ziet en weet dat het toen niet allemaal zo prachtig en onschuldig was. Het was gewoon een tijd en een plaats, net zoals alle andere tijden en plaatsen. Het enige verschil met nu is dat de dingen – de mensen – die bij de goede oude tijd en plaats hoorden er nu niet meer zijn, en dingen die er niet meer zijn kunnen geen kwaad doen. De enige dingen die kwaad doen zijn dingen van nu.

Ik liep gebukt naar de andere kant van de hut en ging zitten.

De lucht was koel.

Ik voelde het zweet afkoelen op mijn vel.

Ik keek de hut rond. Er lagen geen flessen meer, geen sigaretten-peuken, geen sporen van zaterdagavond. Dat lag nu allemaal op het politielab besefte ik, aan mootjes in testbuisjes, in schijfjes onder de microscoop, tot pulp gedraaid in knappe apparaten die rond-wentelden en troep analyseerden. De rechterwand van de hut was verbogen en gebarsten en ik vermoedde dat iemand – waarschijn-lijk een stoere politieagent – er of tegenaan was gevallen of er een flinke schop tegen had gegeven. Door de opening kwam al een nieuwe braamtak naar binnen kruipen. Het zou niet lang duren voor meer takken zich er doorheen zouden wringen en dan zou het gat groter worden en zouden nog meer takken zich er doorheen wurmen… tot de wand het uiteindelijk zou begeven en de braam-struiken het over zouden nemen en de hele hut in zou storten.

Dat ging niet lang duren.

Het doet er niet toe.

Een gefluisterde stem.

Het kwam van een onduidelijke plek ergens voor me, een plek die eigenlijk niet bestond. Midden in de hut, maar ook weer niet. Zwevend, maar ook niet, ongeveer een halve meter boven de grond. Maar er was geen grond. En er was ook geen Zwartkonijn, evenmin als het fijne gouden kettinkje om zijn nek, of die ene rode bloem die als een honingzoete bloedrode parel aan het kettinkje hing. En Zwartkonijn had ook niet het gezicht van Raymond. Ik keek in stilte toe toen Raymond met zijn glanzende donkere ogen knipperde en er een volmaakt rode traan langzaam uit de bloem aan het kettinkje op de grond drupte.

Het draait allemaal om Pauly, hè? fluisterde hij.

'Het draait om iedereen.'

Maar Pauly vormt de sleutel.

'Misschien…'

De sleutel tot het einde.

Ik haalde Erics mobiel uit mijn zak en klapte hem open.

Mijn handen beefden toen ik de telefoon aanzette en mijn vingers en mijn duim leken wel twee keer zo dik geworden, dus duurde het even voor ik het berichtenmenu had, en nog langer om de boodschap in te tikken, maar na een hoop gedelete, backspace en gevloek, kreeg ik het uiteindelijk voor elkaar.

Dit schreef ik:

Ze wetn lls ovr zatrdgavnd. Moet je dringend sprekn! Km asap @ blauwe hut. Mndje dicht tgen andrn. Km alı, Eric.

Omdat Eric al zijn sms'jes had gewist, wist ik niet hoe hij normaal sms'te, dus ook niet of mijn bericht voldoende Eric-achtig was om Pauly erin te laten trappen. Ik dacht een paar minuten na over wat voor sms'taal Eric zou gebruiken – gebruikte hij afkortingen? Hoofdletters? Ondertekende hij met Eric, of E, of EL? – maar ik wist dat ik mijn tijd zat te verdoen. Daar kwam je gewoon niet achter. Ik kon alleen maar hopen dat Erics sms'jes ongeveer hetzelfde waren als die van iedereen. Of, als ze dat niet waren, dat Pauly niet genoeg bij zinnen zou zijn om dat te merken.

Als de boodschap achter mijn bericht duidelijk was, wist ik zo goed als zeker dat hij zo over de rooie zou zijn dat hij nergens wat van zou merken.

Ik las het bericht nog eens over, om zeker te weten dat het niet verkeerd zou overkomen... drukte op ok, scrolde naar beneden, naar Pyg, en drukte op Verzenden.

Pauly's antwoord kwam bijna meteen: *bn r 15 min.*

En dat was het.

Nu hoefde ik alleen maar te wachten.

Het kwartier duurde eeuwig en terwijl ik in de koele schaduw van de hut zat en mijn gedachten onvermoeibaar rondzwierven in de stilte van het bos, probeerde ik me voor te stellen hoe Raymond zich gevoeld moest hebben toen hij hier in zijn eentje kwam: als hij rustig tussen de bramen zat, de warme grondlucht opsnoof, zijn ogen halfdicht, zijn hoofd vol met niets...

Verborgen op een geheime plek.

Terwijl niemand wist waar hij was...

'Was je toen gelukkig?' hoorde ik me mezelf afvragen. 'Ik bedoel, als je hier in je eentje kwam... werd je daar gelukkig van?'

Gelukkig weet ik niet...

'Maar vond je het prettig?'

Het maakte me rustig. Ik hoefde me nergens zorgen over te maken...

'Wat deed je hier?'

Niets.

'Dacht je over dingen na?'

Nee.

'Je moet ergens aan hebben gedacht.'

Waarom?

'Omdat...'

Omdat wat?

'Ik weet niet… gewoon.'

Je raakt in de war, Pete. Je begint te denken dat je mij bent.

'Ik weet het,' zei ik grinnikend.

Tenminste, je denkt dat je dat denkt. Maar je weet toch wel waar je eigenlijk aan denkt?

'Wat?'

Je denkt aan Pauly.

'O ja?'

Ja, je denkt aan de keren dat je hem in zijn eentje zag en je een hekel aan hem kreeg omdat hij je aan mij herinnerde, en nu begin je te beseffen dat hij om die reden ook een hekel aan mij had, omdat ik hem aan zichzelf deed denken. Hij zag zichzelf in mij. En dat maakte hem doodsbang.

'Ik snap het niet…'

Dat doe je wel. Je wilt het alleen niet toegeven.

'Wat toegeven?'

Dat het allemaal zo dicht op elkaar zit. Jij en ik, Nicole en ik, Eric en Campbell. Pauly en ik… we hadden allemaal de ander kunnen zijn. Ik bedoel, stel dat het een beetje anders was gelopen, dan had jij mij kunnen zijn. Ik had Nic kunnen zijn, Campbell had Eric kunnen zijn, Pauly had mij kunnen zijn…

'Nee.'

Het heeft geen zin om met jezelf in discussie te gaan.

'Ik ga niet in discussie, ik zeg alleen maar…'

Hij komt eraan.

'Wat?'

Luister…

Ik hoorde het, Pauly kwam het talud op; hij zwoegde door het struikgewas, gleed uit en struikelde, vloekte binnensmonds.

'Denk je dat het gaat lukken?' fluisterde ik tegen Raymond.

Hij gaf geen antwoord.

'Raymond?' vroeg ik.

Maar ik wist dat hij al verdwenen was. En nu ging de deur van de hut open en kwam Pauly binnen… en heel even was hij Raymond: het geschrokken gezicht, de verwarde ogen, de plotselinge uitdrukking van angst en verwarring.

'Hallo, Pauly,' zei ik.

'Pete?' mompelde hij, terwijl hij snel een blik in het rond wierp. 'Waar is Eric?'

'Eric is er niet.'

Toen keek hij me aan en begon te beseffen dat hij mogelijk ergens in gelopen was, en terwijl hij zijn ogen langzaam samenkneep van boosheid, loste zijn gelijkenis met Raymond op in het niets. 'Wat is er aan de hand?' vroeg hij. 'Ik kreeg een sms'je…'

'Dat heb ik gestuurd.'

'Wat?'

Ik haalde Erics telefoon uit mijn zak en hield die omhoog om het aan hem te laten zien. 'Ik heb je dat bericht gestuurd.'

Hij keek naar de telefoon en knipperde langzaam met zijn ogen. 'Waar heb je die…?'

'Ga zitten, Pauly,' zei ik.

'Waar is Eric?'

'Ga zitten.'

Pauly schudde zijn hoofd en begon voorzichtig achteruit naar de deur lopen. 'Nee, nee echt niet. Ik ga Wes halen…'

'Ik weet wat er met Stella is gebeurd.'

Pauly bleef stokstijf staan. 'Wat?'

'Eric heeft me alles verteld.'

'Nee… nee, dat zou hij nooit doen.'

'Hoe zou ik het anders weten?'

'Nee,' zei hij, terwijl hij met zijn hoofd schudde. 'Je liegt. Je weet nergens wat van…'

'Ik weet van de auto,' zei ik. 'Ik weet dat jij ermee naar de rivier bent gereden en Stella's lichaam hebt gedumpt. Ik weet dat je Stella's bloed aan de caravan van Tom Noyce hebt gesmeerd. Ik weet van Eric en Wes.' Ik keek hem aan. 'Moet ik verdergaan?'

Hij zei niets, stond daar maar en keek me hopeloos aan, en heel even kon ik hem alleen maar terug aankijken. Ik had een enorm risico genomen door net te doen alsof ik afwist van de auto en de rivier en zo, en als ik iets daarvan verkeerd had... nou, dan was dat het einde geweest. Maar uit Pauly's reactie bleek duidelijk dat ik het niet verkeerd had, en dat was een grote opluchting. Wat me wel een goed gevoel gaf... voor een miljoenste van een seconde. En toen trof de waarheid me vol in het gezicht en realiseerde ik me dat ik er niet meer naar zat te raden, maar eindelijk de waarheid voor ogen had. En die was weerzinwekkend. Pauly Gilpin, de jongen die nu voor me stond, de jongen die ik al jaren kende... Pauly was erbij geweest. Toen Stella was gestorven... was Pauly erbij geweest.

'Ga zitten,' zei ik.

Hij keek me aan. 'Wat ga je doen?'

'Ik wil alleen met je praten, meer niet.'

'Heb je het aan iemand verteld?'

'Ga zitten, verdomme.'

Hij leek wat wankel toen hij bij de deur vandaan kwam en zich midden in de hut op de vloer liet zakken. En toen hij daar zat – met gekruiste benen, licht heen en weer zwaaiend, zijn blik wezenloos op mij gericht – besefte ik dat hij niet alleen geschrokken en in de war was, maar ook finaal onder de dope zat. Hij zag bleek, zijn vel stond strak, zijn handen beefden. Hij droop van het zweet en zijn ogen stonden zwart en hol. Hij zag eruit alsof hij een week niet geslapen had.

'Voel je je wel goed?' vroeg ik. 'Je ziet er niet zo goed uit.'

'Wat kan jou dat schelen?'

'Hoe lang neem je het al?'

'Wat?'

'Juice, meth… dat spul wat je in de tequila hebt gestopt.'

'Weet je daarvan?'

Ik knikte.

Hij grijnsde. 'En wat vind je ervan? Vind je het lekker? Ik heb er nog meer van als je…'

'Waarom deed je dat?'

'Deed ik wat?'

'Drugs in de tequila stoppen. Ik bedoel, waarom vroeg je niet gewoon of we eens meth wilden proberen?'

Pauly lachte. 'Jullie zijn allemaal te schijterig om zoiets te proberen. Jullie zijn allemaal zo verdomde clean.' Hij grinnikte weer. 'En trouwens, mijn manier was veel lolliger.'

'Lollig?'

'Ja… lollig.' Hij keek me aan. 'Weet je wat dat is?'

'Heb je nu ook lol?' vroeg ik.

Hij haalde zijn schouders op en keek weg.

'Je weet toch dat de politie naar je op zoek is?'

'Nou en?'

'Je kunt je niet voor eeuwig verstoppen.'

'Hij keek me met een eigenaardige glimlach aan. 'Dacht je van niet?'

'Ze zullen je vinden…'

'Ze weten nergens van. Ze kunnen niks bewijzen…'

Ik zei niets, maar keek alleen maar hoe hij zijn stoere act overeind probeerde te houden: Pauly, de harde jongen, Pauly, de clown, Pauly, die jongen die nergens mee zat. Maar hij redde het niet meer. Zijn gezicht vertrok, zijn mond trilde, zijn ogen weigerden dienst… hij stortte in elkaar.

'Wat heeft Eric je verteld?' vroeg hij plotseling terwijl hij me met wijd open ogen aankeek. 'Heeft hij gezegd dat ik het was? Heeft hij dat gezegd?' Hij schudde zijn hoofd. 'Ik was het niet alleen… heeft hij gezegd dat ik het was?'

'Waarom vertel je niet gewoon wat er gebeurd is?' zei ik rustig in een poging om hem kalm te krijgen.

'Ga je het doorvertellen? Hè?' Hij begon te wauwelen. 'Wat zei Eric? Heeft hij het aan de politie verteld…?'

'Moet je horen,' zei ik. 'Het enige wat ik wil, is erachter komen of Raymond er iets mee te maken had. Ik probeer je niet erin te luizen of zo. Ik wil alleen over Raymond weten.'

Pauly fronste zijn voorhoofd. 'Wat heeft Raymond ermee te maken?'

'Daar probeer ik achter te komen.'

'Zei Eric dat Raymond erbij was?'

'Nee, maar ik geloof niet dat Eric me over alles de waarheid heeft verteld.' Ik keek Pauly aan. 'Ik geloof dat hij probeert jou voor alles te laten opdraaien.'

'Nee,' zei Pauly wanhopig terwijl hij weer met zijn hoofd schudde. 'Ik was het niet alleen… het waren Eric en Wes. Ik bedoel, het was hun ding. Niet het mijne. Dat van hun en Stella. Ik wist niet eens waar ze mee bezig waren.' Hij keek me smekend aan. 'Het was trouwens een ongeluk… het was niet mijn schuld. Als Stella niet… als ze niet…'

Hij was nu in tranen.

'Pauly?' vroeg ik zacht.

Hij snoof hard en keek me aan. 'Het was haar schuld… het was allemaal haar schuld. Zij is ermee begonnen.'

'Wat bedoel je? Waar is ze mee begonnen?'

Met de rug van zijn hand veegde hij zijn neus af en keek me grijnzend aan onder het snot. 'Wil je het echt weten?'

'Ja.'

'Alles?'

'Ja.'

'Beloof je dat je het aan niemand zal vertellen?'

'Ik beloof het.'

'Zweer je het?'

Ik stak twee vingers op. 'Erewoord.'

Pauly bleef me even aankijken, zijn diepliggende ogen nat van tranen, toen veegde hij nog een keer zijn neus af, keek naar de grond en begon te vertellen.

Zevenentwintig

Zaterdagavond. Het is laat, rond middernacht, maar de kermis is nog in volle gang. De wandelpaden zijn vol mensen, de lichten flitsen, de krankzinnige muziek galmt nog steeds uit de luidsprekers. Twee jongens zitten een beetje achteraf op een houten bank, in een kleine opening tussen een hamburgertent en een rij olievaten met afval. Terwijl een van hen daar alleen maar verloren en beduusd zit te kijken, staat de ander van de bank op en steekt haastig het pad over; zijn ogen, groot van de drugs, zoeken verwoed naar twee andere jongens. Waar zijn ze? Waar zijn ze naartoe? Wat doen ze samen?

Pauly wil het weten.

Hij moet het weten.

Waarom?

Omdat Wes Campbell niet samen met Eric hoort te zijn, daarom. Wes Campbell hoort samen met Pauly te zijn. Wes en Eric horen niet bij elkaar. Het is gewoon niet goed. Het is fout. Het is oneerlijk.

Pauly weet niet waarom hij dat zo voelt, en hij wil het ook niet weten. Het enige wat hij weet is dat hij er iets aan moet doen.

Dus baant hij zich een weg door de menigte en struint het donkere veldje op bij de wc's; daar houdt hij even stil en kijkt om zich heen. Hij ziet de vrachtwagens van de kermis en de puffende generatoren, hij ziet de dikke zware kabels over de met afval bezaaide grond kronkelen, hij ziet de harde lege gezichten met capuchons die daar in het donker rondhangen... maar geen Eric of Wes. Hij begint weer te lopen naar de afrastering van het park en de schemerig verlichte straat daarachter. Pauly weet dat daar een ingang is, een hek dat naar de straat voert. En hij versnelt zijn pas. Nu rent hij, om de achterkant van een hoge vrachtwagen heen, naar de af-rastering, het hek door, de straat op… en weer staat hij stil; hij kijkt naar links, naar rechts, naar de ene kant van de straat, naar de an-dere kant, naar de overkant… en dan ziet hij ze. Ze zijn aan de over-kant van de straat, een stukje rechts van hem, zo'n twintig meter verderop. Ze stappen in een auto. Een Ford Focus. De portieren staan open, de binnenverlichting gloeit zwak. Pauly ziet Wes Campbell achter het stuur kruipen. Hij ziet Eric aan de andere kant bij het open portier staan. En bij de achterkant van de auto, non-chalant tegen het open portier geleund terwijl ze iets tegen Eric zegt, ziet hij Stella Ross.

Ze glimlacht, schatert, en roefelt door Erics haar.

Eric schudt haar hand weg.

Ze lacht weer.

Pauly kijkt naar haar en denkt aan al die stiekeme keren dat hij op internet naar haar heeft zitten kijken… dan schuift hij al die beelden opzij en begint weer te lopen.

'Hé, Eric!' roept hij. 'Eric, ik ben het…'

De figuren bij de auto draaien zich alle drie om en kijken naar hem. Ze zien hem op hen afrennen, de weg oversteken, roepen en zwaaien: 'Wacht even, Eric… blijf even staan, wacht op mij!'

Wes Campbell zegt: 'Shit!… wat doet dat klootzakje hier? Vlug, stap in.'

Eric en Stella klauteren in de auto, slaan de portieren dicht en schreeuwen tegen Wes dat hij weg moet rijden, maar Pauly is er nu bijna, en Wes heeft zich net gerealiseerd wat dat betekent.

'Kom op nou, Wes!' dringt Eric aan. 'Start de motor!'

Wes schudt zijn hoofd. 'Dat heeft geen zin. Hij heeft ons al ge-zien. Als we hem niet meenemen, gaat hij praten.'

'We kunnen hem niet meenemen.'

'Wat moeten we anders?'

'Shit,' zegt Eric en hij kijkt kwaad naar Pauly die aan komt lopen en stilhoudt naast de auto. 'Stomme klootzak,' articuleert hij met zijn mond door het raam.

'Wat?' zegt Pauly, met een grijns naar Stella.

Stella kijkt terug, haar gezicht vertrokken van afschuw. 'Wat is dat?' vraagt ze, alsof Pauly een soort wandelende ziekte is.

'Dat is Pauly,' zegt Eric. 'Pauly Gilpin. Hij zat bij ons op school, weet je nog?'

Stella schudt haar hoofd en trekt een lelijk gezicht.

Pauly tikt tegen het raam. 'Waar ga je naartoe, Wes? Wat is er aan de hand?'

'Laat hem erin,' zegt Wes met een zucht.

'Nee,' zegt Stella. 'Hij zal alles naar de kloten helpen.'

'Hij zal alles naar de kloten helpen als we hem er niet inlaten.'

'Jezus,' valt Stella uit. 'Ik zei het toch? Niemand anders heb ik gezegd. Waarom kan je niet gewoon over hem heen rijden of zoiets?'

'Ja, hoor,' zegt Wes, 'rij over hem heen. Dat zal zeker geen aandacht trekken dan?' Hij draait zich om op zijn stoel en kijkt Stella aan. 'Doe nou maar gewoon dat portier open en laat hem erin. Hoe langer we hier blijven, hoe meer kans dat we gezien worden.'

'Waarom kan hij niet voorin zitten?'

'Godschristus, Stella, doe dat kloteportier open!'

Stella zucht en doet met tegenzin het portier open. Als Pauly de auto in duikt, schuift ze over de zitting naar de andere kant, en blijft zo ver mogelijk bij hem uit de buurt.

'Hi,' zegt Pauly tegen haar, met een grijns van een idolate tiener. Ze zegt niets.

Eric draait zich naar hem om. 'Wat doe je, Pauly?'

'Niks, ik was gewoon, je weet wel…' Hij veegt het zweet van zijn gezicht en kijkt opgewonden naar Campbell. 'Waar gaan we naartoe, Wes? Naar een feestje of zo?'

'Ja,' mompelt Wes en hij start de auto. 'We gaan naar een feestje.'

Ze rijden weg van het kermisterrein, iets van vijf minuten de stad uit, maar dan keert Wes met een boog terug naar St. Leonard's Road. Pauly weet dat ze in kringetjes rijden en ergens vraagt hij zich af waarom. Maar eigenlijk kan het hem niet schelen. Hij is met hen samen, dat is het enige wat telt. Hij zit bij Eric en Wes in de auto – die volgens hem gestolen is – en gaat waar zij gaan. Plus dat hij vlak naast Stella Ross zit.

Dat is voor hem genoeg.

Hij kijkt haar aan. 'Ik heb je in die clip gezien,' zegt hij.

Ze kijkt hem nors aan. 'Wat?'

'Je weet wel, die met die zwarte kerel… hoe heet hij ook alweer? Hij zit in die grote witte wagen met al die meisjes, en ze drinken allemaal champagne en van die dingen…'

'Limousine,' zegt ze.

'Ja, dat is hem.'

'Nee,' zegt ze snerend, 'zo heet hij niet. De auto, die grote witte wagen… dat is een limousine.'

'O, ja… dat bedoelde ik ook.' Hij glimlacht naar haar. 'Jij bent toch het meisje dat hij van straat oppikt? Dan heeft hij al die andere meisjes in de limousine bij hem, en die liggen door de hele auto te kronkelen, maar dan ziet hij jou staan op de hoek van een straat en je ziet er heel cool uit en dan stopt hij de auto en gooit de rest eruit…'

'O ja?' zegt ze sarcastisch.

'Ja, en dan ga jij bij hem in de auto…'

'Ik weet wat er gebeurt, eikel.'

'Weet ik… ik zei het maar, meer niet.' Hij strijkt met een hand door zijn haar. 'Je zag er heel goed uit.'

'Ja?' Ze glimlacht kil naar hem. 'Je vond het dus goed?'

'Ja, geweldig.'

'Wat vond je er zo goed aan? Mijn tieten, mijn kont, mijn benen? Waar kick je op?'

Pauly bloost. 'Ik bedoelde niet dat ik het daarom goed vind.'

'Ja, dat bedoelde je wel. Iedereen vindt het daarom goed.' Ze glimlacht weer en knikt naar Eric en Wes. 'Iedereen behalve zij, natuurlijk.'

Pauly kijkt even naar Eric en Wes en dan weer terug naar Stella. 'Wat bedoel je?'

Stella lacht. 'Kan je dat niet raden?'

Pauly kijkt op en ziet dat Wes in de achteruitkijkspiegel naar hem kijkt. Zijn ogen staan boos, dreigend, fel, koud… maar er staat ook iets anders in te lezen, iets wat Pauly nog nooit bij Wes heeft gezien. Iets wat op angst lijkt.

'Vertel jij het hem?' vraagt Stella aan Eric. 'Of wil je dat ik het doe?'

'Het gaat hem niks aan,' zegt Eric. 'Hij hoeft het niet te weten…'

'Ja, maar hij komt er toch achter, niet dan? Ik bedoel, als we er eenmaal zijn, en het eenmaal gaan doen… zal hij vragen gaan stellen.'

'Nou en? Die hoeven we niet te beantwoorden.'

'Als hij niet weet wat er aan de hand is, zal hij het zich blijven afvragen. En als hij het zich blijft afvragen, zal hij uiteindelijk gaan praten. En dat kan ik niet hebben. Dus, of we vertellen wat er aan de hand is, of we vermoorden hem.' Ze kijkt even vriendelijk glimlachend naar Pauly, en dan weer naar Eric. 'Jij mag het zeggen, darling. Wat zal het worden?'

'Kreng,' mompelt Eric. 'Dit vind je leuk, hè?'

Stella knipoogt naar Pauly. 'Hij denkt dat ik verbitterd ben. Hij denkt dat ik dit alleen maar doe omdat hij me vernederd heeft.'

'Godallemachtig, ik heb je niet willen vernederen,' valt Eric uit. 'Ik was nog maar een kind… ik was in de war. Ik wist niet wat ik was…'

'Ja,' sist Stella, 'maar zo gauw ik geil op je begon te worden, wist je plotseling wel wat je was, hè?'

'Het had niets met jou te maken… hoe vaak moet ik dat nog zeggen? Ik realiseerde me gewoon toevallig…'

'Ja, ik weet het. Ik was erbij, weet je nog? Ik was het lieve kleine meisje dat met haar hand in je broek zat toen je je toevallig realiseerde dat je homo was. Dacht je dat ik dat vergeten was? Dacht je dat ik was vergeten hoe het voelde toen je op dat klotetoneel stond en aan iedereen verkondigde dat Stella Ross net een homo van je had gemaakt?'

'Dat heb ik niet gezegd…'

'Dat was wat iedereen dacht.'

'Nee, niet waar.'

Stella draait zich naar Pauly met ogen die branden van een soort waanzin. 'Hoe zou jij het vinden als iemand dat met jou deed?'

Pauly haalt zijn schouders op. 'Weet ik niet…'

'Oké,' zegt ze, 'maar wat vind je hiervan? Stel dat je iemand altijd heel graag mocht, oké? Je was echt dol op die jongen, en je deed graag dingen met hem, je weet wel, het soort dingen die je nog nooit met iemand anders had gedaan, maar dan doet die jongen echt iets heel lulligs, hij geeft je het gevoel dat je lelijk bent en dom en dat je je moet schamen. Kun je me volgen?'

'Ja…' zegt Pauly aarzelend.

'Goed. Maar dan, op een dag, ongeveer een jaar nadat die jongen je leven heeft verpest, zie je hem iets doen waarvan hij niet wil dat iemand het te weten komt.'

'Zoals wat?'

'O, ik weet niet,' zegt Stella, terwijl ze gemeen even naar Wes kijkt, 'laten we zeggen dat je hem betrapt in een berghok in het souterrain van het schooltheater, hem en die andere jongen. En ze doen dingen die je niet zou geloven, en heel toevallig heb je je telefoon bij je en moet je gewoon een foto nemen…'

'Zo kan het wel weer, Stella,' zegt Eric kalm. 'Meer hoeft hij niet te weten.'

366

'En het punt is,' gaat Stella door, 'dat het niet gaat om wat hij doet wat die jongen geheim wil houden... maar met wie hij dat doet.' Nu kijkt ze naar Wes. 'Ik bedoel, die andere jongen is geen relnicht, hè? Het is een harde, hij is van de straat. Hij komt slecht uit zijn woorden, is zo stom als een varken. Hij vindt het fijn om mensen pijn te doen...'

'Dat klopt,' zegt Wes.

'Je kan niet met hem voor de dag komen.' Ze kijkt naar Eric. 'Je schaamt je voor hem.'

'Ik schaam me nergens voor,' zegt Eric. 'Het is alleen...'

'Dus, hoe dan ook,' zegt Stella tegen Pauly, 'hoe zou jij je voelen als je die jongen was, en dat stiekem jarenlang verborgen had gehouden... en, tussen twee haakjes, die andere jongen wil ook niet dat iemand het te weten komt, want die heeft een reputatie op te houden. Dus leiden ze alle twee een geheim leven, sluipen rond als een stel vieze oude mannen, en dan krijgt een van hen plotseling een telefoontje van dat lieve kleine meisje van al die jaren geleden, alleen is ze niet meer zo lief. En zo klein is ze ook niet meer. Ze is rijk en beroemd, ze kan doen en laten wat ze verdomme maar wil. En ze zegt tegen die jongen dat ze wil dat hij iets voor haar doet. En hij zegt: wat? En zij zegt: ik wil dat je me ontvoert.'

'We zijn er,' zegt Eric.

Pauly kijkt uit het autoraampje en ziet dat ze over Recreation Road rijden en Wes remt nu af, zet de koplampen uit, en ze slaan links af een pad vol kuilen in dat opzij van de hoofdingang naar de oude fabriek loopt.

'Waar gaan we naartoe?' vraagt Pauly.

Niemand geeft antwoord.

Hij staart door het raam naar de sombere silhouetten van torens, schoorstenen en vervallen pakhuizen. Op het parkeerterrein bij de hoofdingang gloeit veiligheidsverlichting, maar daar zijn ze nu voorbij, en terwijl ze over het smalle pad verder hobbelen versmelt alles om hen heen geleidelijk tot een schemerige en verlaten duisternis. De verlaten gebouwen, de paden, de roestige gevaarten van oude machines… het ligt daar allemaal maar, stil en levenloos, als een reusachtig zwart karkas van metaal en steen.

'Daar,' zegt Eric tegen Wes en hij wijst door het raam.

Wes schokt met de auto over een strook grasachtig braakland en daarna rijden ze over een betonnen terrein naar een groepje licht gekleurde gebouwen met daken van golfplaat. Daarachter zijn de vage silhouetten van hoog oprijzende bomen flauw zichtbaar tegen de zwarte lucht. Pauly weet nu niet meer waar ze zijn, maar hij vraagt zich af of de bomen dezelfde zijn als die langs het talud bij het achterlaantje.

Wes manoeuvreert de auto om een hoop oude banden en remt af. Hij zet de motor uit.

De stilte is compleet.

Eric doet het portier open en stapt uit.

Wes volgt hem.

Stella kijkt naar Pauly. 'Ik wed dat je nu wel ergens anders zou willen zijn?'

Pauly grijnst.

Hij zou nergens anders liever willen zijn.

Terwijl ze door het donker naar de gebouwen toelopen beginnen Eric en Stella ergens ruzie over te maken, ze doen het onwillekeurig op fluistertoon en Wes schudt zijn hoofd en laat ze gaan. Pauly komt naast hem lopen en biedt hem een slokje aan uit een fles die hij uit zijn zak haalt.

'Wat is het?' vraagt Wes.

'Power wodka.'

'Wat voor power?'

Pauly grinnikt. 'Er zou een beetje juice in kunnen zitten.'

Wes schudt zijn hoofd. 'Stomme idioot.'

Pauly zegt: 'Ik heb een beetje coke als je wil.'

Wes zegt niets.

Pauly haalt zijn schouders op en neemt een slok uit de fles. Voor hen uit ziet hij Eric en Stella een van de gebouwen binnengaan.

'Wat is er aan de hand?' vraagt hij aan Wes.

'Ze is gek, dat is er aan de hand.'

'Is het waar... wat ze allemaal zei over jou en Eric?'

Wes staat stil en kijkt Pauly aan. 'En wat dan nog? Wat gaat dat jou dat aan?'

'Niks,' zegt Pauly. 'Ik bedoel... jij moet zelf weten wat je doet. Het zijn mijn zaken niet...'

'Als je dat maar weet. En van iemand anders ook niet. Begrepen?'

'Ja... ja, natuurlijk.'

Wes grijpt Pauly bij zijn haar en rukt zijn hoofd opzij. 'Je weet wat ik met je zal doen als jij je mond niet dichthoudt, hè?'

'Ja,' jankt Pauly, 'ik zeg niks... beloofd.'

Wes rukt Pauly's hoofd naar zich toe, kijkt hem doordringend aan, laat dan plotseling los en geeft hem een klap in zijn gezicht. Pauly incasseert de klap zonder een kik. Hij blijft alleen maar even staan, wrijft over zijn gezicht en volgt Wes dan zwijgend het gebouw in.

Binnen haalt Wes een kleine zaklamp uit zijn zak en doet die aan. Het gebouw is leeg, de ramen zijn dichtgetimmerd. In de hoek staat een verroeste dossierkast, de laden zijn opengebroken en staan voor de helft vol regenwater. De vloer is bezaaid met lege bierblikjes, flessen, gebruikte condooms, spuiten en stukken onherkenbare vieze kleding die tot natte proppen zijn verfrommeld. Een muur zit vol hamersporen, de andere zijn besmeurd met graffiti.

Aan het andere eind van het gebouw trekt Eric een metalen kast weg van de muur. Stella staat naast hem. Achter de legkast zit een gat zo groot als een deur. Eric haalt een zaklantaarn uit zijn zak en schijnt ermee in het gat. Pauly ziet stenen treden die naar een kelder voeren.

Stella kijkt naar Wes. 'Blijf even daar,' zegt ze. 'Ik wil iets met Eric bespreken.'

Wes kijkt haar even aan, kijkt naar Eric en knikt dan.

Eric en Stella wurmen zich langs de kast en lopen de trap af naar de kelder.

Pauly kijkt vragend naar Wes.

Wes schudt weer zijn hoofd. 'Je wil het niet weten.'

'Wat bedoelde ze met ontvoeren?'

Wes zwijgt even, staart alleen maar in het donker, dan haalt hij diep adem en zucht. 'Een paar weken geleden belde ze Eric,' vertelt hij Pauly met tegenzin. 'Ze had het maffe idee om haar eigen ontvoering te faken en haar ouders het losgeld te laten betalen. Ze wilde dat Eric het zou regelen.'

'Waarom?'

'Omdat ze de pest aan hem heeft.'

'Nee, ik bedoel waarom wilde ze haar eigen ontvoering faken? Ze moet bergen geld hebben.'

Wes schudt zijn hoofd. 'Ik weet het niet… Ik denk dat het iets met haar ouwelui te maken heeft. Ze heeft iets tegen ze… ze zijn altijd stinkend rijk geweest, weet je wel, maar hebben haar nooit geld gegeven. Ze hebben haar niet geholpen toen ze het probeerde te maken, hebben haar naar een gewone school laten gaan… al dat soort gezeik. Ik geloof dat ze ze probeert terug te pakken.' Hij haalt zijn schouders op. 'Of misschien wil ze weer in de krant komen… ik weet het niet.'

'Waarom help jij haar dan?'

'Waarom denk je?'

'Ik weet het niet…'

Wes draait zich om en kijkt Pauly aan. 'Ze heeft een foto van Eric en mij, ja? Die zet ze op internet als wij niet doen wat zij wil. Dus hebben we geen keus, wel?' Hij spuugt op de vloer. 'Heb je nog meer vragen?'

'Nee,' zegt Pauly.

Wes kijkt kwaad naar het gat in de muur. 'Hé!' schreeuwt hij. 'Wat doen jullie verdomme daar beneden?'

Eric roept vanuit de kelder dat Wes naar beneden moet komen, en als Pauly achter hem aan loopt door het gat en de stenen treden af, kan hij de wodka-juice door zijn bloed voelen razen.

Voor zover Pauly weet is het de bedoeling dat Eric Stella's ouders zal bellen en de losprijs zal eisen. Hij zal ze zeggen dat ze voor het licht wordt naar de fabriek moeten rijden en het losgeld in de achterbak van de auto die buiten staat moeten leggen en dat, als ze niet precies doen wat hun gezegd wordt, ze hun dochter in moten, verpakt in krimpfolie, terug zullen krijgen met de post. Pauly weet niet hoe hoog het losgeld is, maar volgens Stella zal dat geen probleem zijn. Ze zegt dat haar vader een grote som cash heeft in een gietijzeren kluis op zolder.

Dus zo zou het moeten gaan.

Maar zo ver is het nog niet.

Pauly weet niet waarom ze wachten en het maakt hem ook niet uit. Hij voelt zich prima hier beneden in de kelder, in de door een zaklantaarn beschenen troep, hij zit op een krat en nipt van zijn psychedelische wodka, kijkt om zich heen naar het fabrieksafval: de onttakelde machines, de vergane planken, de stapels troep, de massa roestende stalen balken... hij zit hier best. De lucht is koel, zijn hoofd zoemt, zijn vel tintelt... hij zit in een kelder met Stella Ross. Wat wil je nog meer. Ik bedoel, moet je kijken hoe ze daar bij die muur staat te praten met Eric... hoe ze pruilt, poseert, pronkt met alles wat ze heeft. Zelfs nog beter dan de foto die Pauly zo goed kent, die van internet, die aan zijn muur. Dat prachtigs daar zit niet vast in een monitor of aan zijn muur, het staat vlak voor zijn neus.

Het beweegt, ademt, klopt... elk afzonderlijk stukje. De platte buik, de huid, de lippen, de benen, de ogen, de hals, de borsten, het af en toe zichtbare kantje ondergoed...

Jezus, denkt Pauly.

Christus.

De meth brandt hem af, pompt hem op... hij voelt elke cel in zijn lijf zwellen van bloed.

'Waar kijk je naar?' vraagt Stella.

'Wat?'

'Heb je niks beters te doen dan naar mijn tieten kijken?'

Pauly knippert met zijn ogen, en kijkt omhoog naar haar gezicht. Ze kijkt hem aan met haar handen in haar zij, haar lichaam half naar hem toe gekeerd.

'Ik keek niet...' mompelt hij, terwijl hij opstaat. 'Ik keek niet naar...'

'O nee?' zegt ze en ze draait zich nu helemaal naar hem toe. 'Ik weet wat je denkt.'

Pauly hoopt dat het te donker is om te zien dat hij bloost. 'Ik denk nergens aan.'

'Nee?' Haar ogen schieten naar zijn kruis. 'Dan ben ik zeker blind.'

Pauly begint nu te hallucineren en als hij naar Stella kijkt ziet hij haar hoofd van vlees en bloed op een bloot papieren lichaam, dan klapt het beeld plotseling om en ziet hij haar pruilende papieren hoofd op haar bijna naakte lichaam van vlees en bloed.

Hij grijnst bij zichzelf.

'Is ervan dromen alles wat je kan?' vraagt Stella, terwijl ze op hem afloopt.

'Wat?'

Ze gaat met haar tong langs haar lippen, zet haar handen op haar heupen, poseert, pruilt, geilt hem op. 'Zou je het in het echt willen proberen?' vraagt ze hees.

'Wat proberen?'

'Alles waar je ooit van gedroomd hebt…' Ze knipoogt naar hem.

'Als je wilt mag je het proberen.'

Pauly haalt zwaar adem en probeert zichzelf te beheersen. Maar hij weet dat hij zich helemaal niet wil beheersen.

'Kom hier,' zegt Stella.

'Ik?' vraagt Pauly stompzinnig.

'Ja, jij. Kom hier.'

Hij loopt behoedzaam naar haar toe, half in de verwachting dat ze hem uit zal lachen. Maar dat doet ze niet. Ze blijft gewoon staan, als een pulserend droombeeld in het ondergrondse duister, en kijkt hem onschuldig aan. Pauly komt dichterbij, met kurkdroge mond, bonkend hart en gloeiende buik.

'Kom maar,' zegt Stella met een kinderstemmetje. 'Ik zal je niet bijten.' Haar gezicht is nu een toonbeeld van kinderlijke onschuld. Ze staat erbij als een verlegen kind – haar hoofd een beetje opzij, haar handen zedig samen voor haar lichaam – en ze weet dat Pauly er geen weerstand aan kan bieden.

En dat kan hij ook niet.

Hij blijft met bevend lijf voor haar staan.

'Dichterbij,' fluistert ze.

Hij schuifelt dichterbij tot hun gezichten elkaar bijna raken. Hij voelt haar warme adem op zijn lippen. Hij voelt haar armen tegen zijn borst, de lichte aanraking van haar afwachtende handen… daar beneden. Hij is verlegen, maar het kan hem niet schelen. Hier gaat het om. Hij buigt naar haar toe, zijn lippen beven… en zijn hart staat stil als hij haar handen voelt bewegen. Hij blijft even stokstijf aan en wacht ademloos op die ondenkbare aanraking…

En dan zet Stella haar mond aan zijn oor en fluistert: 'Nog in geen honderdmiljoen jaar.'

Een seconde later explodeert er iets vreselijks in zijn kruis en klapt hij dubbel van de ondraaglijke pijn; hij zinkt kermend en steunend op zijn knieën; zijn ogen schieten vol, zijn handen klauwen wanhopig naar zijn kruis. Jezus, de ergste pijn die je maar kunt bedenken... niet te verdragen, niet te geloven. Het doet zo verschrikkelijk pijn...

Hij is met zijn hoofd op de grond op zijn knieën gezakt en jammert, huilt en kreunt... en hij hoort ze lachen. Eric en Wes, Stella... ze lacht hem uit, en hij weet nu dat ze hem al die tijd heeft uitgelachen.

'Zijn verdiende loon, vieze kleine smeerlap,' hoort hij haar zeggen.

'Ja, goeie,' zegt Wes bewonderend. 'Wat deed je... greep je hem bij zijn ballen?'

'Nee, alleen een tikje,' zegt Stella. 'Zo...'

Pauly kijkt omhoog door zijn tranen en ziet haar met haar duim knippen, en het lijkt een gebaar van niks, alleen een lullig knipje met haar duim... alsof hij niet meer waard is. En als hij haar bij hem vandaan ziet lopen – alsof hij niks te betekenen heeft, alleen iets om je vrolijk over te maken, iets om in de ballen te knippen – beseft hij dat ze hem niet eens meer uitlacht. Ze is hem al vergeten. Hij is het niet eens waard om langer dan een paar seconden uit te lachen. En dat is voor Pauly de druppel.

Het wordt zwart in zijn hoofd, waardoor de pijn verbleekt.

Hij gaat overeind zitten.

Zijn bloed is heet, zijn aderen staan op knappen.

Geen gedachten.

Hij gaat staan, zwaait een beetje, en kijkt naar Stella. Ze loopt in slow motion, haar lijf omgeven door een stralenkrans van licht. Haar lange benen zijn zonder huid, rauw vlees dat in de etalage van een slager hangt. Haar haar is een nest van happende gele slangen.

Pauly rent op haar af.

Iemand schreeuwt: 'Nee!'

Stella draait zich om, ziet Pauly op zich afkomen, met blikkerende tanden in een monsterachtige grijns. Ze stapt achteruit met een geschrokken blik in haar ogen, verliest haar evenwicht, struikelt half, en Pauly is nu bijna bij haar. Er barst een vreemd soort gejank uit zijn keel en hij tilt zijn handen omhoog... en dan is daar ineens Eric, die tegen hem aan knalt, zijn armen om Pauly heen slaat, hem van Stella weg trekt. Maar Pauly gaat nu door het lint; opgepompt door razernij en drugs, rukt hij zich met een wilde kronkel van zijn lijf los uit Erics greep, grijpt hem bij de schouders en duwt hem met geweld van zich af. Eric wankelt achteruit, zwaait wild met zijn armen om op de been te blijven, maar ziet niet waar hij loopt. Hij ziet niet waar zijn voeten hem heen leiden. Hij weet niet dat Stella vlak achter hem worstelt om uit zijn buurt te komen. Hij hoort haar roepen, maar nog terwijl hij over zijn schouder kijkt om te zien waar ze is, verliest hij al zijn evenwicht. En terwijl hij valt, schiet zijn rechterarm uit en raakt Stella vol in het gezicht. Ze strompelt achteruit, grijpt naar haar gezicht, en dan gebeurt het: ze struikelt over iets, of misschien stapt ze in een gat, of op een steen... wie zal het zeggen. Plotseling vliegen haar voeten zomaar onder haar uit en als ze met een dreun op de grond neerkomt, slaat haar hoofd met een doffe klap tegen de roestige kolos van een stalen balk.

Stilte.

Niemand verroert zich.

Pauly, Eric, Wes. Ze staan allemaal naar haar te kijken, wachten tot ze overeind gaat zitten. Wachten tot ze begint te kermen, of te huilen. Of opzij rolt en begint te vloeken...

Wat dan ook.

Maar er gebeurt niets.

Ze ligt daar maar, dood op de vloer.

Achtentwintig

Terwijl Pauly me dat allemaal zat te vertellen, leek alles aan hem te krimpen en te verschrompelen: zijn stem werd zwakker, zijn ogen begonnen dof te staan, zijn schouders zakten omlaag... zelfs zijn ademhaling werd oppervlakkiger. Tegen de tijd dat hij aan het eind van zijn verhaal was, was er bijna niets meer van hem over. Hij zat daar maar met een lege blik naar de grond te staren, uitgeput van alle emotie. Alsof ik naar iemand keek die doodging.

'Wiens idee was het om Stella's lichaam in de rivier te dumpen?' vroeg ik.

'Huh?'

'Haar lichaam... hoe is dat in de rivier terechtgekomen?'

Hij keek langzaam op. 'De rivier?'

'Ja... je hebt het lichaam toch in de auto gelegd en bent ermee naar de rivier gereden?'

Pauly knikte. 'Heeft Eric je dat verteld?'

'Wat Eric zei doet er niet toe.'

'Zei hij dat ik het was?'

'Wat?'

'Zei hij dat ik Stella geduwd heb? Ik weet gewoon dat hij dat heeft gezegd. Hij liegt, ik was het niet...'

'Wat gebeurde er toen je bij de rivier kwam?'

Pauly keek me even kwaad aan en vervolgens verdween plotseling alle uitdrukking weer van zijn gezicht. 'Het was Wes zijn idee,' zei hij dof. 'Hij zei dat als we haar kleren uit zouden trekken, het zou lijken of een seksmoordenaar het had gedaan. Eric heeft haar uitgekleed. Hij heeft haar kleren uitgedaan.' Pauly knipperde met zijn ogen. 'Ik geloof niet dat het hem iets deed, je weet wel… niet dat hij wilde kijken of zo. Hij deed gewoon haar kleren uit en toen… ik weet niet. Tegen die tijd was ik niet meer zo helder. Ik wist niet… ik was gewoon… ik weet niet.' Hij haalde zijn schouders op. 'Ik heb niet veel gedaan. Eric en Wes hebben haar in de rivier gedumpt. Wes heeft de auto in brand gestoken… er lag een blik benzine in de achterbak. En dat was het eigenlijk wel zo'n beetje.'

'Wie heeft het bloed aan de caravan gesmeerd?'

'Wes. Er zat een beetje bloed op Stella's shirt. Hij heeft het afgeveegd aan de caravan en de kleren de bosjes in gesmeten.'

'Waarom?'

'Wes is slim. Hij weet wat hij doet.'

'Denk je?'

Pauly schudde zijn hoofd. 'Wes had er niets mee te maken. Het hele gedoe… dat had alleen maar met Eric en Stella te maken. Wes probeerde alleen maar te helpen.'

'Hoe kwam Erics halsketting in Stella's broekzak?'

'Wat?'

'De politie vond een stukje afgebroken halsketting in Stella's broekzak. Ze lieten het mij zien. Ik denk dat het er een van Nic was die Eric had geleend.'

Pauly fronste zijn voorhoofd. 'Zat het in Stella's broekzak?'

'Ja.'

Hij aarzelde. 'Ze heeft het zeker van zijn hals geklauwd toen ze aan het vechten waren…'

'Je hebt niks over vechten gezegd.'

'Nee?'

Ik schudde mijn hoofd. 'Eric wankelde achteruit tegen Stella aan, sloeg haar in het gezicht, en toen viel ze en stootte met haar hoofd tegen de stalen balk.' Ik keek Pauly aan. 'Zo vertelde je het toch?'

'Ja…'

'Dus wanneer klauwde ze dan naar zijn ketting?'

'Ik weet het niet… misschien greep ze ernaar toen ze viel.'

'En wanneer heeft ze die dan in haar broekzak gedaan?'

Hij haalde zijn schouders op. 'Nadat ze viel, denk ik.'

'Je zei dat ze zich niet meer verroerde nadat ze gevallen was.'

'Misschien heb ik dat niet goed verteld…'

'Juist. Begrijp ik goed dat je me nu probeert te vertellen dat ze niet meteen gestorven is?'

Pauly keek me kwaad aan. 'Ik was dronken, ja? Ik was opgefokt… die verdomde kop van me, weet je wel? Ik kan me niet alles herinneren.'

'Ja, oké,' zei ik in een poging hem te kalmeren. 'Ik probeer het alleen maar in mijn hoofd op een rijtje te krijgen, daarom.'

Hij keek nu weer naar de vloer.

'En Raymond?' vroeg ik.

'Hoezo Raymond?'

'Had die er iets mee te maken?'

'Nee.'

'Helemaal niets?'

'Nee.'

'Hij was er niet eens bij?'

'Nee.'

'Heb je hem nog gezien nadat jullie op de kermis waren aangekomen?'

Pauly wreef in zijn ogen.'

'Heb je hem gezien, Pauly?'

'Wie?'

'Raymond.'

Pauly schudde zijn hoofd. 'Je gaat het toch aan niemand vertellen over Stella?'

'Weet ik nog niet…'

Zijn ogen werden groot. 'Wat bedoel je? Je zei van niet... je zei... je hebt het verdomme beloofd...'

'Dat heb ik gelogen.'

Zijn hoofd begon van links naar rechts te schudden. 'Nee... nee, dat kun je niet maken... dat kan niet...'

'Goed, doe een beetje rustig. Ik zeg niet dat ik het doe...'

'Op je erewoord zei je, godver.'

'Luister,' zei ik geduldig, 'als ik niet aan de politie vertel wat er is gebeurd en ze komen er zelf niet achter, dan zullen ze denken dat Raymond het gedaan heeft.'

'Nou en?'

Ik staarde hem aan en was even sprakeloos.

Hij staarde terug met ogen die straalden van uitzinnige hoop. 'Ik bedoel, jezus, het is Raymond maar... dat kan toch niemand een reet schelen? Trouwens, hij is waarschijnlijk toch dood.' Pauly grijnsde. 'En al is hij dat niet... voor hem maakt het toch geen verschil als hij ervoor moet zitten.'

'Waarom niet?'

'Toe nou, Pete, we hebben het hier over geschifte Ray...' Pauly grijnsde weer en tikte tegen de zijkant van zijn hoofd. 'Als ze eenmaal doorkrijgen hoe knetter die is, doen ze niet eens moeite om hem voor te laten komen. Dan stoppen ze hem gewoon in een of andere inrichting en spuiten hem plat. Daar zit hij prima. Ik bedoel, shit, wat krijgt die nou helemaal voor leven? Wat heeft hij te bieden? Die krijgt toch nergens een baan? De rest van zijn leven thuiszitten bij zijn stomdronken ouders en de hele dag tegen dat stomme konijn praten... dan komt hij waarschijnlijk sowieso in het gekkenhuis terecht...'

Ik probeerde me heel erg in te houden, haalde langzaam adem, bleef stil zitten, zei tegen mezelf dat ik kalm moest blijven: niet nijdig worden, je niet laten opfokken. En ik wist dat ik gelijk had, dat het geen enkele zin had om kwaad te worden. Pauly was een idioot.

Hij was ziek, dom, egoïstisch en zwak. Hij kon het niet helpen.

Dat wist ik allemaal.

Maar evengoed wilde ik zijn kop eraf trekken.

Maar ik deed het niet.

Ik bleef gewoon stil naar hem zitten kijken hoe hij een eind in de ruimte zwetste, en liet mijn woede uitrazen. En terwijl mijn boosheid langzaam minder werd, begon ik te beseffen dat ik niet alleen kwaad op Pauly was, maar ook op mezelf. Omdat ik altijd had geweten wat Pauly voor iemand was... Het altijd had geweten, maar er nooit iets aan had gedaan. En waarom niet? Omdat hij Pauly was... een van ons. We waren toch vrienden? Eric, Nic, Pauly, ik... we waren samen opgegroeid. We hadden samen hutten gebouwd.

We waren vrienden.

Maar hadden we elkaar ooit echt gemogen?

Misschien een paar van ons wel...

Nu en dan.

Maar dat is toch niet genoeg?

Ik bedoel, dat is geen vriendschap, dat is gewoon samen optrekken. Deel uitmaken van de groep. En de enige die daar nooit deel van had uitgemaakt was de enige die ooit iets voor me had betekend. En nu Raymond weg was, was het te laat om er iets aan te doen. Ik kon alleen maar een hekel aan mezelf hebben en zelfs dat was zonde van de tijd.

'En?' vroeg Pauly.

'Wat?'

'Ga je het aan iemand vertellen wat er gebeurd is, of niet?'

'Ik weet het nog niet. Ik moet erover nadenken.'

'Toe nou, Pete,' smeekte hij. 'Ik heb toch gezegd dat het een ongeluk was... Ik bedoel we hebben het toch niet expres gedaan of zo...'

'Ik zei dat ik erover na zou denken.'

'Ik zou voor jou hetzelfde doen.'

'Dat zou je niet.'

'Jawel, dat zou ik wel… we zijn toch vrienden? We zijn altijd…'

'Hou je kop.'

'Je hoeft alleen maar…'

'Wil je dat ik nu meteen de politie bel?' vroeg ik, terwijl ik de telefoon uit mijn zak haalde.

Hij zei niets, maar zat me alleen als een gekwetst jongetje aan te kijken. Even dacht ik dat hij zou gaan huilen en bijna had ik weer medelijden met hem. Maar ik kon geen medelijden meer opbrengen.

'Ga naar huis,' zei ik.

'Ja, maar…'

'Ga nou maar, oké? Ik zal nadenken over wat ik ga doen, en als ik zover ben, kom ik bij je langs en laat ik het je weten. Tot die tijd vertel ik niets aan niemand.'

'Maar als de politie nou bij me langskomt?'

'Zijn je ouders thuis?'

'Nee.'

'Dan doe je niet open. Blijf gewoon in je kamer op mij wachten.'

'Je komt echt?'

'Ja.'

'Wanneer?'

'Als ik zover ben.'

'Vanmiddag?'

Ik keek hem aan.

'Wat?' vroeg hij.

Ik zuchtte en zette mijn telefoon aan.

Pauly leek even in de war, maar toen realiseerde hij zich waar ik mee bezig was en kwam hij snel overeind. Hij verloor een tel zijn evenwicht en viel bijna omver, maar hij wist zich op de been te houden en toen – met een vreemde alwetende blik – draaide hij zich om, bukte, en strompelde de deur door naar buiten.

Ik was nu zo moe, en mijn lijf voelde zo zwaar en stijf, dat ik helemaal nergens zin in had. Geen zin om over Pauly na te denken. Geen zin om terug naar huis te lopen. Ik had niet eens zin om overeind te komen. Al wat ik wilde was mijn ogen dichtdoen, alles vergeten en in een droomloze slaap vallen. En terwijl Pauly's onzekere voetstappen langs het talud wegstierven, keek ik wazig naar de telefoon in mijn hand en stelde me voor dat ik pap zou bellen. Ik zou hem gelijk alles kunnen vertellen. Dat Pauly onderweg was naar huis. Waar ik was, dat het me speet dat ik ervandoor was gegaan, dat ik te moe was om in beweging te komen en of hij me alsjeblieft wilde komen halen…

Mijn telefoon had geen bereik.

Ik stak hem in mijn zak en dwong mezelf op te staan.

Mijn benen voelden als lood.

Mijn hoofd bonsde.

Ik zoog een diepe teug warme gronderige lucht naar binnen en slofte vermoeid de hut uit.

De zon stond hoog aan een staalblauwe lucht toen ik het achterlaantje begon af te lopen, en twee seconden lang vroeg ik me in alle ernst af of ik het wel zou halen. Alleen al door de inspanning van de afdaling gutste het zweet van me af en kwam die vage soort misselijkheid opzetten die je krijgt als je heel lang niet geslapen hebt. Ik had een gevoel alsof ik moest overgeven, maar niet vanuit mijn buik. Vanuit het binnenste van mijn hoofd.

Maar toen ik even stil bleef staan en een paar keer diep ademhaalde in een poging om het misselijke gevoel te onderdrukken, zag ik plotseling iets verderop waardoor ik niet meer bang was om misselijk te worden.

Eerst dacht ik dat ik alleen maar hallucineerde – weer zo'n flashback van de juice – en een oneindig moment lang was het weer zaterdagavond en stond ik met Raymond in het laantje terwijl hij

382

recht voor zich uitkeek met ogen die dof stonden van angst...

Raymond?

Je zei dat hij er niet zou zijn...

Wie?

Je zei...

Maar ik wist dat het nu niet zaterdagavond was maar woensdagmorgen, en dat het stel Greenwell-jongens dat ik verderop in het laantje zag staan geen flashback was. Ze waren er echt, en wel nu, op nog geen twintig meter afstand. Zo'n tien paar gluiperige glinsterende ogen die me met hun blikken de stuipen op het lijf joegen.

Ik draaide om en liep de andere kant uit.

En stond plotseling weer stil.

Keek naar Eric.

En Wes Campbell.

En Pauly.

Eric stond het dichtst bij, zo'n vijftien meter bij me vandaan, en Campbell en Pauly stonden vlak achter hem. Eric zag er gekweld en afgetrokken uit. Hij stond me alleen maar vermoeid aan te kijken, met zijn handen in zijn zakken en afgezakte schouders. Hij leek zich niet bewust van wat er zich achter hem afspeelde, of misschien wilde hij het gewoon niet weten. Maar daar was wel iets aan de hand. Ik hoorde niet wat Wes Campbell tegen Pauly zei, maar zag het mes in zijn hand en de manier waarop hij naar Pauly toe boog, zijn tanden ontblootte en recht in Pauly's verbijsterde ogen siste en spuugde.

Toen zag ik Eric een blik over zijn schouder werpen en iets tegen Campbell zeggen. Campbell keek hem aan, keek even naar mij, en toen – zonder ook maar een laatste snelle blik naar Pauly – grijnsde hij en liep op me af. Toen hij Eric voorbijliep, raakte die zijn arm aan en zei iets. Campbell hield even in, keek naar Eric, en ook al waren er geen lachjes, geen duidelijke tekens van genegenheid, de intimiteit tussen hen tweeën was overduidelijk. En nu ik het wist, kon ik me moeilijk voorstellen dat ik het niet eerder had gemerkt.

Niet dat het voor mij veel verschil maakte.

Nu kwam Campbell weer op me af. Eric volgde hem op de voet, en Pauly kwam aarzelend een paar meter verder achteraan.

'Rot op, Gilpin,' riep Campbell naar achteren terwijl hij me strak bleef aankijken.

Pauly bleef staan.

'Vooruit,' zei Campbell smalend. 'Flikker op naar huis.'

Pauly bleef even staan, met snel knipperende ogen, zijn gezicht bleek en verward, toen draaide hij zich om en liep neerslachtig weg in de tegenovergestelde richting. Ik kon zijn gezicht niet zien, maar het was niet moeilijk om me de blik in zijn ogen voor te stellen… de eenzaamheid, de somberte, de treurigheid…

Maar ik had geen tijd om aan Pauly te denken.

Ik keek over mijn schouder. De Greenwell-jongens stonden er nog en blokkeerden nog steeds het laantje. Ik kon nergens naartoe. Ik keek weer terug naar Eric en Campbell. Campbell was ongeveer vijf meter bij me vandaan en lachte gemeen naar me.

'Nu heb je niemand bij je, Boland,' zei hij. 'Afgelopen met je mazzel.'

Ik keek hem even aan, keek over zijn schouder naar Eric, draaide me toen om en rende in de richting van de Greenwell-bende.

Ik zag ze naar me grijnzen toen ik op ze afrende; ze lachten om mijn stommiteit, gingen er eens goed voor staan. Ik zag ze met hun voeten schuifelen, rollen met hun schouders, hun vuisten ballen. Ze wisten dat ze niet veel tijd met me zouden krijgen voor Campbell en Eric hen terug zouden roepen, en ik zag ze op me afkomen, elkaar verdringen en proberen de eerste te zijn om me een paar rake klappen te verkopen zolang ze de kans kregen.

Maar die kregen ze niet.

Ik bleef recht op hen afrennen, zo hard ik kon, met pompende armen, stampende voeten, en pas op het allerlaatste moment voerde ik mijn manoeuvre uit. Net toen ik bij de eerste Greenwelljongen was, toen die net zijn pas vertraagde en zijn armen uitspreidde om me tegen te houden, sprong ik tegen het talud op en begon door het struikgewas omhoog te klauteren. Er was daar geen pad, alleen een dikke laag braamstruiken, onkruid, en met mos bedekte wortels, en de helling was op dit stuk veel steiler. Het was bijna onmogelijk om overeind te blijven en ik probeerde het niet eens. Ik kroop en gleed, klauterde en graaide, terwijl ik me langs het talud omhoog hees. De braamstruiken scheurden me aan flarden, rukten aan mijn kleren en schramden mijn huid, maar het kon me niet schelen. De Greenwell-jongens zouden niet hierboven komen en hun kleren bederven. Ik kon ze me beneden horen uitlachen toen de braamstruiken dikker en dikker werden en ik steeds langzamer vooruitkwam. Ze wisten dat ik nergens naartoe kon.

En ik ook.

Ik probeerde nu niet eens meer om ergens te komen. Alles wat ik deed was om en om rollen in het struikgewas en uitkijken naar iets waar ik me even kon verstoppen: een kuil in de grond, een holte, een boom met een dikke stam. Gaf niet waar. Zolang het me maar voor een paar seconden uit het zicht hield.

'Boland!' hoorde ik Campbell schreeuwen. 'Je kan net zo goed naar beneden komen… je kan nergens naartoe.'

Voor me doemde een dode eik op. Hij was door de bliksem getroffen, zwart geblakerd, met kale takken en een holle stam. De grond onder aan de boom was omgewoeld door een das of zoiets. Ik keek om me heen, prentte de omgeving in mijn hoofd: halverwege het talud, recht onder een groep oude fabrieksgebouwen, vlak naast een slap neerhangende hulstboom, ongeveer tien meter links van een overwoekerd pad…

'Boland!'

Ik rolde in de greppel onder aan de eikenboom, ging op mijn rug liggen en trok de telefoon uit mijn zak. Nog steeds geen bereik. Ik haalde Erics telefoon tevoorschijn.

Campbell brulde weer: 'Als je binnen dertig seconden niet beneden bent, kom ik naar boven. Heb je me verstaan?'

Ik deed geen moeite om te zien of ik op Erics telefoon bereik had, stak mijn arm in de holte van de eik en legde de telefoon uit het zicht. Die was nu veilig. Ik wist niet of het ergens goed voor was om hem te verstoppen, maar Erics telefoon was het enige solide bewijs dat ik had. Namen, plaatsen, tijden, sms'jes. Het zat allemaal ergens daarbinnen. Eric mocht zijn berichten dan gewist hebben, maar dat betekende niet dat ze er niet meer waren. En zijn gesprekken konden teruggevonden worden. Telefoontjes naar Amo en Bit... Campbell en Stella. Amour. Bitch. Amour. Bitch. Amour...

Het draait allemaal om de liefde.

'Oké, Boland, uit met de pret. Je hebt je...'

'Ik kom naar beneden!' riep ik, terwijl ik overeind kwam.

Ik klom uit de greppel en keek naar beneden. Ze stonden er allemaal: Campbell, Eric, de Greenwell-jongens. Ze keken allemaal naar me omhoog, hun ogen tot spleetjes dichtgeknepen tegen de zon, wachtend tot ik naar beneden kwam.

Van bovenaf zagen ze er klein uit.

Maar terwijl ik voorzichtig langs de helling mijn weg naar beneden zocht, wist ik dat het niet lang zou duren voor ze weer behoorlijk groot zouden zijn.

Negenentwintig

Tegen de tijd dat ik onderaan kwam, liep het zweet in straaltjes van me af, zat ik onder het vuil, en elk stukje vel zat ofwel onder het bloed door de schrammen van de bramen of jeukte als de pest door de ontelbare muggenbeten.

'Geef op, die mobiel,' zei Campbell terwijl hij zijn hand uitstak.

Ik keek langs Campbell heen naar Eric. Hij stond een stukje verderop in zijn eentje in het laantje. Rechts van hem zag ik de troep Greenwell-jongens het pad aflopen naar het braakliggend terrein. Ze hadden hun werk gedaan, ze waren niet meer nodig.

'Mobiel!' snauwde Campbell.

Ik trok mijn telefoon tevoorschijn en klapte hem open. 'Ik heb net mijn vader gebeld,' zei ik. 'Hij weet waar ik ben, hij heeft de politie gebeld, ze zijn er binnen een paar minuten...'

'O ja?' zei Campbell; hij greep de telefoon en wierp een blik op het schermpje. Hij toetste wat in, keek even naar het scherm, keek me toen weer aan en grijnsde. 'Geen bereik,' zei hij. 'Geen telefoontjes naar pappie.' Hij brak de telefoon doormidden en smeet de stukken over de schutting op het braakliggend terrein. 'Nu die van Eric.'

'Die heb ik niet bij me. Ik heb hem thuis gelaten...'

Campbell deed een stap naar me toe, greep me bij mijn schouders en haakte zijn voet achter mijn been. Een snelle duw tegen mijn borst en ik lag plat op mijn rug. Campbell zette zijn voet op mijn borst en hield me tegen de grond.

'Eric,' zei hij, 'kom hier.'

Eric kwam naar ons toe.

'Zoek in zijn zakken,' zei Campbell.

Terwijl Eric naast me neerhurkte en mijn zakken begon af te zoeken, keek ik hem zwijgend aan en probeerde oogcontact te krijgen, maar hij keek me niet aan.

'Ik weet wat er gebeurd is, Eric,' zei ik zacht. 'Ik weet dat het een ongeluk was…'

'Hou je kop,' beval Campbell en hij stampte op mijn borst.

Ik hield mijn kop, bleef stil liggen en probeerde wat lucht terug in mijn longen te krijgen. Eric bleef mijn zakken doorsnuffelen.

'Niets,' zei hij na een poosje.

'Weet je het zeker?' vroeg Campbell.

Eric knikte. 'Hij heeft hem niet.'

'Misschien heeft hij hem ergens weggegooid?'

Eric keek even langs het talud naar boven. 'We hebben geen tijd om daar te gaan zoeken. Hij kan wel overal zijn…'

'Goed,' zei Campbell. 'Dan moeten we het nu zo laten.' Hij keek naar Eric. 'Shit, als je had gedaan wat ik zei…'

'Ja, maar dat heb ik dus niet…'

'Je hoefde alleen maar…'

'Ik weet wat ik had moeten doen, Wes. Je hoeft er niet over door te drammen.' Hij stond op. 'Trouwens, het maakt nu toch niet meer uit?'

'Ik denk van niet.' Campbell haalde zijn voet van mijn borst en keek op me neer. 'Sta op.'

Ik kwam overeind. Hij haalde zijn mes tevoorschijn, greep me bij mijn arm, en sleepte me het talud af.

'Wacht hier,' zei hij. Hij draaide zich naar Eric. 'Ga jij voorop.'

Eric klom het talud af en liep het laantje op in de richting van St. Leonard's Road. Campbell gaf me een duw in mijn rug, en ik struikelde naar voren en volgde Eric.

'Ik ben vlak achter je,' fluisterde Campbell zachtjes in mijn nek. 'Als je ervandoor wilt, moet je dat vooral doen. Kijken hoe ver je komt met een stanleymes achter in je kop.'

Ik zei niets, maar liep gewoon zo voorzichtig mogelijk achter Eric aan. Ik probeerde me niet voor te stellen hoe het zou voelen met een stanleymes achter in mijn hoofd, maar hoe meer ik probeerde er niet aan te denken, hoe meer de rillingen over mijn schedel liepen. En hoe meer rillingen ik kreeg, des te moeilijker ik me kon concentreren op niet iets doen wat per ongeluk uitgelegd kon worden als een poging om ervandoor gaan.

Wat niet makkelijk was…

Vooral niet omdat een ander deel van me probeerde na te denken over waar we naartoe gingen en wat er zou gebeuren als we daar waren, en wanneer en waar ik wel moest proberen ervandoor te gaan. Maar op dat moment, net toen ik serieus de mogelijkheden begon te overwegen, merkte ik dat Eric voor me stil was blijven staan en langs de helling omhoog tuurde.

Ik stond ook stil, en mijn hoofd kromp automatisch ineen.

'Is dit het?' vroeg Eric aan Campbell terwijl hij naar boven bleef kijken.

'Ja, ik geloof van wel.'

Ik zag nu vaag een pad lopen, een nauwelijks zichtbaar spoor dat langs het talud omhoog slingerde.

Eric keek terug langs het laantje. 'Er is er daar nog een…'

'Nee,' zei Campbell. 'Dit is het. We hebben dat andere geprobeerd, weet je nog? Je kunt daarboven niet verder.'

Ik wierp een blik over mijn schouder en herkende het overwoekerde pad dat ik had gezien bij de dode eik.

Campbell gaf een mep tegen mijn achterhoofd. 'Waar kijk jij naar?'

Snel draaide ik mijn hoofd weer terug.

Eric stapte nu het talud op en begon langs het smalle pad naar boven te klimmen. Campbell gaf me weer een duw en ik kwam weer in beweging. Het talud op, het pad langs, terug door de bramen… met de hele tijd Campbell hijgend achter me.

Ik liep achter Eric aan.

Het struikgewas in.

Onder de bomen door.

Zwetend, struikelend...

Strompelend en glijdend...

Het pad en de beboste omgeving had heel in de verte iets vertrouwds, iets wat me ergens aan deed denken... aan een gevoel, een kinderlijke angst, een verwachting. Of misschien was het alleen het gevoel zelf dat vertrouwd was? Het viel moeilijk te zeggen, maar ik bleef het idee houden dat dit het pad was dat ik als dertienjarige had gevolgd toen ik die dag zenuwachtig achter Nicole aan naar de oude fabriek was gelopen, de dag dat pap ons samen had betrapt en uit elkaar was geklapt van woede...

Maar misschien ook niet.

Misschien verbeeldde ik het me alleen maar.

We waren nu boven aangekomen en voor ons zag ik de oude fabriek liggen. Langs de hoge metalen afrastering die het talud van de fabriek scheidde liep een smalle strook vlakke grond en toen we alle drie even stilhielden om op adem te komen, zag ik een opening in de afrastering. Iemand had het draad doorgeknipt. De opening was niet zo groot dat je hem van een afstand kon zien, maar wel zo ruim dat je je erdoorheen kon wringen. Toen ik daar zo stond te zweten en te hijgen en door de afrastering naar de oude fabriek keek, merkte ik dat ik me probeerde te herinneren in welke van die gebouwen ik al die jaren geleden met Nicole was geweest... maar er was daar niets wat herinneringen naar boven bracht. Ik denk dat ik in die tijd te veel andere dingen aan mijn hoofd had om aandacht te schenken aan waar we naartoe gingen. Het was een gebouw, en meer hoefde ik toen niet te weten. Het was een plek waar we alleen konden zijn. Wat mij betrof had het een vuurrood torengebouw kunnen zijn...

Maar nu zag ik geen vuurrode torengebouwen. Het enige wat ik zag waren vervallen werkplaatsen en kantoren, afgedankte machinerie, schoorstenen en torens, gammele magazijnen... een betonnen plein, een stapel oude autobanden... en, aan mijn linkerkant, een groepje lage gebouwen van lichte steen en daken van golfplaat...

Ik hoefde me niet meer af te vragen waar we naartoe gingen.

'Na jou,' zei Campbell, terwijl hij me naar de deur van het verlaten gebouw leidde.

Ik keek hem even aan, deed toen de deur open en stapte naar binnen. Het kwam nagenoeg overeen met wat Pauly had beschreven: dichtgetimmerde ramen, verroest kantoormeubilair, de vloer bezaaid met troep. Campbell greep me bij mijn arm en voerde me naar de achterkant van het gebouw. We hielden stil voor de metalen kast waarover Pauly had verteld.

'Trek hem naar voren,' beval Campbell.

Ik greep de kast vast en trok hem weg van de muur. Campbell haalde een zaklantaarn uit zijn zak en scheen ermee naar beneden de kelder in.

'Alles in orde?' vroeg Eric.

Hij knikte en draaide zich naar mij. 'Naar beneden jij.'

Terwijl ik naar de kelder afdaalde, zag ik dat Pauly hier ook niet over had gelogen. Het was precies zoals hij had verteld: lemen vloer, bedompte lucht, stenen muren, machineonderdelen, een stapel roestige metalen balken. Achter me, boven aan de trap, hoorde ik Eric de legkast terugschuiven. Terwijl die met een doffe klap tegen de muur aan kwam werd het plotseling donker in de kelder.

'Ga daar staan,' zei Campbell ruw en hij duwde me naar de dwarsbalken.

Ook al scheen Campbell nu met zijn zaklantaarn de andere kant op, de kelder was niet helemaal donker. Een zwak streepje zonlicht scheen door een klein ventilatierooster boven in een muur, en toen ik vermoeid over de lemen vloer slofte, zag ik voldoende om te weten waar ik liep. Ik bleef naast de stapel stalen balken staan.

'Ga zitten,' beval Campbell.

Ik ging op de dichtstbijzijnde balk zitten en keek omlaag. Op de grond bij mijn voeten was een matte rode vlek. Hij had de vorm van een sikkel, van een gekartelde halvemaan, en heel even zag ik Stella daar liggen, met opengebarsten schedel, starende dode ogen, haar perfect zittende blonde haar samengeklit van het bloed...

Ik tilde mijn hoofd op en keek naar Eric en Campbell. Ze stonden bij de muur achterin zachtjes samen te praten. Eric rookte een sigaret terwijl Campbell dringend in zijn oor fluisterde. Ik zag Eric zijn hoofd schudden.

Campbell legde zijn hand op Erics arm.

Eric keek hem aan.

Campbell glimlachte.

Eric zuchtte.

Ze keken elkaar een poosje recht in de ogen – staarden elkaar aan alsof ze de twee enige levende wezens op aarde waren – en ten slotte knikte Eric alleen maar. Campbell gaf een klopje op zijn arm en draaide zich toen om naar mij.

'Alles goed, Boland?' vroeg hij. 'Zit je lekker?'

Ik keek hem aan.

Hij grijnsde. 'Alles in orde, je hoeft niet zo bezorgd te kijken. Niemand doet je wat. We willen je alleen maar een paar vragen stellen, meer niet.'

'Daarvoor hoefde je me niet helemaal hier naar beneden te brengen.'

Daar zei hij niets op, maar hij bleef me alleen even aankijken, zijn gezicht bleek en uitdrukkingsloos, toen stak hij zijn hand in zijn zak en haalde zijn stanleymes tevoorschijn. 'Wat heeft Gilpin je verteld?' vroeg hij zacht.

'Heb je dat hem niet gevraagd?'

'Ja, dat heb ik hem gevraagd. En nu vraag ik het jou. Wat heeft hij gezegd?'

Ik wierp een blik op het mes in zijn hand. 'Ik dacht dat je zei dat je me niets zou doen?'

Hij haalde zijn schouders op. 'Dat heb ik gelogen.'

Terwijl hij op me afkwam keek ik over zijn schouder naar Eric en smeekte hem met mijn ogen om iets te doen. Het voelde zo vals, zo hypocriet – een beroep doen op vriendschap die niet bestond – maar wat kon mij dat schelen? Ik schaamde me liever dan dat ik dood was.

'Wacht even, Wes,' zei Eric met tegenzin.

Campbell schudde zijn hoofd. 'Dit klootzakje zit me al dagen op te naaien. Het wordt tijd dat hij…'

'We hebben hem nodig,' zei Eric beslist. 'Weet je nog? We hebben hem nodig.'

Campbell aarzelde, keek me kil aan en ik zag het conflict in zijn ogen: moest hij op zijn gevoel afgaan en me aan stukken rijten, of moest hij naar Eric luisteren? Ik keek terug en hield mijn adem in, dwong hem in stilte om naar Eric te luisteren.

Uiteindelijk, nadat hij me voor wat wel een jaar leek was blijven aankijken, schudde hij zijn hoofd, spuugde op de grond en deed een paar passen achteruit.

Ik haalde weer adem.

Eric zuchtte en keek me aan. 'Luister, Pete, dit is allemaal nergens voor nodig. Het enige wat we willen weten is wat Pauly je heeft verteld, oké? Vertel ons gewoon wat hij tegen je heeft gezegd, en dan komen we er wel uit.'

Bijna zei ik: komen we er wel uit? Wat bedoel je met komen we er wel uit? Maar dat leek weinig zin te hebben. Wat ze ook met me van plan waren, er was nu niets wat ik daartegen kon doen. En ik won er niets bij door ze niet te vertellen wat ze wilden weten…

Ik keek even naar de grond om met mezelf te overleggen... en vertelde ze toen alles wat Pauly me had verteld.

'Is dat alles?' vroeg Campbell toen ik klaar was. 'Is dat wat hij je heeft verteld?'

'Ja.' Ik keek naar Eric. 'Is het zo ook gegaan?'

'Niet precies,' zei hij met een blik naar Campbell.

'Klote Gilpin,' zei Campbell en hij schudde zijn hoofd. 'Liegend klein onderkruipsel... ik zei toch dat we hem niet konden vertrouwen? Ik zei het nog.'

Eric keek naar mij. 'Ik heb Stella niet aangeraakt, Pete. Het was Pauly... hij werd gewoon gek en viel haar aan. Al die onzin over dat ik hem wilde stoppen en Stella omver stootte... dat is allemaal lulkoek. Ik heb haar niet aangeraakt.'

'Heb je niet geprobeerd hem tegen te houden?'

'Daar was geen tijd voor. Het ene moment lag hij op de grond te kreunen en te steunen... en het volgende stormde hij op Stella af en gaf haar een zet tegen haar rug. Het was allemaal voorbij voor ik iets kon doen.'

'En hoe zit het met de rest?' vroeg ik. 'De verzonnen ontvoering, dat Stella jou bedreigde, wat ze met Pauly deed... is daar iets van waar?'

'Ja,' zei Eric met een schouderophaal. 'Dat klopt allemaal wel zo'n beetje.' Hij slaakte een zucht. 'Stella nam een paar weken geleden contact met me op. Ze zei dat als ik haar niet zou helpen met dat ontvoeringsidee, ze die foto van Wes en mij op internet zou zetten.'

'Dus heb je haar geholpen?'

'Ik wist toch niet dat ze het door zou zetten? Ik dacht gewoon dat het een van haar misselijke spelletjes was, je weet wel... me iets betaald zetten, me op mijn nummer zetten, me naar haar hand zetten. Zo kwam ze aan haar trekken, Pete. Spelletjes spelen. Je gek maken. Over je gevoelens heen lopen.' Weer haalde hij zijn schouders op. 'Ik speelde het gewoon mee. Ik dacht niet dat het er echt van zou komen…'

'Maar toen kwam Pauly opdagen.'

'Ja…' Eric schudde zijn hoofd. 'Jezus, je had hem moeten zien, Pete. Ik bedoel, hij was toch altijd al gek van Stella? Al voor ze beroemd was, zat hij naar haar te loeren, had het altijd over haar, en kwijlde elke keer dat hij haar zag. Dus je kunt je voorstellen hoe hij zich voelde toen hij dacht dat ze hem wilde verleiden, vooral met al die drank en drugs die hij had geslikt. Hij moet hebben gedacht dat hij in dromenland verkeerde. Maar toen mepte ze hem tegen zijn ballen… waar wij bij stonden. En kroop hij rond over de grond en jankte zijn ogen uit zijn hoofd, en lachten wij hem uit… shit, geen wonder dat hij over de rooie ging.'

'Wil je zeggen dat hij haar heeft vermoord?'

Eric blies zijn wangen op. 'Ik geloof niet dat hij het met opzet heeft gedaan… hij werd gewoon razend, weet je. Hij ging gewoon door het lint. Hij rende van achteren op haar af, schreeuwend als een dolle, en gaf haar echt een enorme zet.' Hij haalde zijn schouders op. 'Ze was totaal verrast. Haar benen schoten min of meer onder haar uit en ze viel met haar hoofd vooruit tegen de stalen balken en toen…'

'Krak,' zei Campbell terwijl hij met zijn vuist in zijn handpalm mepte.

Ik keek hem aan.

Hij lachte.

Ik keek naar de bloedvlek op de grond, zag Stella's dode ogen weer voor me, en keek toen weer naar Campbell. 'Heb jij haar lichaam in de rivier gedumpt?'

'Ja en?'

'Dat hoefde toch niet.'

'Wat hadden we dan moeten doen? Haar lijk terugbrengen naar pappie en mammie en sorry zeggen?'

'Je had haar gewoon hier kunnen laten.'

'Ja, maar op den duur zou iemand haar toch hebben gevonden, niet dan? En dan waren de smerissen rond gaan vragen en erachter gekomen dat wij hier waren geweest...'

'Het was toch een ongeluk...'

'Nou en wat dan nog, godverdomme,' zei Campbell. 'Ik bedoel, wat gaat jou dat verdomme trouwens aan?'

Dat was een goeie vraag, en terwijl ik daar in die stoffige schemer zat, besefte ik dat Campbell gelijk had. Het kon me ook niet schelen wat ze hadden gedaan. Het ging me ook niet aan. Nu ik wist dat Raymond Stella niet had vermoord... nou, was de rest niet meer van belang. Het deed er voor mij niet toe wie haar had vermoord, en of het wel of niet een ongeluk was, of waarom ze het probeerden te verbergen. Het maakte gewoon niet uit. Dat mag dan misschien nogal hard klinken, maar het was gewoon zo dat ik Stella Ross niet mocht. Ik had haar nooit gemogen. En om Eric of Pauly gaf ik ook niet veel. Ik wil niet zeggen dat ze me volslagen koud lieten, en als ik met een vingerknip Stella Ross weer tot leven had kunnen wekken had ik dat gedaan.

Maar dat kon ik niet.

Ze was dood.

En Raymond leefde misschien nog.

Ik keek op naar Eric en Campbell. Ze stonden nu alle twee recht voor me en het licht van het ventilatierooster gaf hun silhouet een halo van glinsterend stof.

'Wat ga je doen?' vroeg ik aan Eric.

'Wat ga jij doen?' antwoordde Campbell.

'Niets,' zei ik, terwijl ik hem aankeek.

Hij lachte. 'Daar kan je donder op zeggen.'

'Moet je horen,' begon ik, 'het kan me echt niet schelen wat er hier is gebeurd...'

'Sta op,' zei Campbell.

Ik keek hem aan.

'Opstaan,' beval hij.

Ik keek even naar Eric.

'Doe gewoon wat hij zegt, Pete.'

Toen ik weer naar Campbell keek, greep hij me bij mijn haar en rukte me overeind. Automatisch gingen mijn handen omhoog en probeerden zijn hand te pakken, maar hij verstevigde alleen zijn greep, trok zelfs nog iets harder en toen – met een plotselinge scherpe ruk – trok hij een handvol haar uit. Ik jankte, een zielig geluidje, en staarde hem met wijd open ogen aan.

Hij bestudeerde de bos haar in zijn hand, en bevoelde het voorzichtig met zijn duim. 'Mooi haar,' zei hij koel. 'Een beetje zweterig misschien...'

Hij lachte naar me.

Ik wist niet wat ik moest zeggen. Ik wreef over de zere plek op mijn hoofd en keek nieuwsgierig toe toen Campbell een stap opzij deed, om me heen liep, en de handvol haar over de grond uitstrooide. Terwijl hij zijn handen tegen elkaar wreef om de laatste haren kwijt te raken, draaide ik me om en keek naar Eric.

'Waar is hij verdomme mee bezig?'

'Sorry, Pete,' zei Eric terwijl hij een stap naar me toe deed. 'Maar dit is de enige manier.'

Toen zag ik hem over mijn schouder kijken en toen ik me omdraaide om te zien waar hij naar keek, deed Campbell een stap naar voren en gaf me met de vlakke hand een harde klap tegen mijn neus. Mijn hoofd brulde, krijste van pijn, en toen ik achteruit tegen Eric aan wankelde, voelde ik het bloed al uit mijn neus stromen. Eric greep me vast, klemde zijn armen rond mijn borst en pinde mijn armen vast langs mijn zij.

'Zo goed?' hoorde ik hem tegen Campbell zeggen.

'Ja,' zei Campbell. 'Leg hem op de grond.'

Toen voelde ik een flinke schop in mijn knieholte en terwijl mijn been dubbelklapte, duwde Eric me tegen de grond en wierp zich bovenop me. Ik lag nu met mijn gezicht op de vloer. Eric zat op mijn rug en hield me daar… en ik was te geschrokken en buiten adem om iets te doen. Een moment lang kon ik daar alleen maar liggen, slierten bloed en snot uitspugen en proberen wat lucht in mijn longen te krijgen… maar toen voelde ik Campbell naast me neerhurken en terwijl hij zijn handen uitstrekte en mijn hoofd vastgreep, begon ik plotseling als een gek te worstelen, te draaien en te kronkelen, te schoppen en te schreeuwen, mijn hoofd heen en weer te schudden, en probeerde ik los te komen en op te staan…

'Donder op,' sputterde ik. 'Do-g-h-h-h…'

Mijn mond vulde zich met zand toen Campbell mijn gezicht tegen de grond drukte. Het deed niet echt vreselijk zeer, maar mijn verzet was in een klap weg, en terwijl ik mijn hoofd opzij rukte, bloed spoog en ophoestte, was ik bijna zover dat ik het opgaf en Campbell liet doen wat hij wilde.

Maar toen hoorde ik hem tot mijn verbazing zeggen: 'Zo kan hij wel,' en voelde ik dat hij mijn hoofd losliet en even later voelde ik Eric van me afgaan… en plotseling was het stil om me heen, en lag ik daar en probeerde niet te huilen.

Een tijdlang verroerde ik me niet, ik lag daar maar op de grond met mijn ogen dicht, bonkend hart en een suf tollend hoofd, gevoelloos door de schok. Mijn neus klopte als een gek, maar het was een vreemde verre soort pijn. Ik bedoel, het deed wel zeer… maar niet zo erg als de gevoelens die erbij kwamen. Kleine, kinderachtige gevoelens – zelfmedelijden, schaamte, vernedering – zo'n gevoel waardoor je ergens weg wilt kruipen om een potje te janken. Maar ik ging niet huilen. Ik was verdomme zestien. Geen kind meer. En al was ik dat wel, al voelde ik me het nietigste wezen op aarde, dan nog mocht ik van mezelf niet huilen.

Nog niet in elk geval.

Ik ging langzaam overeind zitten en veegde mijn gezicht af. Mijn neus leek opgehouden te zijn met bloeden, maar op de grond lag heel wat bloed. Matte, rode vlekken die al opgezogen werden door het vuil. Bloed en speeksel. En haren... mijn haren, verstrooid tussen het bloed en het stof.

'Gaat het een beetje, Pete?' hoorde ik Eric zeggen.

Ik keek omhoog. Hij stond naast Campbell een sigaret te roken. Zijn ogen waren zo in de war, dat ik niet kon zeggen wat hij voelde. Ik denk dat hij dat zelf niet eens wist. Ik worstelde moeizaam overeind, moest even naar mijn evenwicht zoeken, en keek hem weer aan. Nu had hij iets van een lachje, met iets van een schouderophaal... en iets van willen helpen, maar eigenlijk wetend dat hij dat niet kon maken.

'Sorry, Pete,' zei hij niet erg overtuigend. 'Ik heb het zo niet gewild, wij geen van tweeën... maar we hadden geen keus. We moesten wel. Het was de enige manier.' Toen ik niets zei, keek Eric even naar Campbell voor steun. 'Vertel het hem maar, Wes.'

'Wat vertellen?'

'Het is nu toch voorbij? We zijn klaar. Hij mag weg.'

Campbell keek me aan. 'Jouw ouwe is toch een smeris?'

'Ja, en?' vroeg ik.

'Dan weet je dus hoe het werkt.' Hij knikte naar de grond. 'Dat is jouw bloed daar. Jouw haar. Je vingerafdrukken zitten op de deurklink en op de kast. Waarschijnlijk ook allerlei ander soort troep, zweet, spuug, stukjes vel, wat ook.' Hij grijnsde naar me. 'Voel je hem al een beetje aankomen?'

'DNA,' zei ik.

'Juist. Jouw DNA is hier overal.' Hij haalde zijn schouders op. 'Natuurlijk zal niets je tegenhouden als je terug wil komen om het te proberen weg te halen, maar je zal nooit alles weg kunnen halen, toch? Er zal altijd iets van jou hier beneden achterblijven. Dus als jij je mond voorbijpraat weet je wel, over Stella, en de smerissen komen hier met al die forensische troep van ze… nou dan komen ze toch te weten dat jij hier was, of niet? Jouw bloed, Stella's bloed. Jouw vingerafdrukken, Stella's vingerafdrukken. Jouw DNA, Stella's DNA.'

'En dat van jou,' zei ik, 'en van Eric…'

'Maar dat verandert voor jou niks, wel? Je blijft erbij betrokken. En wij gaan niet zeggen dat het niet zo was. Eric en ik hebben niks te verliezen, en Pauly ook niet. Het wordt jouw woord tegen het onze. Een tegen drie. Wie denk je dat de smerissen zullen geloven als we allemaal zeggen dat jij Stella hebt vermoord?'

'Ze weten al wie haar vermoord heeft,' zei ik.

Campbell knipperde nauwelijks met zijn ogen. 'Ja, zal wel…'

'Ze hebben een stukje ketting van Eric in Stella's broekzak gevonden.'

Campbells ogen werden donker. 'Ze hebben wat?'

Ik keek naar Eric. 'Die gouden ketting die je zaterdagavond omhad, de ketting die je van Nic had geleend…'

'Waar heeft hij het over?' zei Campbell en hij draaide zich naar Eric.

'Ik dacht dat ik die uit de weg had geruimd,' mompelde Eric.

'Wat uit de weg geruimd?'

Eric zuchtte. 'Ze had hem gebroken… Stella. Toen ze met mij alleen naar beneden ging, weet je nog? Ze zei dat ze iets met me wilde bespreken…'

'Ja, weet ik. Wat heeft ze gebroken?'

'Nics halsketting… je weet wel, die jij zo mooi vindt? Die gouden ketting. Stella heeft hem gebroken.'

'Hoe?'

Eric legde zijn hand op Campbells arm. 'Luister, ik wilde het je toen niet vertellen omdat ik niet wilde dat je je erover opwond… en eigenlijk was het trouwens gewoon zielig. Ze probeerde alleen maar…'

'Wat probeerde ze?'

'Ze probeerde, je weet wel… ze probeerde me te verleiden, probeerde me te zoenen…' Hij schudde walgend zijn hoofd. 'Ze zei dat ze me probeerde te bekeren, de stomme teef.'

'Wat?'

'Het geeft niet…'

'Ja, het geeft godver wel. Waarom heb je het me niet verteld?'

'Omdat er niks gebeurd is, Wes. Ze was gewoon aan het rotzooien, weet je wel… greep me rond mijn nek, probeerde haar tong in mijn mond te duwen. Ik duwde haar weg, zei dat ze op moest rotten… en zo is die ketting gebroken. Toen ik haar wegduwde, haalde ze min of meer uit, en op de een of andere manier raakte de ketting los in haar hand. Ik heb hem meteen van haar afgepakt, maar ik dacht dat alleen het slotje was gebroken, snap je. Ze moet een stuk in haar hand hebben gehouden.'

Campbell haalde diep adem en dwong zich tot kalmte. 'Wat heb je met het stuk ketting gedaan dat jij had?'

'Dat heb ik uit de weg geruimd.'

'Waar?'

'In het vuur gegooid.'

'Je hebt hem verbrand?'

'Ja… nou, jij zei dat ik al mijn kleren en spullen moest verbranden, niet dan?'

'Jezus,' zei Campbell, zijn hoofd schuddend. 'Ik zei dat je je kleren moest verbranden… ik zei niet dat je je godvergeten sieraden moest verbranden.' Hij keek kwaad naar Eric. 'Metaal verbrandt toch niet in een kampvuur? Als de smerissen het vinden, kunnen ze het vergelijken met het stuk dat ze in Stella's broekzak hebben gevonden…' Hij zweeg even en dacht na. 'Trouwens, ik dacht dat je al haar zakken nagelopen had?'

'Had ik ook,' zei Eric.

'Hoe komt het dan dat je het niet hebt gevonden?'

'Het zat in het kleine voorzakje,' zei ik.

Campbell keek naar mij, zijn gezicht strak gespannen. 'Hoe weet jij dat?'

'De politie heeft het me verteld. Ze hebben me het stukje ketting laten zien...'

'Heb je gezegd dat het van Eric was?'

'Nee, maar...'

'Dus eigenlijk weten ze helemaal niks.' Een scheve grijns spleet zijn gezicht open. 'Zolang jij je mond dichthoudt, en Eric zijn verbrande kloteketting vindt voor de smerissen komen rondsnuffelen, hebben we het allemaal nog steeds in de klauw, niet dan?'

'Dat is anders niet aan je te zien,' zei ik.

'Wat zei je?'

Ik bleef hem strak aankijken. 'Waar ben je bang voor, Wes?'

'Wat?'

'Ik bedoel, als alles gegaan is zoals je hebt verteld, waar zit je dan over in? Stella chanteerde Eric. De ontvoering was haar idee. En trouwens, jij hebt haar niet vermoord. Dat was Pauly.'

'Niks om over in te zitten?' zei Campbell. 'We waren erbij toen ze stierf, weet je nog? We hebben het niet aangegeven. We hebben haar naakt in de rivier gedumpt. We hebben geprobeerd die kerel in de caravan ervoor te laten opdraaien...'

'Waarom?'

'Waarom wat?'

'Waarom al die moeite? Waarom heb je Pauly niet gewoon overal de schuld van gegeven?' Ik keek naar Eric. 'Was je bang voor wat hij de mensen over je zou vertellen?'

Eric keek zenuwachtig even naar Campbell.

'Niet naar hem luisteren,' zei Campbell. 'Hij probeert je gewoon op te fokken.'

'Ik snap het gewoon niet,' zei ik terwijl ik mijn hoofd schudde.

Eric draaide zich weer naar mij. 'Wat niet?'

'Jij en Wes... ik bedoel, schaam je je zo erg voor hem?'

Eric keek me alleen maar aan, zijn ogen kil en bleek in de schemer.

Met bonzend hart keek ik terug. 'Wat denk je dat er gaat gebeuren als mensen erachter komen dat je verliefd op hem bent? Denk je dat het in de krant komt, of zo? Homojongen van goede huize verliefd op misdadiger uit achterstandswijk? Toe nou, Eric, geloof je nou echt dat mensen dat interesseert?'

'Je begrijpt er niks van,' zei Eric zacht.

'Nee?'

'Het heeft niets te maken met je ergens voor schamen...'

'Je was altijd zo trots op jezelf,' zei ik, hem onderbrekend. 'Weet je nog toen je uit de kast kwam en je altijd dat Gay-Pride T-shirt aanhad...' Ik keek hem aan. 'Waar is die trots gebleven?'

'Je weet niet waar je het over hebt...'

'En jij,' zei ik tegen Campbell. 'Jij bent alleen maar bang dat niemand meer bang voor je zal zijn als ze erachter komen dat je homo bent.' Ik glimlachte gemeen pesterig. 'Stoere jongens zijn geen homo, hè? Stoere jongens worden niet verliefd op zijige types als Eric, die hoor je verrot te slaan. Daar hoor je een hekel aan te hebben. Die zijn toch walgelijk? Kloteflikkers, ze zijn onnatuurlijk...'

Toen haalde Campbell naar me uit en gaf me een gemene knal op mijn bek waardoor ik achteruit tegen de muur vloog. Ik veegde het bloed van mijn mond en keek hem aan... en zag wat ik hoopte te zien. Pure haat. Ondanks de stekende pijn aan mijn gezicht, en de stekende angst in mijn hart, moest ik bij mezelf lachen. Ik had hem. Hij werd driftig. Ik spuugde bloed op de vloer en grijnsde naar hem.

'Stoere vent,' zei ik.

Zijn ogen werden uitdrukkingsloos toen hij zijn stanleymes uit zijn zak trok en op me afkwam, en ik wist dat hij nu gewetenloos was. Er was niets wat hem nu nog tegenhield: geen gevoel, geen emotie, geen angst. Hij haatte me niet eens meer. Ik was gewoon iets wat hij tot zwijgen moest brengen. Iets wat hij aan repen moest snijden. Zo simpel als wat. Ik kon niets doen om hem tegen te houden.

Daarvoor had ik op Eric gerekend.

Maar terwijl Campbell steeds dichterbij kwam en Eric gewoon bleef staan en niets deed, drong het plotseling tot me door dat ik een grote fout maakte. Een ongelooflijk grote fout. Eric zou niets doen om Campbell tegen te houden. Waarom zou hij? Hij hield van hem. Zo simpel als wat.

Nu stormde Campbell op me af, met in zijn rechterhand het mes en in zijn linker nog steeds de zaklantaarn... en ik wist dat het nu te laat was om iets te ondernemen. Ik was verlamd. Ik kon nergens naartoe. Hij was te dichtbij, te overweldigend, te vastbesloten. Hij gaat op me in steken, besefte ik. Het gaat echt gebeuren. Ik krijg een jaap. En het enige wat ik kon doen was hem aanstaren en in stom ongeloof toekijken hoe het mes omhoog kwam...

En toen ineens was daar Eric die hem op zijn nek sprong, zijn armen om hem heen sloeg, hem bij me vandaan trok... en vocht Campbell als een dolle – draaide en kronkelde, gromde en vloekte, liet zijn zaklantaarn vallen in een poging om aan Erics greep te ontkomen – en scheen het licht van de gevallen zaklantaarn spookachtig door de stoffige schemer en wierp vreemde schaduwen op de muren... en terwijl ik het allemaal stond aan te zien, voelde ik plotseling een beslissende krak in mijn hoofd, als het geluid van brekend glas, en een moment lang zag en voelde ik van alles tegelijk. Alles en iedereen. Ik was Stella Ross, de Stella uit Pauly's verhaal. Ik was een leugen. Ik was Campbell en vocht als een gek. Raymond was Pauly. Pauly was Campbell, zichzelf niet meer meester, opgefokt door gekte en drugs. Eric was Nicole, Eric was Campbell, Eric was Eric. Woensdagmorgen was zaterdagnacht. Het was buiten donker. Er kwam storm. Het was buiten helder, de zon scheen. Ik was dood. Ik leefde...

De binnenkant van mijn hoofd flitste wit op.

Ik leefde.

Ik was hier.

Ik was Pete Boland.

Eric was Eric en Campbell was Campbell, en ze dansten samen midden op de vloer… nee, ze dansten niet. Ze hadden elkaar in een kwade greep. Met rode gezichten, driftig, elkaar omhelzend met de hartstocht van een gevecht tussen twee geliefden. Ze schreeuwden naar elkaar.

'Je kan niet zomaar…'

'Ik ging het hem verdomme alleen maar laten voelen…'

'Dat is nergens voor nodig…'

'Flikker op met je "nergens voor nodig",' gilde Campbell terwijl hij Eric wegduwde. 'Shit,' siste hij, 'we zouden hier niet eens zijn, als je naar me had geluisterd…'

'Naar wat?'

'Naar alles. Ik zei dat je je mobiel weg moest doen…'

'Dat was ik ook van plan…'

'Ja, maar je hebt het niet gedaan, hè? Nu heeft die klootzak hem ergens verstopt.' Hij schudde zijn hoofd. 'En heb jij het verpest met die halsketting.'

'Dat heb ik toch niet expres gedaan? Het was een vergissing…'

'Het hele klotegedoe was een vergissing. Je had meteen tegen Stella moeten zeggen dat ze op moest rotten.'

'Dat kon ik toch niet?'

'Waarom niet?'

'Je weet heel goed waarom niet.'

'Ja,' zei Campbell hatelijk. 'Niemand mag het van ons te weten komen, hè?'

Eric schudde zijn hoofd en wendde zich af. 'Ik heb geen zin om hier weer over te beginnen. Het is belachelijk…'

'Ga niet met je rug naar me toe staan,' zei Campbell giftig; hij greep hem bij zijn schouder en liet hem andersom tollen. 'Ik vroeg je iets.'

Eric keek hem woest aan. 'Wat ben je van plan, Wes? Me in elkaar slaan?'

Campbell had maar een seconde nodig om zijn mes te pakken en Eric bij zijn hals te grijpen, maar toen, net zo plotseling, bleef hij stokstijf staan, alsof hij zich net had gerealiseerd waar hij mee bezig was. Ik zag hem geschrokken naar Eric kijken, en ik weet zeker dat als Eric even had gewacht, alles goed gekomen zou zijn. Campbell had sorry gezegd. Eric had hem vergeven. Ze zouden alle twee kalmer zijn geworden en gestopt zijn met vechten.

Maar in plaats van te wachten, begon Eric te lachen. Het was een gemene lach, kil en spottend, en toen hij zijn mond opendeed klonk zijn stem net zo gemeen.

'Ga je me nu steken?' zei hij spottend. 'Ga je me overhoop steken?'

Campbell probeerde zich in te houden en ik zag hem indringend naar Eric kijken met de zwijgende boodschap dat hij ermee op moest houden. Maar Eric had ook zijn zelfbeheersing verloren. Campbell had hem met een mes bedreigd... een mes.

'Val dood, Wes,' siste hij, hij wrong zich los en sloeg Wes zijn arm weg. 'Waarom rot je niet op naar waar je hoort?' Hij draaide zich woest om en stoof naar de trap.

Campbell stormde hem achterna, zijn ogen spatten vuur. 'Hé! Hé... tegen wie denk jij verdomme eigenlijk dat je het hebt?' Eric wilde net de trap opgaan toen Campbell hem achterna kwam. Eric hoorde hem komen en versnelde zijn pas, maar Campbell had hem al bijna beet. Hij graaide naar hem, kreeg bijna zijn riem te pakken, maar Eric sprong opzij. Campbell klom naar boven en probeerde hem weer te grijpen, maar nu was Eric erop voorbereid. Hij stond zo'n vijf treden boven Campbell, zijn voeten ongeveer op de hoogte van Campbells hoofd, en het enige wat hem overbleef was schoppen. En dat probeerde hij: hij draaide zich snel om en schopte naar Campbells hoofd… maar Campbell had dat verwacht. Toen Eric schopte, schoot hij naar voren, greep Erics been vast en dwong hem achteruit… en toen gaf Eric ineens een schreeuw van pijn, greep naar zijn bovenbeen en viel opzij.

Ik dacht eerst niet dat het iets voorstelde. Dat hij gewoon een spier had verrekt of zijn voet had verstuikt of zo…

Tot ik al het bloed zag.

Dertig

Ik geloof niet dat Campbell Eric had willen steken. Ik denk dat hij hem gewoon vast had willen pakken en was vergeten dat hij het mes nog in zijn hand had, of misschien had Eric geprobeerd het mes uit zijn hand te schoppen of zoiets... ik zou het echt niet weten. Het ene moment zag ik ze worstelen – en was het enige waar ik aan dacht om het op een lopen te zetten – en het volgende zat Eric voor ik het wist op de trap te kreunen van de pijn terwijl het bloed uit zijn been spoot, en hurkte Campbell naast hem en probeerde hem wanhopig te troosten.

'Shit, Eric... sorry... ontzettend sorry...'

'Laat maar,' zei Eric met vertrokken gezicht. 'Het houdt alleen niet op met bloeden. Jezus...'

'Kom, laat eens zien...'

Terwijl ik door de kelder naar hen toeliep, trok Campbell voorzichtig Erics broek tot op zijn knieën en zag ik dat het mes hem aan de binnenkant van zijn dij had geraakt, ongeveer halverwege zijn knie en zijn kruis. Het was maar een sneetje, en het zag er niet zo erg uit, maar het bloed stroomde naar buiten.

'Je moet er druk op zetten,' zei ik.

Campbell keek naar me omhoog. 'Wat?'

'Heb je een zakdoek of zoiets?'

Hij keek me alleen maar aan, te geschrokken om te reageren. Ik trok mijn T-shirt uit, scheurde er een mouw af en liep naar de zijkant van de trap. Ik stond nu op gelijke hoogte met Eric en zag dat hij echt bang was. Zijn handen beefden. Zijn ogen waren bleek. Hij zag heel wit.

'We moeten het bloeden stoppen,' zei ik tegen hem. 'Oké?'

Hij knikte.

Ik vouwde de mouw dubbel en legde die voorzichtig over de wond in zijn dij.

'Geef me je hand eens,' zei ik tegen Campbell.

Hij keek me aan.

Ik greep zijn hand en legde die boven op de dubbelgevouwen mouw. 'Hou dit ertegenaan gedrukt,' zei ik, terwijl ik zijn hand naar beneden drukte. 'Zo. Niet te hard… hou alleen je hand daar en hou het op zijn plek.'

'Waarom bloedt het zo erg?' vroeg Campbell.

'Het kan een kapotte ader zijn of een slagader…' Ik ging opzij staan en greep Eric onder zijn oksels. 'Help me hem van de trap af te krijgen.'

'We moeten hem hier weg zien te krijgen…'

'Nee,' zei ik beslist. 'Als we teveel met hem rondsjouwen, wordt het alleen maar erger. Help me eerst het bloeden te stoppen, dan bel ik daarna een ziekenauto. Goed? Wes?'

'Ja…'

'Toe dan, help je me nou of niet?'

We kregen Eric van de trap af en legden hem op de vloer. Terwijl ik voorzichtig zijn been optilde en dat op een tree liet rusten, zei ik tegen Campbell dat hij druk moest blijven uitoefenen. 'En laat zijn been omhoog liggen,' zei ik. 'Dat helpt om het bloed langzamer te laten stromen.' Ik draaide me naar Eric. 'Probeer kalm te blijven, oké?'

Eric knikte. Zijn gezicht was nu doodsbleek.

Ik stond op en keek neer op Campbell. 'Geef me je telefoon.'

Hij schudde zijn hoofd. 'Die heb ik weggedaan.'

'Shit. En…'

Erics telefoon, wilde ik zeggen. En Erics telefoon?

'Shit,' zei ik nog eens.

'Hij bloedt nog steeds,' zei Campbell wanhopig. 'We moeten iets doen…'

Hij zat nog steeds naast Eric gehurkt en drukte nog steeds op de wond. Zijn handen zagen rood van het bloed, zijn gezicht zag bijna net zo bleek als dat van Eric. Hij zag er niet meer zo stoer uit. Hij leek op een bang klein kind. Even vroeg ik me af waarom me dat geen plezier deed. Campbell voelde zich nu toch ellendig? En ik had toch de pest aan hem? Ik had altijd al de pest aan hem gehad. En gewild dat hij zich ellendig zou voelen. Maar nu het zover was… leek het niet meer van belang.

Ik keek naar Eric.

Zijn ogen waren halfdicht.

'Geef me zijn aansteker,' zei ik tegen Campbell.

'Wat?'

'Zijn sigarettenaansteker. Geef me die eens.'

Campbell groef in Erics zak en gaf me zijn aansteker.

'Blijf daar,' zei ik, terwijl ik de trap opliep. 'Hou zijn been omhoog en hou druk op de wond.'

'Waar ga je naartoe?' vroeg Campbell.

'Blijf gewoon hier op de ziekenauto wachten. Als je hem hoort komen, ga je naar buiten zodat ze kunnen zien waar je bent. Ik doe het zo vlug als ik kan.' Ik schoof de metalen kast boven aan de trap weg en liep snel naar buiten het daglicht in.

Na de koele ondergrondse lucht van het souterrain, trof de hitte van de middagzon me met een mokerslag. Ik was moe, denk ik. In elkaar geslagen en uitgeput. En terwijl ik het betonnen plein rondholde en handenvol twijgjes en stukken oude krant opraapte, voelde ik het zweet van mijn blote rug afstromen en me leegzuigen.

Ik liep naar de hoop oude autobanden, propte alle kranten en droge takjes in een opening onder in de stapel, haalde toen Erics aansteker uit mijn zak en stak het aan. Er zat nog meer troep in de stapel – stukken papier, plastic zakken, oude snoeppapiertjes – en het was allemaal zo droog dat de stapel banden binnen een paar seconden in lichterlaaie stond. Ik wachtte even en bleef kijken tot de vlammen pakten en de rook dik en zwart werd, toen draaide ik me om en zette het op een lopen.

Terug door de opening in het gaas, terug naar beneden langs het talud, terug over het overwoekerde pad... dat nu niets vertrouwds meer had. Het deed me nergens aan denken, het bracht geen gevoelens naar boven, het bracht me niet terug naar een tijd toen alles nog prachtig en opwindend was...

Het was gewoon een pad.

Hetzelfde als het altijd was geweest.

Ongeveer halverwege hield ik even stil om me te oriënteren. Na een snelle blik om me heen, realiseerde ik me dat het makkelijker zou zijn om hier dwars door het struikgewas te steken, dan om helemaal naar beneden te lopen en weer door de bramen terug omhoog naar de eik te klimmen. Die kon ik vanaf hier zien. Ik prentte hem in mijn hoofd, ging van het pad af en begon dwars over te steken.

Het struikgewas was behoorlijk dik, en het meeste zat vol doorns, maar ik kon het op geen enkele manier ontwijken, dus klemde ik mijn kiezen op elkaar en ploeterde door. Ik kon de rook van de brandende banden nu ruiken en toen ik een blik over mijn schouder wierp zag ik pluimen dikke zwarte rook opwolken. Hopelijk zag iemand anders het ook. En al zagen ze het niet, het zou in elk geval de ziekenauto de weg wijzen.

Net onder de eik kwam ik uit het struikgewas vandaan, en terwijl ik stond uit te puffen en uit te hijgen, wist ik even niet meer waar ik mee bezig was. Waar was mijn T-shirt? Waarom deed mijn mond pijn? Waarom stond ik hier in godsnaam naar een eik te staren?'

'O ja...' hoorde ik mezelf zeggen.

En toen klauterde ik naar de boom, kroop in de greppel, tastte in de holte en probeerde me te herinneren waar ik Erics telefoon had gelaten. Waar was hij? Het enige wat ik voelde waren dode bladeren, takjes, nog meer troep…

Plastic.

Ik greep de telefoon, trok hem tevoorschijn en ging met mijn rug tegen de boom aan zitten. Nog steeds nahijgend, klapte ik hem open en zette hem aan. En toen kon ik alleen maar wachten. Ik staarde naar het scherm, droop van het zweet… wachtte… staarde… hoopte op een signaal. De telefoon piepte. Hoofdmenu. Ik veegde een druppel zweet van het scherm en keek naar de ontvangst. Drie streepjes. Ik drukte het nummer in en hield de telefoon aan mijn oor.

Pap antwoordde bijna onmiddellijk. 'Hallo?'

'Pap, met mij…'

'Pete! Godallemachtig, waar zit je! Alles goed? Wat voor den donder?'

'Luister, pap,' zei ik vlug. 'Alles goed met mij…'

'Waar zit je?'

'Pap, alsjeblieft,' zei ik scherp. 'Alleen even luisteren, oké? Ik kan elk moment geen bereik meer hebben. Luister je?'

Ik hoorde hem diep ademhalen. 'Ja… ja, ik luister.'

'Ik weet wat er met Stella is gebeurd, pap. Ik weet wie het gedaan heeft. Het waren Pauly, Eric, en een jongen die Wes Campbell heet…'

'Zeg dat nog eens. Je valt weg. Eric en wie?'

'Laat maar, ik leg het later allemaal wel uit. Eric heeft een ziekenauto nodig, pap. Hij is in zijn dij gestoken en hij bloedt echt vreselijk. Hij zit in het souterrain van een van de fabrieksgebouwen. Zeg tegen de lui van de ziekenauto dat ze naar het vuur moeten uitkijken. Daar staat iemand buiten te wachten.'

'Ben je nu bij Eric?'

'Nee. Wes Campbell is bij hem, maar ik ben niet ver uit de

buurt. Ik ga nu terug om op de ziekenauto te wachten.'

'Ik ben er in vijf minuten. Heb je iets nodig?'

'Alleen dat je zo snel mogelijk komt, pap.'

'Ik ga nu meteen weg.'

Hij legde neer.

Ik liet een zware zucht ontsnappen, sloot mijn ogen, en zakte onderuit tegen de boom. Nu kon ik een paar minuten uitrusten. Ik hoefde niet meer over Eric en Campbell na te denken, en ook niet over Stella. Dat was allemaal over en voorbij. Ik had het uit handen gegeven. Ik moest alleen even uitrusten. Dan zou ik teruggaan naar de oude fabriek, pap me naar huis laten brengen, hem alles proberen uit te leggen... een bad nemen, een goeie tuk doen... en dan was ik weer zover dat ik aan Raymond kon denken.

Raymond...

Ik deed mijn ogen open en keek omhoog naar een blauwe lucht die verduisterd werd door rook.

Ik kon er niets in ontdekken. Geen konijnen, geen gezichten, geen visioenen. Ik deed mijn ogen weer dicht.

Erics telefoon piepte twee keer.

Niet op letten, zei ik tegen mezelf. Je denkt niet meer aan Eric. Dat is allemaal geweest. Je hebt het uit handen gegeven...

Ik deed mijn ogen open en keek naar de telefoon.

Op het scherm stond:

NIEUW BERICHT VAN PYG

Ik dacht nergens aan toen ik automatisch *LEZEN* indrukte, ik dacht dat het gewoon een bericht was van Pauly aan Eric. Maar toen het bericht verscheen, herinnerde ik me plotseling dat Pauly me met Erics telefoon had gezien. Hij wist dat ik die had. Hij wist dat ik op zou nemen.

Zijn bericht was niet voor Eric, het was voor mij.

Petepete –ga nt goed ga hlml nt goed bn 2fuk HA! Kn t nt doen mt t nu doen kil me t KILME nu bn nu dood

Ik begreep het eerst niet. Ik dacht dat Pauly weer eens gewoon Pauly was. Waarschijnlijk had hij weer van zijn juicedrankje gedronken en lag hij nu ergens met zijn verwarde kop mij onzinberichten te sturen, dacht ik.

Maar toen kreeg ik een raar gevoel, een gevoel dat er iets helemaal niet goed zat...

En terwijl ik probeerde uit te vogelen wat het was, schoot er plotseling een halfvergeten beeld door mijn hoofd, een beeld van Pauly zoals hij vanmorgen in de hut had gezeten: trekkend met zijn gezicht, trillende lippen, ogen die alle kanten opschoten.

Je kunt je niet blijven verstoppen, had ik tegen hem gezegd.

En hij had me aangekeken en vreemd geglimlacht. Denk je van niet?

Met de echo van zijn woorden dreigend in mijn hoofd, las ik zijn bericht nog een keer...

Ga niet goed.

Moet het nu doen.

... en plotseling was het helemaal niet meer zo'n onzin.

Kill me.

Nu.

Ik zag Pauly's huis voor me, voelde het binnenin me: de leegte, de kilte, de lichtloosheid. ik voelde het gore van zijn kamer, de geur van zweet en bedompte lucht, de vliegen die om ongewassen borden zoemden... de vieze vloer, het vieze meubilair, de vieze plaatjes aan de muur...

Ga niet goed.

... en Pauly zelf, die zijn ogen dichtdeed en zijn handen voor zijn gezicht sloeg.

Kill me.

414

Ben nu dood.
'Shit.'

Het was een heel eind hard rennen naar Pauly's huis, en nog voor ik halverwege was dacht ik niet dat ik het ging halen. Mijn benen voelden als lood, mijn longen stonden op springen, mijn hart barstte bijna uit elkaar... ik dacht niet dat ik nog verder kon lopen, laat staan hard lopen. Maar ik mocht niet stoppen. Als ik zou stoppen, zou de pijn weggaan. En als de pijn wegging, zou ik gaan nadenken. En ik wilde niet nadenken, omdat ik wist dat het te veel pijn zou doen.

Dus rende ik maar door.

Over het braakliggend terrein, door de afrastering, de kade langs en omhoog naar Greenwell...

Ik weet er niets meer van.

Ik was nu nergens.

Overal en nergens.

De wereld smolt.

Toen ik daar aankwam voelde Pauly's huis doods aan. De ramen waren dicht, de gordijnen zaten ervoor. Het huis was leeg en stil. Ik liep naar de voordeur en belde aan.

Geen antwoord.

Ik beukte op de deur.

Geen reactie.

Ik ging op mijn hurken zitten en riep door de brievenbus: 'Pauly? Hé, Pauly! PAULY!'

Niets.

Ik deed een stap achteruit en riep naar de bovenramen: 'PAULY! Ben je daar? PAULY!'

De deur van het huis ernaast vloog open en een boos uitziende vrouw leunde naar buiten. 'Waar dacht jij dat je mee bezig was?'

schreeuwde ze naar me. 'Jezus! Ik probeer hier tv te kijken...'

'Is hij thuis?' snauwde ik. 'Hebt u hem gezien?'

'Wie?'

'Pauly. Pauly Gilpin. Hebt u hem gezien?'

'Nee, ik heb hem niet gezien. En ik hoef hem ook niet te zien... wacht even, wat doe je?'

Ik had me omgedraaid en een stuk beton opgeraapt dat aan de zijkant van het pad lag. Ik hoorde haar nog iets zeggen toen ik op het raam aan de voorkant afstapte en het brok beton optilde, maar ik luisterde niet meer. Ik reageerde nergens meer op. Ik wilde alleen maar vreselijk graag het huis in.

Ik smeet het stuk beton tegen het raam. Het glas spatte uit elkaar en vloog alle kanten op. Ik klauterde op een gebroken pallet die tegen de muur stond, stak mijn hand door het gebroken glas, haalde de grendel eraf, en klom naar binnen de huiskamer in.

Binnen was het donker en smerig. Een kleine tv stond in een hoek te flikkeren zonder geluid en er hing een levenloze, sombere atmosfeer. Ik dacht eraan om weer te roepen, maar op de een of andere manier leek me dat niet juist. Het was te stil om te gaan roepen... te rustig. Het voelde gewoon niet goed.

Ik liep de huiskamer door, deed de deur open, en stapte de gang in. De trap was aan mijn linkerkant. Ik bleef even staan, keek in het halfduister naar boven, en probeerde mezelf wijs te maken dat ik niet naar boven hoefde, dat het nu trouwens toch geen verschil meer zou maken... maar ik wist dat ik door moest zetten.

Terwijl ik de smalle trap opging, leek de stilte van het huis me in te sluiten. Ik voelde het aan de lucht die als een film van olieachtig grijs water langs mijn huid streek.

Boven aan de trap bleef ik staan.

Het stuk bevlekte krant lag nog steeds op de overloop. Ik stapte eromheen en liep naar Pauly's deur. Die was dicht. Ik bleef even staan en spitste mijn oren, en even dacht ik iets te horen. Een zwak gekraak... een keer, twee keer... toen hield het op. Ik ademde uit, ademde in. De lucht rook smerig. Zuur en muf, zweterig en vuil... en erger. Er was nog iets, een andere geur, iets vreselijks.

Ik deed mijn ogen dicht.

Haalde diep adem.

En deed de deur open.

De lucht kwam me meteen tegemoet, de ranzige stank van menselijke uitwerpselen, en ik begon al over te geven toen ik omhoog keek en Pauly aan het plafond zag hangen. Een riem zat met een lus om zijn nek, het andere eind was vastgemaakt aan de lampfitting, en terwijl ik daar stond – slikte en naar adem snakte – kraakte het snoer van de lamp en draaide rond, en Pauly's opgezette gezicht draaide langzaam naar me toe. Hij grijnsde – een laatste pijnlijke grijns – en zijn dik geworden tong stak tussen zijn tanden naar buiten. Zijn ogen puilden uit, het wit doorlopen met bloed. Zijn hals was gezwollen. Hij had alles laten lopen, zijn spijkerbroek zat onder de vlekken, en op de vloer lag een klein plasje urine.

Ik deed mijn ogen dicht.

Hield mijn adem in.

Laat het alsjeblieft niet waar zijn.

Maar toen ik ze weer opendeed, was het allemaal nog precies zo: het lichaam, de vliegen, de lege hamburgerdozen, het vuil, het verdriet, de stank van schuld, de omgevallen stoel... en op het onopgemaakte bed een print van Stella Ross, het gezicht doorgekrast en met een balpen door het hart.

'Jezus, Pauly,' mompelde ik.

Ik was nu klam van het zweet. Mijn benen trilden, mijn bloed voelde ijskoud, en terwijl ik me onvast in de deuropening op de vloer liet zakken, welde er een golf ellende in me op en schoten mijn ogen vol tranen.

Ik begroef mijn hoofd in mijn handen en begon te snikken.

Eenendertig

Ik weet niet hoe lang een moment duurt – een seconde, een halve seconde... een duizendste seconde – en ik weet niet hoe het oneindige van een moment je hoofd binnendringt en tot een onvergetelijke herinnering wordt... maar ik weet wel dat ik nooit zal vergeten wat ik in die kamer heb gezien. Ik wil het vergeten. Ik wil het niet elke nacht zien, elke keer als ik mijn ogen dichtdoe, elke keer dat ik denk dat ik het vergeten ben. Maar ik weet dat ik het onmogelijk kan vergeten. Het is in mijn geheugen geschroeid, in mijn hoofd gebrand, nog net zo levend en weerzinwekkend als al die maanden geleden.

Pauly Gilpin.

Dood.

Ik weet nog steeds niet waarom hij het deed.

En ik denk niet dat ik het ooit te weten zal komen.

Omdat ik denk dat ik hem nooit echt heb gekend.

Niet dat het veel uitmaakt.

Waarom hij zelfmoord heeft gepleegd, en wie hij ook was, hij blijft dood.

En Stella ook.

Ze zijn alle twee verdwenen.

En de rest van ons...?

Nou, we zijn er allemaal nog.

En allemaal maken we nog van die momenten door.

Eric Leigh en Wes Campbell zijn die dag alle twee gearresteerd bij de oude fabriek. Campbell werd meteen verhoord, maar Eric bloedde nog steeds behoorlijk en werd dus onmiddellijk naar het ziekenhuis gebracht voor eerste hulp. Hij had veel bloed verloren en moest een tijd in het ziekenhuis blijven, maar later bleek dat het mes toch niet zijn slagader had geraakt, alleen een paar aders door had gesneden, dus was er van ernstig letsel geen sprake. Hij werd door de politie verhoord toen hij nog in het ziekenhuis lag, en zo gauw hij weer kon lopen werd hij nog eens op het politiebureau verhoord.

Ik weet niet wat hij hun over Stella heeft verteld, en ook niet wat Campbell heeft gezegd, maar uiteindelijk werden ze alle twee op borgtocht vrijgelaten, in afwachting van verder onderzoek. Ik weet niet zeker wat er met hen gaat gebeuren. Waar ik wel zo goed als zeker van ben is dat ze uiteindelijk in een of andere staat van beschuldiging zullen worden gesteld, maar of ze nou voor iets terecht zullen moeten staan…

Ik zou het echt niet weten.

Het kan me ook niet echt schelen.

Ik heb ze sinds het allemaal gebeurd is geen van tweeën meer gezien, en ik hoop dat dat zo blijft. Niet dat ik me nou zo verbitterd voel over wat ze me hebben aangedaan, en bang ben ik zeker niet meer van ze… eigenlijk doen ze me helemaal niets meer. Ik wil ze gewoon niet meer zien.

Nooit meer.

Wat misschien niet zo makkelijk zal zijn, vooral wat Eric betreft, omdat ik weer zo'n beetje met Nicole ga.

Nadat haar ouders de verhuizing naar Parijs hadden uitgesteld vanwege alles wat er met Eric aan de hand was, besloot Nic dat ze net zo goed naar het oriëntatiejaar kon gaan en een vakkenpakket kon kiezen.

Dat vertelde ze me allemaal toen we op de eerste schooldag in de kantine tegen elkaar aanliepen.

'Ik probeer me in te schrijven voor de drama- en theatervakken,' zei ze, 'maar ik heb het er een beetje bij laten zitten, weet je…'

'Ja,' zei ik onhandig, omdat ik niet wist wat ik anders moest zeggen.

Toen hadden we nog geen van beiden de moed om te praten waar we het eigenlijk over wilden hebben, en waren we alle twee opgelucht dat we net konden doen alsof we nodig ergens anders moesten zijn. En een paar weken later was het eigenlijk nog net zo toen ik haar weer bij de bushalte zag: wat gemompel, heel veel steelse blikken, gespannen lachjes, zenuwachtig geschuifel van voeten…

Maar toen belde ze me de avond daarop.

En hebben we gepraat.

En alle twee een beetje gehuild.

En sinds die tijd hebben we elkaar regelmatig ontmoet, hebben meer gepraat, zijn langzamerhand over onze verlegenheid heen gekomen en zijn weer goede vrienden… of misschien zelfs iets meer dan dat.

Maar het blijft moeilijk.

Ik bedoel, het is goed als we samen zijn. Het voelt echt goed. En ik geloof dat het uiteindelijk waarschijnlijk wel goed komt met ons.

Maar toch valt het niet altijd mee.

Om allerlei redenen.

Eric, om maar wat te noemen. Ik bedoel, hoe ik ook over hem denk, en wat Nic ook van hem denkt, hij blijft haar tweelingbroer. Hij maakt nog steeds deel uit van haar leven. En dat zal zeker moeilijkheden opleveren voor ons. En dan is er Raymond…

Raymond is er altijd.

Raymond en ik…

Ik weet niet.

Het is gewoon zo moeilijk.

Omdat er heel veel tijden zijn dat de rest me gewoon niet kan schelen: Pauly, Eric, Campbell, Stella, de politie, Nicole, pap en mam, de rest van de wereld... het is allemaal wel ergens – de horizons, de luchten, de dagen en de nachten – ik wil er alleen niks mee te maken hebben.

Het enige wat ik wil is met Raymond praten.

Maar hij is weg.

Verdwenen.

Opgelost.

Niemand weet waar hij is, niemand weet wat er met hem is gebeurd, niemand weet of hij dood of levend is.

Hij is er gewoon niet meer.

Het heeft lang geduurd voor de politie Raymond als slachtoffer begon te zien in plaats van als een verdachte, maar na de ondervraging van Eric en Campbell, kwam hoofdinspecteur Barry er eindelijk toe om een grootscheeps onderzoek in gang te zetten. Raymonds ouders kwamen ook met een emotionele oproep op tv, met veel verdriet en tranen, die vast wel echt waren... maar ik blijf het gevoel houden dat het allemaal veel te laat was. Als de politie eerder naar hem op zoek was gegaan... als meneer en mevrouw Daggett wat emotie hadden getoond toen hij het nodig had... ik wil maar zeggen, het is allemaal prima om op tv aan de wereld te vertellen dat je zo veel van je vermiste zoon houdt, maar had dat af en toe ook eens aan hem verteld. Voordat hij vermist werd, weet je wel.

Hoe dan ook, ze deden een oproep, en de politie bleef naar hem zoeken – dregde de rivier af, doorzocht de fabriek, het braakliggend terrein, het bos rond het achterlaantje – maar tot nu toe hebben ze niets gevonden. Het enige wat al de publiciteit heeft opgeleverd is een stroom van artikelen over mishandelde dieren: over een stel afgemaakte zwerfkatten, over een zwerfhond die in stukken in het park is aangetroffen, over kippen met een afgehakte kop.

Dat is allemaal zo'n beetje in het afgelopen jaar voorgevallen, en allemaal in en rond St. Leonard's. Wat ergens op zou kunnen duiden. Het zou kunnen betekenen dat daar een gek rondloopt, een bloeddorstige idioot die met Raymonds verdwijning te maken zou kunnen hebben. Of het zou gewoon kunnen betekenen dat daar een idioot rondloopt die Zwartkonijn heeft vermoord, zijn kop eraf heeft gehakt en die aan de poort heeft gehangen, maar die niets met Raymonds verdwijning te maken heeft. Het zou gewoon een samenloop van omstandigheden kunnen zijn, een onzinnige en barbaarse samenloop van omstandigheden.

De politie onderzoekt het nog steeds.

Ze zoeken ook nog steeds naar een mogelijk verband tussen Raymonds verdwijning en de andere kinderen die van kermisterreinen werden vermist, en kennelijk zijn er een of twee veelbelovende aanknopingspunten, maar voorlopig is er nog niets zeker.

Het zijn niet meer dan mogelijkheden.

Theorieën.

Veronderstellingen.

Misschiens.

Misschien werd Raymond ontvoerd.

Misschien is hij gewoon weggelopen.

Misschien is hij nog ergens.

Misschien leeft hij nog.

Ik weet het niet…

Wat ik wel weet is dat hij altijd bij me zal zijn, in mijn hoofd, in mijn hart…

Hij zal er altijd zijn.

Om het even wat.

Colofon

Zwartkonijn van Kevin Brooks werd in opdracht van Uitgeverij De Harmonie te Amsterdam gedrukt door HooibergHaasbeek te Meppel.

Oorspronkelijke uitgave *Black Rabbit Summer* (First published by Puffin Books, part of Penguin Books Ltd, UK, 2008)
Omslagontwerp Ron van Roon
Foto omslag Nicholas Roemmelt
Typografie Ar Nederhof

Copyright © Puffin Books, 2008
Text copyright © Kevin Brooks, 2008
Copyright © Nederlandse vertaling Jenny de Jonge en Uitgeverij De Harmonie, 2010

ISBN 978 90 6169 931 6
Eerste druk april 2010

Voor België: Uitgeverij Manteau, Antwerpen
ISBN 978 90 2232 503 2
D/2010/0034/285

www.deharmonie.nl
www.manteau.be

De vertaler ontving voor deze vertaling een werkbeurs van de Stichting Fonds voor de Letteren.